イノベーション＆社会変革の新実装

未来を創造する スタンフォードの マインドセット

朝日新聞出版

CONTENTS

006 はじめに
革新的研究からアントレプレナーシップまで
スタンフォードでの学びは、
なぜイノベーションにつながるのか
ホーン川嶋瑤子（社会科学系研究者＆執筆業）

030 対談
未来志向、実学重視、社会変革、新しいことへの挑戦
スタンフォード大学に学ぶ、日本と世界のこれから
中内啓光（スタンフォード大学医学部教授）
×
筒井清輝（スタンフォード大学社会学部教授）

CHAPTER 1
スタンフォードの教育・研究とイノベーション

056 #01
▶ 学術知を結集し現実の社会問題を解決、
マーケットデザインの実用に向けて
野田俊也（東京大学マーケットデザインセンタープロジェクトマネージャー）

066 #02
▶ スタートアップとビジネス弁護士が創る
新規産業と宇宙資源ビジネス
水島 淳（弁護士／西村あさひ法律事務所）

076 #03
▶ 量子計測と生物学の間を切り開く
疾患解明に向けた新しい学問への挑戦
石綿 整(量子生命科学研究所主任研究員)

086 #04
▶ 新潮流「web3」の分野横断的ルールメイキングの現場
――Web 2.0時代における
わが国の「デジタル敗戦」を乗り越えて
増田雅史(弁護士/森・濱田松本法律事務所)

096 #05
▶ 劇的な変化を続けるデジタル技術と社会制度。
法はイノベーションにどう向き合うか
羽深宏樹(弁護士/京都大学法学研究科特任教授)

108 #06
▶ ODR(Online Dispute Resolution)
――オンライン紛争解決をデジタル社会のインフラに
渡邊真由(立教大学法学部国際ビジネス法学科特任准教授)

122 #07
▶ テクノロジーを超えたワクワクを
――資源開発技術と地域共創
鈴木杏奈(東北大学流体科学研究所准教授)

132 #08
▶ 自由の風を日本へ。
コンピューターと音楽が織りなす新しい文化
寺澤洋子(筑波大学図書館情報メディア系准教授)

CHAPTER 2
スタンフォードの
アントレプレナーシップ・社会変革

144 #09
▶ 原子力エンジニア×MBA×社内ベンチャー。
アンチ・フラジャイルな日本のエネルギー基盤構築へ
立岩健二(アジャイルエナジーX代表取締役社長)

174 #10
▶ 東大を日本のスタンフォードに。
日本らしいディープテックスタートアップ振興への挑戦
郷治友孝(東京大学エッジキャピタルパートナーズ[UTEC]共同創業者・代表取締役社長CEO)

200 #11
▶ シリコンバレーのメドテックイノベーションで、
超高齢社会日本の医療を変革する
池野文昭(スタンフォード大学医学部研究者)

222 #12
▶ 日本から世界を変える
バイオテックベンチャーを生み出すために。
シリコンバレー流・バイオテックベンチャーの創り方
陸(榊原) 翔(BillionToOne社CPO)

246 #13
▶ 社会変革に取り組む
リーダー育成の最前線
松田悠介(Crimson Education／Crimson Global Academy日本代表)

268 #14
▶ テクノロジー社会の本格的な到来を受けて、
金融から日本を変える
瀧 俊雄(マネーフォワード執行役員)

286 #15
▶ サーチファンドを日本へ。
アントレプレナーシップに第二の柱を
嶋津紀子(JaSFA代表取締役社長)

312 #16
▶ メディアの進化とクリエイターエコノミー
── 世界を変える「個」の力
鹿島幸裕(note取締役CFO)

336 #17
▶ 人間力を育み、
人生の好循環を生み出すビジネススクール
── スタンフォード大学経営大学院の人材育成
牧 兼充(早稲田大学ビジネススクール准教授)

366 おわりに
今こそスタンフォードに学ぶべき
多様な思考フレームと「できるよ感」。
世界との人材循環が日本の次世代を創る
櫛田健児(カーネギー国際平和財団シニアフェロー)

Mindset of Stanford

はじめに

革新的研究からアントレプレナーシップまで

スタンフォードでの学びは、なぜイノベーションにつながるのか

ホーン川嶋瑤子
KAWASHIMA H. *Yoko*

社会科学系研究者&執筆者。教育と労働、大学分析、アメリカの社会分析、ジェンダー研究。東京大学法学部卒、パリ大学教育学修士、パリUNESCO勤務後、スタンフォード大学で教育学博士&経済学修士修了。お茶の水女子大学ジェンダー研究センター教授、東京大学大学院教育学研究科&社会学科非常勤講師などを歴任。日米ジェンダー研究学術誌*US-Japan Women's Journal: A Journal for the International Exchange of Gender Studies*創刊編集長歴任。2006年から日米を結んでの学習・交流会「トーク会」主催。著作に『大学教育とジェンダー：ジェンダーはアメリカの大学をどう変革したか』(東信堂・2004年)、『スタンフォード　21世紀を創る大学』(東信堂・2012年)、『アメリカの社会変革：人種、移民、ジェンダー、LGBT』(筑摩書房・2018年)、編著に『グローバル化、デジタル化で教育、社会は変わる』(東信堂・2021年)などがある。

世界屈指の研究大学となり、時代を先導する大学として躍進を続けるスタンフォード。一体なにがスタンフォードを世界のモデル大学にしているのか？　アカデミアであれ、ビジネスであれ、政治であれ、世界のリーダーたちがここから育っていくのはなぜか？　ここで学んだ日本人留学生はなにを学び、卒業後はその経験をいかに生かし、社会貢献しているのだろうか？　これが本書のテーマである。

研究大学は研究に重点を置く大学であり、教育と研究による人材育成、知の創出と移転を通した社会・経済貢献をしてきたが、さらに近年はグローバル化の進行のなかで、気候変化、環境破壊、食料問題、格差問題など世界が直面している複雑で困難な問題との取り組みまで役割を拡大している。世界から集まるトップレベルの研究者・学生集団である研究大学こそは、これらの重要な問題に取り組むのに最適の組織であり、スタンフォードはまさにそのリーダーとなっている。

スタンフォードには、言うまでもなく、卓越した「人的資本」、財源や建物などの豊かな「物的資本」があるが、それとともに、チャレンジ、チェンジ、アントレプレナーシップを価値づける特有の「文化資本」がある。文化や価値規範はそこにいる人々の思考や価値観、姿勢を形成する。スタンフォードの強さを支えるもの、それはまさにこの「文化資本」だ。アントレプレナーシップは、ビジネスのスタートアップだけでなく、研究における新しい課題発見やアプローチにおける大胆な試みでもある。失敗を恐れない。失敗は成功へのステップとして受け入れる文化がある。

可変力のある組織・社会は、自分はその組織・社会の責任ある一員であるという当事者意識を育て、組織・社会への能動的姿勢を育む。スタンフォードは可変力を価値づける大学であり、学生に既存の知や思考、制度に果敢に挑戦し新しい知や思考、制度を生み出すことを奨励する。

本書は、スタンフォードで学んだ21人が、なにを学び、考え、刺激を受け、動機づけられ、卒業後に自分はなにができるか、どんな社会課題と取り組み変革へとポジティブなインパクトを与えようと努力しているか、キャリアや生き方についてどう考えているか率直に語るものである。

日本経済の再生が叫ばれ、社会経済制度の変革が必要とされる今日の社会局面において、有意義な具体的試みの提示となり、また未来社会を担っていく若い世代に留学や仕事の選択を考えるうえで参考になる事例となれば幸いである。

また、スタンフォードの人材育成教育、知の創出活動、社会変革力を垣間見ることができるだろう。日本の研究大学にとって、社会の重要な役割を担うための大学ビジョンと改革を考えるうえでの有意義な視点を示唆するものになるであろう。

巻頭では、スタンフォードで活躍する2人の教授がスタンフォードの強み、教育・研究・スタートアップ環境における日本の大学との違い、変化の壁となる日本の社会・文化の問題等をテーマに対談する。つづいて第1部では、アカデミックな先端研究あるいは社会制度改革に力を注いでいるスタンフォードの卒業生たちが、マーケットデザイン、法制度と宇宙資源ビジネス、量子生命科学、web3のルールメイキング、デジタル技術と社会制度、紛争解決手続きのデジタル化、資源開発技術と地域共創、そしてコンピューターと音楽という多様な分野を取り上げ、そこでの動向、社会課題の認定と解決方法、社会実装について熱く語る。そして第2部は、ビジネスにおけるイノベーション、アントレプレナーシップについてである。日本のエネルギー基盤構築、ディープテックスタートアップ振興、メドテックイノベーション・日本の医療改革、シリコンバレーでのバイオテック・スタートアップ、社会変革のための人的エコシステムの構築、フィンテック・金融改革、サーチファンド、クリエイターエコノミーなど、イノベーションを通した社会変革にチャレンジしている卒業生たちによるストーリーである。最後に、スタンフォードビジネススクールの人材育成、そして、日本の次世代を創造する鍵について論じる。

本編に入る前に、スタンフォードはどんな大学か、大学のチャレンジ文化、組織の弾力性と可変力、世界から集まる頭脳集団、学際化の成功、多様性の価値、財源の豊かさ、そしてなによりも教育の質と価値の高さをキーワードにして見よう（拙著『スタンフォード21世紀を創る大学』［東信堂・2012年］参照）。

チャレンジ、変化を価値づけるスタンフォードの文化

スタンフォード・スピリットとはなによりもチャレンジすることだ。スタンフォードは時代と社会課題の変化に弾力的に対応し、さらに未来ビジョンに基づく社会変革を創り出すためにチャレンジす

ることを価値づけ、学生、研究者に奨励してきた。変化に抵抗する文化に支配されている大学では、あえて新しいことにチャレンジしようとする研究者、学生は育たず、社会変化の後を追うことになる。スタンフォードは真逆だ。

チャレンジ精神は、1891年の開校以来の大学文化であり校風だ。カリフォルニアは、メキシコとの戦争で勝利して1848年にアメリカに割譲され、その直後の金鉱発見でゴールドラッシュがはじまり、大量の移民が流入、1850年にはアメリカの31番目の州となった。リランド・スタンフォードは、ゴールドラッシュでカリフォルニアにやってきて大陸横断鉄道事業で成功したアントレプレナーであり、南北戦争中はリンカーン支持派の知事となり、その後上院議員を務めた政治家でもあった。この西部開拓のパイオニアが、16歳だった一人息子の死から立ち直り、妻ジェインとともに、カリフォルニアのすべての子どもに教育を提供しようと願い設立したのがスタンフォード大学だ。

新生の大学には創立者の斬新なビジョンが投影されていた。「男女共学」「宗教的多様性」「リベラル教育とともに、未開拓地西部の産業発展の必要に応える実用的教育を重視（産業革命の進展のなかで19世紀半ばに実用的教育を重視した大学が開校し、MITはモデルとなった）」「授業料無料ですべての子どもに門戸開放」「研究を重視して学部と大学院併設（19世紀後半にはドイツ研究大学モデルがアメリカで広がった）」。東部の古い大学が男女別学、宗教との結びつき、指導者養成を目的としたリベラルアーツ中心の教育であったのと対照的であった

（一番古いハーバードは1636年開校）。

性や人種による差別・隔離が当然の時代にあって、1期生559人の20％が女性、黒人1人、留学生12人、そのなかには日本人留学生が5人おり、1900年には19人に増えた。当時としては画期的な多様性があった。スタンフォードは東部の先進大学に追いつき追い越すべく成長した。

大学成長の歴史に見るダイナミズム、変革力

デイビッド・スター・ジョーダン初代学長（1891〜1913）はその22年間で、創立者の死後の財政危機と1906年のサンフランシスコ大地震による破壊を乗り越え、大学の基礎を築いた。レイ・ライマン・ウィルバー第3代学長（1916〜43）の27年間に現在の大学組織の原型が作られ、大学院が拡充され、学部、大学院、プロフェッショナル・スクールの三部構造をもつ総合的研究大学へと発展していった。大学改革を進め、1925年までに、それまで多数分散していた学科（学問分野／Disciplineを中心とした学科／Department）は、スクール／学部に統括された。1期生で後に第31代大統領となるハーバート・フーバーは、大学理事として改革の後押しをし、西部の産業発展に貢献するようにビジネス・スクールを新設した。同1925年には研究大学の質を知るための最初の大学ランキングがはじまっている。今日世界的に著名な政策シンクタンクとなっているフーバー研究所は、フーバーが第1次大戦後の1919年に戦争・革命関連の資料を

集めて設立したものであり、1941年に大学開校50年を祝って280フィート（約85メートル）の高さを誇るタワーが建設された。フーバー・タワーは、教会とともにスタンフォードのシンボルとなっている。

戦後の1940年代に、地球科学スクール新設（2022年に後述するサステナビリティ・スクールとなった）と人文&サイエンス・スクールの再編成が行われ、今日に続く7スクールができた。人文&サイエンス、工学、サステナビリティは学部&大学院、医学、教育学、法学、ビジネスは大学院のみだ。

大学発展に必要な財源拡大のため、授業料有料化と大規模な募金活動を展開した。フーバーたちが作った同窓会は寄付で大学を支える重要な組織となり、大学には寄付金集めのデベロップメントオフィスが設置された。全米トップのスタンフォードの寄付金獲得力はこのころすでにはじまっている（なお、1991年に大学基本財産／endowmentの管理運用組織／Stanford Management Co.が設置され、投資のプロが資産を運用。1996年に同窓会は大学ガバナンスの一部となった。2021年8月の資産額は378億ドルに上る）。

ウォラス・スターリング第5代学長（1949〜68）はその19年間で、スタンフォードをトップクラスの研究大学に成長させようと努力した。工学部長、副学長として彼の片腕となったのが、シリコンバレーの父といわれるフレデリック・ターマンであり、このコンビはスタンフォードに飛躍の時代をもたらした。ターマンは大学のビジョンの二つの大きな変化を予見した。一つは大学と連邦政府との関係だ。第2次大戦中に科学者を動員した連邦政府は、技術発展における大学の重要性を認識し、戦後は大学の研究助成に乗り出した。冷戦中の1957年のスプートニック・ショックによるソ連との宇宙開発競争も拍車をかけた。ターマンは、助成は優秀な研究者のいる大学に集中するだろうと考え、他大学から第一線の頭脳を引き抜き「傑出した才能の尖塔(せんとう)」を作ることに奔走した。ターマンの洞察は正しかった。スタンフォードへの政府の研究助成は急増した。一流大学へと成長する上昇気流に乗ると、さらにより多くの一流の頭脳が集まってきた。

二つには大学と産業との関係の変化である。新しいタイプの産業は頭脳の生産地の周辺に集まるだろうと予測し、大学を中核としその周辺に卓越した技術・頭脳が集まるコミュニティを作る努力をした。キャンパス南部の土地にリサーチ・パークを作り、R&D (Research & Development) 重視のヴァリアン社、ヒューレット・パッカード社、ゼロックス・リサーチ・センターなどの入居を誘ってシリコンバレー発展の起点を作り、「企業アフィリエイト・プログラム」を創設して大学と産業との協力関係を築いていった。エイムズ研究所(NASAの施設)の周辺には航空産業が発展した。

1956年にはコンピューター・サイエンス学科が設立され、コンピューター革命がはじまり、人工知能(AI)の応用による多方面の研究推進、シリコンバレーでのスタートアップの増加、SLAC国立加速器ラボラトリーの設置、さらに化学、バイオメディカル研究の発達、バイオテクノロジー産業の発展が進んだ。大学と企業家が集まって、1946年に学際的な基礎&応用研究を目的としてスタンフォード・リサーチ・インスティチュートが設立された（1972年に大学から切り離され、独立のR&D研究所SRIとなった）。

リチャード・ライマン第7代学長（1970〜80）は、1960年代後半からの社会変動のなかで、大きな改革を行った。公民権運動、女性運動、ベトナム反戦運動、自由の要求、大学改革要求運動が全米で広がり、社会価値・規範が大きく変化した。エスニックやジェンダー・スタディーズが取り入れられ、白人・男性・西欧文明中心主義から多文化・多様性の価値化を反映するカリキュラム改革が行われた。多くの平等化政策が実施され、女性・マイノリティの教授や学生を増やすためのアファーマティブ・アクション（後述）も実施された。

知の生産と産業への移転、資本化

ドナルド・ケネディ第8代学長（1980〜92）の時代は、大学の社会への貢献、知の移転による経済への貢献が強調され、「大学発の知の資本化」の時代が到来した。大学の研究についての伝統的規範は、研究結果の公開、知の共有、非利益原則であったが、研究の金銭的価値や利益追求が重視され、秘密主義が強く出てきた。スタンフォードにOTL（Office of Technology Licensing）が設置されたのは1970年であるが、1980年の連邦パテント法（Bayh-Dole Act）が、連邦政府スポンサー研究からの発明の知的所有権について、それまでの政府所有の考え方を変え、大学に所有権、パテント、企業へのライセンシング、ライセンス収入の大学と発明者での分配を認めた。同法は、大学、研究者に収入をもたらすとともに、大学発テクノロジーの産業移転を促進した。革命的インパクトを生んだのがスタンレー・コーヘンとUCSF（カリフォルニア大学サンフランシスコ校）のハーバート・ボイヤーによるDNAクローニング・テクノロジーであり、パテント取得と巨額のライセンシング収入をもたらすとともに、バイオテック研究と産業のめざましい発展となった。

学生や教授によるスタートアップが増えた（たとえば1994年のGoogle）。シリコンバレーにエレクトロニクス産業が発展し、成功者からの大学への巨額寄付も増え、キャンパスには電子工学やコンピューター・サイエンス関連建物の新築、さらに、医学部の著しい拡充と建設がはじまった（それぞれの建物や施設名には巨額寄付者の名前が冠されている）。ゲハルト・カスパー第9代学長（1992〜2000）は、特に教育の充実のためのカリキュラム改革に力を入れた。

ジョン・ヘネシー第10代学長（2000〜16）は研究者であるとともに起業経験者でもあり、シリコンバレー企業との結びつきは一層強化された。企業は大学とは異なるが、スタンフォードの大学文化とシリコンバレーの企業文化は、相互に影響し合っている。巨額寄付を受けて、新しい建物の建設、ビジネス・スクール、工学部、医学部の著しい拡大発展を見た。大学発テクノロジーのスタートアップの増加、卒業生たちの近隣企業への就職は、シリコンバレーにおけるIT、バイオ産業の発展に貢献している。逆にシリコンバレーのアントレプレナーたちはスタンフォードでレクチャーをしたり学生と交流したり、貴重な教育的リソースとなる。教育カリキュラム自体のなかに大学と産業連携が組み込まれている。大学とシリコンバレーとの循環的相互利益的連携関係が作られているのだ。OTLの2021年度レポートによると、同年の収益は1.18億ドル、1100のテクノロジー、そのうち12のテクノロジーが100万ドル以上の収益を生んでいる。ICO（Industrial Contracts Office）はOTL内のオフィスで、産学の直接的連携である企業スポンサー研究契約とアフィリエイト・プログラム契約を担当する。後者は64プログラム、3660万ドルの収入をもたらした（研究・教育の学際化の拡大と成功については後述する）。

マーク・テシエ-ラヴィニュ第11代学長（2016〜）のもとで、2022年秋「サステナビリティ・スクール」が誕生、70年ぶりの新設スクールだ。戦後「地球科学スクール」としてスタートし、その後「地球科学・エネルギー・環境科学スクール」に拡大したが、11億ドルの寄付を受けて、温暖化で世界が直面している喫緊の課題と取り組むべく気候変動とサステナビリティもカバーするスクールとなった。成功している大学には寄付も集まる。そして資金獲得力が大学のさらなる飛躍を支える。

組織の弾力性、可変力、活力

競争の激しいアメリカで、教授、学生、リソース、ステータスを求める競争に勝ち抜く必要が、アメリカの研究大学に、社会のニーズへの敏感性、可変力、弾力性を与えている。

今日の学長は、大学という複雑で多機能型の大きな組織の経営・管理能力が要求される。大学理事会がサーチ委員会にかけて学長候補者を探し学内意見を聞いて最終決定し任命する。学内昇進もあるが、他大学からの抜擢もある。医学、工学、法学など多様な分野の学長が就任している。その任期は決められていない。かつての学長は長期に在職していたが、近年はヘネシー学長の16年を除くと10年前後だ。それでもかなり長いので、大きな改革をしやすいといえる。学長はProvost（副学長、アカデミック面のトップ責任者）を任命し、副学長はスクール内の意見を聞いたうえでDean（学部長）を任命する。Deanがスクール内の教授による選挙ではなく、副学長による任命というやり方が、全学的な改革を推進しやすくしている。大きな改革のためには、適切なビジョン、強力なリーダーシップ、ガバナンス、財源の確保などが必要だ。しかし、大学は上から下に命令するトップダウン組織ではない。かなりの自由と独立を保つ学部と学科、そして多様で優秀な教授たちを動員しての改革には、下からの意見を把握してコンセンサス、支持を得ることが成功を左右する。変化に抵抗するメンタリティーではなく、「変化を価値づける文化の共有」こそが、スタンフォードに変革力を与えている。

ほとんどの教授は学科に属し、学際的プログラムや研究所の併任、プログラムに参加している（後述）。学科が雇える教授数は決まっているが、卓越性やカバーする分野の必要性から雇用され、ランクには関係ない採用が可能である。学科内では教授間に上下関係はない。シニア教授が若手をコントロールすることはない。教育研究活動における自由とアントレプレナーシップが奨励されているからこそ、革新的アイディアが生まれる。研究費は学部から与えられる部分もあるが、分野によっては研究費のほとんどを自分で外部から獲得し（政府の研究助成金や企業との研究契約など）、それで学生を支えるという形になっている。

学際化のパイオニア、成功モデル

スタンフォードは学際化のパイオニアであり、1980年代からはじまり、成功のモデルとなっている。大学の教育研究組織の基礎単位である学科とスクールは、前述したように、1925年および40年代の改革でできたものを今日に至るまで維持している。その後の社会変化、ニーズの変化に対し、スクール内の学科の増加や学科がカバーする分野の拡大や重点移動で対応しつつ、大学全域に多種多様な学際化を拡大してきた。日本で行われたような伝統的な学科・学部を壊して、あちこちをくっつけた再編ではない。

スクールに所属するが、他のスクールの教授も参加している学際的教育プログラムが多数ある。多くのエスニック・スタディーズ、東アジア研究等の地域スタディーズ、国際関係、公共政策、フェミニスト&ジェンダー&セクシュアリティ・スタディーズ、地球システム、環境とリソース（E-IPER）、人とコンピューター・インタラクション、バイオフィジックス、d.school（工学部所属）などだ。

スクール間のコラボレーションによる学際的ジョイントプログラム・学位も多い。たとえば、教育学大学院とビジネス・スクール連携によるプログラムによって、学生は教育学修士号とMBAを2年間で修得できる。ロー・スクールとの連携で公共政策のジョイントディグリー、またコンピューター・サイエンス、電子工学、環境とリソースとのジョイントディグリーも提供されている。

学科とスクールの垣根を越えて広域横断的な交流、共同研究をする学際的組織として、19の独立の学際的研究所（Institute）やセンター、ラボがある。さらにスクールに所属する学際的研究センターもある。いくつか挙げると、STEM分野ではBio-X、ChEM-H, Neurosciences, Advanced Materialsなど。政策研究所としてInternational Studies（FSI）、Economic Research and Policy（SIEPR）、Human-Centered Artificial Intelligence（HAI）、Woods Institute for the Environment, Precourt institute for Energy。人文・社会科学分野ではHumanities Center、Behavioral Sciences, Language and Informationなど。

ではなぜ、スタンフォードは学際化にこれほど成功しているのか、その要因を見よう。①コラボレーションを価値づける文化の存在。学科の境界線を越えたインタセクションで、異なる分野の研究者の参加によって新しいアイディアやイノベーションが生まれるという考え方が広く支持され、かつ実際に多くの成果を生んでいる。とはいえ、しっかりした学科での教育・研究を土台にしての学際化なのだ。②全スクールが同じキャンパス内の至近距離にあり交流しやすい。③新設に必要な財源獲得力（しばしば巨額寄付が提供される）。④学際的交流や研究を推進する建築デザイン。Bio-Xがある 2003年完成のクラーク・センターは学際化のモデル建築となった（バイオロジー、バイオメディカル、工学、H&Sの交差点）。伝統的にはスクール単位に独立した建物であったが、学際的建物はスクール間学科間の壁を壊した。エンジニアリングの建物、エネルギーと環境のY2E2 ビル、バイオエンジニアリング&ケミカルエンジニアリング の 建 物、そしてナノテクノロジー・センターから成るSEQ（Science&Engineering Quad）が次々と完成した。⑤学際的研究の統括責任者として、Vice Provost and Dean of Research（研究担当副学長補佐）を設置。学際的研究は外部資金を得にくいので、学内にシード研究への助成金提供制度を作っている。スタンフォードの学際化の成功の裏には、学際的教育・研究を多面から支えるシステムが作られ、制度としてビルトインされていることがある。

ダイバーシティ、インクルージョンと卓越性

ファカルティ（教授、教授陣）は伝統的に白人男性が中心だった。ファカルティに女性とマイノリティ人種を増やすための積極的差別是正策アファーマティブ・アクション（AA）が1970年代以降実施された（大統領令であるが、大学は連邦政府からの助

成金受領組織なので義務づけられた)。平等化への歩みの第一歩は詳細な統計資料による現状把握だ。学科ごとに教授・職員・学生の人種・性別構成統計が作成され、特に女性・マイノリティが過少である分野では、積極的に増加する努力がされた。応募を奨励するアウトリーチ活動、選考プロセスや判断基準の公正さのための採用手続きや判断基準のガイドライン作成、工学部などの女性やマイノリティ過少の分野では採用奨励金提供などの政策も採用されてきた。

2021年度の教授は、女性32%、男性68%。女性比率は人文では43%と高いが、ビジネスは24%(学生は女性44%)、エンジニアリングは21%(大学院生は女性37%)にとどまっている。しかし、2010年には女性は25%だったので10年で着実に増えた。人種構成**【表1】**は、白人65%、アジア系19%に対し、マイノリティ教授は学生の場合よりもさらに一段と低い。2010年と比べると、白人は79%からの大幅減少(特に白人男性)、アジア系は15%から増加したが、ヒスパニックとブラックはともに3%からの大きな上昇はなかった。AAが今もなお必要であると考えられているゆえんである。

しかし、マイノリティ学生(ブラック、ヒスパニック、原住民など。白人とアジア系は入らない)を増やすための入学政策における人種配慮のAAは激しい衝突の場となった。特に州立エリート大学の人種配慮入学政策がAA反対派の訴訟の対象となった(カリフォルニア大、ミシガン大、テキサス大など)。結局、人種による数的割当枠(quota)の使用は禁止、しかし、人種を含め

【表1】スタンフォードの学部生、大学院生、ファカルティの人種構成(2021年度)

	学部生	大学院生	ファカルティ(*2010)		カリフォルニア
白人	28%	32%	65%	(79)	35%
アジア系	25%	16%	19%	(15)	16%
ヒスパニック	18%	9%	5%	(3)	40%
ブラック	7%	4%	2%	(3)	7%
ミックス	10%	5%	2%	—	—
不明その他*	2%	2%	8%	—	—
留学生	11%	33%	—	—	—

*原住民・太平洋諸島を含む

出所:Stanford Facts 2022; Census

た多数の配慮要因を使用した総合的判断による入学合否決定は合法。正当化の理由として、「学生の多様性は教育的ベネフィットをもたらす」が挙げられた。この「多様性がもたらすメリット」が、その後、教育のみならずビジネスなど広い分野の平等化議論に広がった。

カリフォルニアなど9州はAAを禁止した。スタンフォードは私立なのでAA禁止州法の対象ではなく、今も採用されている。スタンフォードの学生の人種構成を表によって見ると、アジア系の多さ、白人の予想以上の少なさが目につくが、大学院になると、留学生の割合の多さが際立つ。ヒスパニック、ブラックなどマイノリティ学生の割合はまだ低いので、人種配慮の入学制度は当面必要だと考えられている。近年大きな注目を集めているのが、入学決定にアジア系差別が行われていると主張するアジア系学生とAA反対派がハーバードの人種配慮入学政策の違法性を訴えた訴訟である。2022年秋に連邦最高裁での審議がはじまった。裁判の結果は、ハーバードやスタンフォードを含むエリート研究大学の入学政策の行方を左右することにもなる。

AAは数的目標と達成のための具体的プランであるのに対し、ダイバーシティとインクルージョン（DI）は価値規範とか文化規範である。AAをめぐっては問題が多いため、近年はDIが使用されるようになり、さらにキーワードが追加されて使用されることが多くなった。スタンフォードは全学的に、IDEAL（Inclusion, Diversity, Equity & Access in a Learning environment）に取り組んでいる。帰属感（belonging、排除や縁辺化の否定）が加えられることもある。教育・研究における多様性はなぜ重要か？　これらの価値規範が社会正義や平等原則に合致しているというだけではない。文化、人種・エスニック、ジェンダー、信条、肉体的差異、性的アイデンティティなどの多様性がおりなすコミュニティにおいて、自己と異なる見方や文化に触れ、差異を理解し、知的刺激を受け、挑戦されることにより、視野が広がり、思考や経験が深まるという重要な教育・研究上の大きなメリットがあるからだ。世界はますます多様でかつコネクトしており、教室でも職場でも生活のあらゆる場面で、異なるバックグラウンドと見方に触れ理解し合い協働することが必要である。社会問題は国境を越える。多様な人々からなるチームによって、多様な社会の多様な人々のベネフィットになるようなグローバルな問題解決へと行き着くことが可能となる。IDEALは、「スタンフォードの卓越性は多様性の推進にかかっている。大学の文化的&制度的変化となるだろう」と強調している。

国際化、国際的な人材を求めるグローバル競争

学生の国際的多様性、海外キャンパスや留学の機会の増加は、多様な教育的リソースの拡大であり、多文化理解、知的刺激、視野の拡大、グローバル人材育成、国際的ネットワーク形成となる。研究課題のグローバル化のなかで国際的研究連携はますます拡大している。国際的チームを組んでの共同研究は、学内での学際研究と同様に、斬新な知の創出に貢献する。

優秀な人材とリソース、ステータスを求める競争はグローバルだ。学生は留学先を選ぶにあたって大学のグローバルランキングを参考にする。国際化の度合いは、大学の国際的ステータス、質の高さの指標の一つにもなっている。日本の大学のランクの低下が問題になっているが、その主たる理由が学生・教授の国際化の低さ、引用数の多い英文論文発表の少なさなどだ。

学部教育は伝統的にアメリカ市民の育成を中心とし、留学生は5%弱だったが、2010年以降漸増(ぜんぞう)し、13%に達した。学部教育においても多様な国、文化からの優秀な学生との交流が重視

されるようになった。大学院での留学生は34%、10年前とほぼ同じレベルである。ビジネス・スクールでは40%に達する。出身国を見ると、中国の圧倒的多さ、インド、韓国、カナダ、シンガポール、台湾と続き、日本はピーク時には3位であったが、最近は13位に落ちた。

日本人大学院留学生数の推移を見てみよう**【表2】**。1994年の153人をピークに激減し、2019年には53人、ピーク時の3分の1になっているのだ。日本経済の停滞、若者人口の減少や就職事情その他さまざまな要因がからんでいるが、グローバル人材がますます必要とされるなかで、留学の増加へと転換させていくことは必須だ。学部生は、主としてインタナショナルスクール卒業生が少人数入学する程度だったが、近年は増える傾向にある。なお、アメリカ市民権や永住権保持者の日本人学生は増えているが、彼らは留学生ではなく、アメリカ人学生扱いとなる。

【表2】日本人大学院留学生、学部留学生、ポスドク人数

	1984	1994	2000	2010	2019	2020
大学院生数	136	153	94	64	53	53
学部生数	ー	ー	ー	4	3	12
ポスドク数	ー	ー	94	51	130	91

※学位取得目的の留学生のみ含む。2020年のポスドク数はコロナ禍で減少したと思われる。

出所：Stanford I-Center

ポストドクトラル（ポスドク、博士研究員）はこの10年で30%増え、2480人（学部新入生よりはるかに多い。女性46%）、その6割が海外からだ。優秀なポスドクは研究活動の一部を担う重要な研究者である。日本人ポスドクは近年100人を超えていたが、2020年はコロナ禍の影響で減少したと思われる。日本人ポスドクの男女比を見ると、女性は1割に過ぎない。日本における女性研究者を増やすためには、女性の海外ポスドク経験を積極的に奨励することが有意義だろう。中国出身者はポスドクの25%、大学院生留学生の48%、学部留学生の25%を占めており、アメリカの一流大学に長年にわたって著しく進出している。

教育の質と価値の高さ、エンパワーする教育

スタンフォードの2022年度学生数は約1万7400人、学部生45%、大学院生55%、ファカルティは2300人（うち教授会メンバーは1700人）。2022年秋入学生（合格率わずか3.7%）は、女性が54%を占め、人種はアジア系29%が白人22%を超えた。研究大学として大学院の比重が高く、非常に優秀な大学院生は教授にとって研究のパートナーになり、新しい知の創出に貢献する。

学部生の97%が寮に居住。寮教育は教育の一環であり、親からの自立、生活の自律、共同生活の経験、ソーシャルスキルの学習、多文化の交流と理解、各種イベント主催などを通したリーダーシップ養成の場である。また人的ネットワークを作る重

要な場でもある。寮生活のベネフィットが大学院生にも認められるようになり、大学院生寮の増築がされ、今では66%がキャンパス内外の学生寮に居住している。

学部授業を担当する教授1人当たりの学生数は5人、授業の7割が20人未満の小クラスであり、教授や学生とのインタラクションが多い。授業は教授によるレクチャー中心ではなく、学生による積極的参加型だ。大量の教材を事前に読みこなす読書力と分析力、教室ではディスカッション、プレゼンテーション、オーラル・コミュニケーション力が要求され、そしてレポート作成力が鍛えられる。ディスカッション力は日本の教育で非常に弱い部分であり、多くの日本人が苦労する。クリティカル思考力、新しい発想や想像力を伸ばす教育であり、アートの創造性を活用するためアート教育が重視されている。学部でも課題を見つけての研究の重要性が強調されている。授業は知の学習が中心となるが、研究は知の生産への積極的参加活動であるからだ。すぐれた教育・研究に加え、オーラル・コミュニケーションやプレゼンテーションの仕方やチュータリングなどの至れり尽くせりのサポートサービスが提供されている。これだけの教育を受けるための授業料は1年間3学期で5.55万ドルと著しく高いのだが、充実した奨学金制度を提供している。家族の年収が7.5万ドル以下の場合は学費・寮生活費免除、15万ドル以下の場合は学費免除があり、64%の学部生が学費援助を受けている。博士課程の学生には5年間の学費サポートがある。

タテ社会日本では、大学もタテ社会の一部であり、シニア教授、若手教授、大学院生の間には上下関係がある。しかし、スタンフォードでは、教授間に年齢やシニオリティによる上下関係はないし、教授と大学院生の関係も日本にはない自由さがある。教授と学生はファーストネームで呼び合うのが普通だ。大学院生にとって教授は見上げる存在ではなく、優秀な学生は教授にとって研究仲間だ。新しい知がすごいスピードで作り出され、古い知が陳腐化していくとき、若い世代の自由で創造的アイデアが価値づけられている。

大学を包む文化、価値規範は、教育にも研究にも著しく大切な「文化資本」だ。学生たちは、スタンフォードのキャンパスにみなぎる「成功の文化」に包まれ、先端的研究者たちの成功モデルや世界から集まる優秀な学生から刺激を受け、チャレンジ精神が育まれ、動機づけられ、エンパワーされる。単なる知識の学習ではない。自ら社会課題を見つけ、その解決のために能動的にかかわる姿勢を学ぶ。ここで数年をなんとなく過ごすのではない。実に刺激に満ち満ちた充実した時間なのだ。卒業生たちはスタンフォードの教育から大きなベネフィットを得たと感じる。それゆえにこそ大学への愛校心、愛着は強い。大学が提供する教育の価値が非常に高いのである。成功の大学文化は成功の土壌である。学生たちは、クリエイト、イノベイト、チェンジ・ザ・ワールドといった価値観を内面化し、アカデミックにせよ、ビジネスにせよ、世界の各界の指導者をめざして飛び立っていく。

ここで、近年のいくつかの青少年意識についての国際比較調査を見よう。まず、日本人の若者の「自己肯定感・自分の価値評価」の低さは際立っている。また、「うまくいくかわからないことにも意欲的に取り組む」「自分で国や社会を変えられると思う」「自分は責任ある社会の一員だと思う」「自分の国に解決したい社会課題があると考える」「自分から進んで物事を考え、社会のリーダーになるような生き方をしたい」と答えた若者の割合も、他国よりはるかに低い（「子供・若者白書」［内閣府2019年版］、「18歳意識調査第20回：国や社会に対する意識調査」［日本財団　2019.11.30］など）。長期の経済停滞から脱出できない日本は、閉塞感、無気力、受動的姿勢を生んできた。

しかし今、若い世代の間で、夢ある未来のために、企業も社会制度も変わらなければならない、変えていこうとする動きがあちこちで出ている。変化をめざす活力、当事者意識、能動的姿勢へと変わりつつあるのだ。

では、スタンフォードで学んだ日本人留学生たちは、なにを学びなにを考えたか、卒業後にはどのように社会問題の解決をめざしてキャリアを発展させ、自らの生き方を歩んでいるのだろうか？　これが続く章でのテーマであり、いろいろな分野で活躍している卒業生たちのストーリーが、若い世代にとって多様な考え方に触れなんらかのポジティブな動機や刺激となることを願う。

未来志向、実学重視、社会変革、新しいことへの挑戦

スタンフォード大学に学ぶ、日本と世界のこれから

中内啓光（スタンフォード大学医学部教授）

NAKAUCHI *Hiromitsu*

スタンフォード大学医学部 幹細胞生物学・再生医療研究所・教授。東京医科歯科大学高等研究院 卓越研究部門・特別栄誉教授、東京大学名誉教授1978年に横浜市立大学医学部を卒業。在学中にサンケイスカラシップ海外奨学生として1年間ハーバード大学医学部へ留学し、マサチューセッツ総合病院やブリガム病院等で臨床研修を受ける。1983年に東京大学大学院医学系研究科より免疫学で医学博士号を取得後、スタンフォード大学医学部遺伝学教室博士研究員として留学。帰国後、順天堂大学、理化学研究所、筑波大学基礎医学系教授を経て2002年より東京大学医科学研究所教授に就任、2008年より東京大学に新しく設置された幹細胞治療研究センターのセンター長並びに東京大学iPS研究拠点リーダーを務める。2014年からStanford大学教授を兼務。2022年3月で東京大学を定年となり4月より東京医科歯科大学高等研究院に移動し、引き続き日米両方の研究チームを率いて研究活動を行っている。大学院時代より一貫して基礎科学の知識・技術を臨床医学の分野に展開することを目指している。

世界に名門大学は数あれど、
スタンフォードのブランドは際立っている。
なぜ、スタンフォードは
常にイノベーションを生み出すことができ、
それが起業や社会変革につながっているのか。
現在、スタンフォードで現役教授として
活躍する中内啓光、筒井清輝両氏が、
その教育・カルチャーを語る。

筒井清輝（スタンフォード大学社会学部教授）

TSUTSUI *Kiyoteru*

2002年スタンフォード大学Ph.D.取得（社会学）、ミシガン大学社会学部教授、同大日本研究センター所長、同大ドニア人権センター所長などを経て、現在、スタンフォード大学社会学部教授、同大ヘンリ・H &トモエ・タカハシ記念講座教授、同大アジア太平洋研究センタージャパンプログラム所長、同大フリーマンスポグリ国際研究所シニアフェロー、同大人権と国際正義センター所長、東京財団政策研究所研究主幹。専攻は、政治社会学、国際比較社会学、国際人権、社会運動論、組織論、経済社会学など。 著書に、『人権と国家：理念の力と国際政治の現実』（岩波書店・2022年。第43回石橋湛山賞、第44回サントリー学芸賞受賞）、Rights Make Might: Global Human Rights and Minority Social Movements in Japan (Oxford University Press 2018：アメリカ社会学会三部門で最優秀著作賞受賞）、Corporate Social Responsibility in a Globalizing World (Cambridge University Press 2015、共編著）、The Courteous Power: Japan and Southeast Asia in the Indo-Pacific Era (University of Michigan Press, 2021、共編著）。

欧米の名門大学のなかでも異質なスタンフォード大学

筒井　私は日本の学部・大学院で修士号を取ってから、スタンフォード大学で博士号を取りました。それで2002年からニューヨーク州立大学に勤め、2005年に客員助教授としてスタンフォードに戻ったのですが、1年後にミシガン大学に移って、2020年にスタンフォードに教授として戻ってきました。なので、まずアメリカの東海岸や中西部の大学との比較を中心にスタンフォードの特徴を話したいと思います。

一番の特徴はスタンフォード大学がシリコンバレーにあること。これが東海岸や中西部から見ると、決定的な強みなのは間違いありません。私がアメリカに来たころには、もうシリコンバレーがあって、そのなかにスタンフォード出身者が入っていくシステムができあがっていました。

もちろん、シリコンバレーが生まれたのはスタンフォード大学があったからともいえるので、卵が先か鶏が先かの話でしょう。スタンフォードは創立当初から実学重視です。そして社会変革などなにか新しいことへの挑戦をずっと重視してきた。カリフォルニアはフロンティアスピリットを尊ぶ土地柄です。同様のスタンフォードスピリットがやはりあるわけです。これは単なる精神論ではなくて、実際の大学の運営や研究者のキャリア、学生の教育のなかに反映されています。

もう一つ強調したいのはスタンフォード大学の資金力です。私が教授職を務めた他のアメリカの大学のなかでも、たとえばミシガン大学などは寄付金も多く、お金持ちの大学といえます。ただ、スタンフォードにいるとさらに大きな資金力を感じます。必要であれば、お金に糸目をつけないくらいの勢いで、さまざまなすばらしい研究設備を整えたり、優秀な研究者を世界中から引き抜いてきたりしています。

他にも、スタンフォード大学が広大な土地に恵まれていることもあります。東海岸の土地は300年以上根づいたエスタブリッシュメントが牛耳っていて値段も高い。たとえばコロンビア大学もいい大学ですが、これ以上土地をもてないような状況で、新しい施設一つ作るにも非常に苦労する。せいぜい150年くらいの新興の富裕層が活躍している西海岸の土地にはそういう制約が少なかった。現在は地価の高騰や法律上の制約もあり、以前よりは簡単ではないですが、広大な土地を所有するスタンフォードはまだ開発の余地があるわけです。

また西海岸には、東海岸のエスタブリッシュメントに対するある種の反発、反骨心があります。ヨーロッパに近い東海岸がアメリカの19世紀と20世紀半ばまでをリードしてきました。アジアに近い西海岸はそれ以降の新時代のリーダーといえ、東海岸とは違う論理で動くことができます。

こうした特徴、強みによって、アメリカの大学のなかでは東海岸を代表するのがハーバードで西海岸を代表するのがスタンフォードとなっているわけです。

中内先生は筑波大学と東京大学の教授を経て、スタンフォードに来られました。日本の大学でのご経験を踏まえると、スタンフォード大学の特徴はどのように見えますか。

中内　私は横浜市立大学医学部の学生時代、日米学生会議で1カ月ほどアメリカに滞在していろんな大学を見ました。その時に日本よりもアメリカの医学部の教育が圧倒的にすぐれていることにはじめて気づき、なんとかして米国の医学教育を経験したいと思い、スカラシップ（奨学金）をもらって1年間、ハーバード大学の医学部に留学しました。臨床医になるつもりで日本に帰ってきて研修医として臨床のトレーニングをはじめたのですが、日本は卒後研修のレベルも低くハーバードの同級生には全然かなわないだろう、でも基礎研究なら論文で勝負できるかもしれないと思って、大学院で免疫学の基礎研究をはじめたわけです。

しかし結局、日本の大学の基礎研究もあまり満足のいくものではなかった。だからスタンフォード大学にポスドク（博士研究員）として留学することにしました。決め手は、カリフォルニアは天気が良くていつでもテニスができるから（笑）。天気の悪いボストンにはまた行きたいとはまったく思わなかった。スタンフォードはハーバードと違ってキャンパスも広いしカルチャーも自由だし、そのままずっといたかったのですが、事情があって2年半ほどで日本に帰りました。そして理化学研究所、筑波大学、東京大学で30年ほど研究を続けました。

このまま日本で、東大で定年かなと思っていたのですが、サバティカル（有給の長期休暇制度）を利用して、スタンフォード大学とイギリスのケンブリッジ大学に半年ずつ滞在しました。そこで日本の大学がこの30年の間に非常に後れてしまったということを改めて認識し、レベルの高い研究をつづけていくには定年前に国外の大学に移動するのが良いのではないかと考えるようになりました。その縁もあって、スタンフォードとケンブリッジ両方からオファーがあってとても迷ったのですが、最終的にスタンフォードに戻ってきて、今日に至っています。

筒井　私も社会学の分野で日本の大学の後れを感じてスタンフォードに留学しました。日本の社会学は理論的に今の社会のあり方や文化を批判的に分析する傾向が強かったので、もっと実証的な研究を身につけたいと思ったわけです。アメリカの社会学はその方法論をしっかり教えてくれます。特にスタンフォードは、今でもそうですが、量的データを使う統計的な分析手法が一番進んでいました。

中内　ケンブリッジ大学は非常にアカデミックです。安易に流行に乗るような研究を馬鹿にし、よく考えて本質を見ることに注力します。サイエンスの場としてはとても良い環境と思いました。日本の大学と比べて設備は見劣りがするのですが、やはりなかにいる研究者たちがすぐれています。サイエンスをやっていくうえで一番大事なのは新しいコンセプトを考え出すことです。それがケンブリッジには理念として根づいています。

それに対してアメリカの大学の特徴は実利的で、お金がかかってもいいから早く実用化しようというものです。そこはスタンフォード大学もハーバード大学も変わりません。ただし、ハーバードには400年の歴史があって圧倒的な権威があります。スタンフォードは東京大学よりも新しい大学ですが、今や圧倒的な勢いがあります。ハーバードが老舗の大企業だったら、スタンフォードはベンチャー企業という感じでしょうか。私はベンチャーカンパニー的な挑戦する精神と自由さにスタンフォードの発展の秘密があったと考えます。

それと天気の良さ。天気がいいと失敗しても「まあいいか」という気持ちになります。たとえば、論文や研究費が不合格判定された冬。ボストンでは外に出ると雪が降っていて暗くて寒い。ますます落ち込みます。カリフォルニアだと晴れていて暖かい。「なんとかなるよな」と開き直れます。これも失敗をおそれないベンチャー精神に大きく影響していると思います。

私にとってはスタンフォード大学の明るくて綺麗なキャンパスも非常に魅力的でした。環境を良くして良い研究者、学生を集めればより資金が集まり大学の運営も良くなるという企業的な発想なのかもしれません。

日本の大学に欠けている人材のエコシステム

筒井　日本の大学が後れた理由の一つは、大学発のイノベーションの社会実装、産業移転に対して、大学自身のなかに長く抵抗があったことだと思います。たとえば、最近まで「大学が金儲けに走るのはいかがなものか」などと批判されていました。

中内先生は日本の大学でそういう不自由を感じたことはありますか。スタンフォードと比べてどうですか。

中内　スタンフォードの教授会に出て驚いたのは、大学院生を選抜するインタビューをめぐっての話です。「将来なにをやりたいか」と尋ねるのは日本もアメリカも同じですが、アメリカの学生は「Ph.D（博士号）を取ったらインダストリー（産業）に行く」と平気で答えるわけです。東京大学では、そういう話は決して有利にならなかった。僕自身も優秀な学生はアカデミアに残って、次の科学者、次の教育者として活躍してほしいと思ってきました。東大の博士志望の学生はそんな話はかけらも出しませんでした。

でも、スタンフォードの大学院にははじめから産業界を目指す優秀な学生がたくさんいます。他の教授に「こういう学生を採っていいのか」と聞いたら、「当然だろう。それが大学の役割だ」という答えでした。考え方が全然違うと強く感じましたが、今ではすっかり慣れました。

ヨーロッパの状況も似ていて、近年はケンブリッジやオックスフォード、フランスやドイツの一流大学の教授たちから「昔は成績の悪い学生が企業に行ったが、今はトップから企業に行ったり起業したりする」と聞くようになりました。こうした大学及び学生の動きは、ある意味で世界のトレンドになってきているのかもしれません。

筒井　日本でも最近、東大の卒業生が安定した大企業や官庁ではなく、ベンチャー企業に入る、起業家になるという動きがかなり増えてきているといわれています。

中内　最近、日本の政府は「お金を出すから起業しろ」などと言うようになりました。大学にも起業をサポートするお金が入ってくるようになっています。世界のトレンドを感じてか、起業したいという学生も増えています。しかし、スタンフォードが決定的に違うのは、どういうふうに起業してそれを発展させていくかということをよく知っている人、実際に経験した人が大勢いるし、それをサポートする人材も、そして資金も比べ物にならないほど豊富なことです。

日本はそういうエコシステムができていません。人材もいないしお金も足りない。たとえば、大学が研究者に「スタートアップを始めなさい」とシードマネー（最初の資金）として多少のお金はくれても、その後はなかなか続かないわけです。

起業して発展させるというつなぎが悪いと、その気になって起業したはいいが、3年でお金がなくなって潰れてしまうといったケースがこれからたくさん出てくるのではないでしょうか。優秀な学生がトレンドに乗って起業して失敗し、アカデミアからも企業からも外れてしまうことを非常に心配しています。

筒井　たしかに日本も今、大学発の「知」を資本化しようと頑張っています。大学発イノベーションがどうしたら起業につながって、成功するのか。シリコンバレーのエコシステムにおいて、決定的に大事なのはVC（ベンチャーキャピタリスト）を中心とした豊富な資金だけでなく、中内先生がおっしゃったように人材です。研究者や技術者はもちろん、投資家や経営者がいて、弁護士など外から見ると周辺にいるような人たちも非常に重要な役割を果たしています。

もう一つ大事なのはリスクをおそれない、失敗が許される起業環境でしょう。日本は1回失敗すると「あの人、もう駄目なんじゃないか」というレッテルが貼られがちです。シリコンバレーは「失敗してなんぼ」という感じで、何回も失敗してどんどん成長していく、それをみんなが当たり前と受け止めているところがあります。こういう環境は一朝一夕にはできません。

スタンフォード及びシリコンバレーの仕組みは、長い時間をかけてできあがってきたものです。日本だけでなく、アメリカ国内を含め世界中で○○バレーやシリコン○○など、いろいろまねをして作っていますが、なかなかうまくいきません。

全部を簡単に取り入れることはできないと思いますが、とりわけ日本においてどういう点がまねできないと感じますか。

中内　最近、私が関係した研究を社会実装するために日本で起業したのですが、すぐれた人材を集めるのがかなり難しい。私の分野に限っていうと、日本では優秀な人材の多くがアカデミアや企業の研究所などの安定した職についているからです。一方、私が何年か前にアメリカで起業した会社には、潤沢な資金のおかげもありますが、成功体験のある本当に優秀な研究者がたくさん集まってきます。「一つ成功したから次の成功を」と考える人が大勢いて、その会社には、アメリカの一流大学の医学部の教授をやっていた人もいます。

ベンチャー企業を立ち上げる人材も、それを発展させるための人材も、日本とアメリカではまだまだ大きな差があります。日本は人集めだけでも非常に大変です。しかも日本は規制が多い。たとえば、遺伝子治療や細胞治療の許認可にはとてつもなく時間がかかりますが、その間に資金を集め続けることはたいへんです。もう私は日本で積極的に起業したいとは思いません。

筒井　人材の循環性や流動性というのは日本の大きな問題の一つです。投資側についても、日本だと科学のことがわからない、財務や経営、法律をやっている人が重要な決定をする場合が多い。一方、アメリカの投資家は、自分で『サイエンス』や『ネイチャー』などの学術雑誌をきちんと読み込んで、おもしろそうな研究を見つけて、自ら研究者にアプローチして社会実装、産業移転にもっていこうとします。アメリカでは、そういう科学のことが本当にわかっている目利きのできる人が投資側にいる。そういう人材の流動性がすごく確保されているわけです。

中内　アメリカでは、実際に自分でスタートアップをやって、失敗と成功を重ね、最終的に成功してある程度お金をもった人が、今度はVC側になって新しいスタートアップの指導をしたり、投資をしたり、助言をしたり、人材を紹介したりする。そういう人が大勢いて、起業と発展のシステムがうまく回っています。

　日本には目利きのできる人がごくわずかしかいません。科学のことをよく知らない人が「3年で儲からないと困る」といった、いわば信用金庫の中小企業への貸付レベルの話をしている印象です。ベンチャースピリットをあまり理解していなくて、最初から儲けなきゃいけないという感じで、スタートアップへの投資が行われている。全体としてシステムが熟していないどころか、基本的な精神すらあまりわかっていないのではないでしょうか。

日本の平等主義がイノベーションの足かせになっている

筒井　大学発のイノベーションという点で、中内先生の分野において、現在の日本の大学の研究レベルはどんな感じでしょうか。

中内　アメリカのVCのなかには、少数ですが常に日本の大学に目を向けている人がいます。彼らは「日本は、シーズの数は少ないけれども、クオリティーは高い」といっています。つまり、日本の大学にいる研究者は、非常によくデータを蓄積していて、信頼性の高いデータに基づく特許やアイデアをそこそこもっているというのです。

アメリカの大学には、あまりたいしたエビデンスがなくても会社をスタートさせる研究者がたくさんいます。お金がふんだんにあり、たとえ失敗しても許される（ベンチャー精神に富む）社会だからそれが可能なのかもしれません。でも日本はそういう状況ではありません。だからこそ大学のなかにシーズが残っているという言い方もできるのかもしれません。

筒井　よくいわれるのは、日本は新しい科学技術はいろいろ生み出すけれども、それを社会実装するのに時間がかかり過ぎて、その間にアメリカや中国などに取られて追い抜かれてしまっている。科学技術力自体はそれなりにあるのに、それを使って産業移転して儲けることが非常に苦手といった指摘です。

中内　いいアイデア、シーズがあっても、それを世界レベルのビジネスに展開できる人材が非常に少ない。今の日本は間違いなくそういう状況だと思います。

筒井　アメリカの投資家は、よく「日本は宝箱だ」といいます。日本はいろいろなおもしろいものが結構安く手に入るから。

中内　ただスタンフォードで、医学部の産学連携プログラム「スパーク（SPARK）」やスタートアップ支援組織の「スタートエックス（StartX）」の話を聞くにつけ、おもしろいアイデアをもっている人が本当にたくさんいるんだなと感心します。シリコンバレーで一旗揚げてやろうと考えている人が世界中から集まってくるので、やはり量的には圧倒的に負けている気がします。

筒井　スケールも大きな話が多いでしょう。関連して制度面での日米の違いはどうですか。スタンフォード大学には、スパークやスタートエックスのほか、特許のライセンス化機関「OTL（Office of Technology Licensing）」が何十年も前からあったりします。これもいわば制度的なものです。あるいは医薬品などの認可のスピード感の違いもよくいわれます。

中内　医療分野では「100%の安全」を望むのが日本人の考え方です。なにかあると、日本のメディアは徹底的に叩くし、官僚など行政に携わる人たちも非常に保守的です。国民的な特性が制度面に反映しているので、なかなか簡単には変えられないと思います。新しい医療には必ずリスクがともないます。そのリスクとベネフィット（便益）を理解したうえでなにか新しいことをやる。そういう考え方がもう少し一般化しないとこういった状況を変えるのは難しいでしょう。

日本の政府は「新しい医療を推進しよう」などと盛んにいっています。総論はそうなのですが、各論に入るとまったくそうではない。実際に厚労省やPMDA（独立行政法人医薬品医療機器総合機構）に行くと、たいしたサイエンスのバックグランドのない人にわけのわからない書類をあれこれもってこいといわれ、研究者は非常に消耗してしまいます。時間もかかるし、そのうちに資金がショートして、スタートアップの会社なら潰れてしまうわけです。

アメリカはまったく違います。新しい治療をいち早く患者に届けることが優先です。もちろん、安全性も大事だけれども、効果が見込めそうな新しい治療法なら多少のリスクはしょうがないと合理的に考えます。日本との大きな違いは、こうした国民の合理的な考え方だと思います。

筒井　日本は、たとえば「狂牛病が出たら全頭検査」という国です。そういう発想は簡単には変えられないでしょう。そういう意味では、日本よりもアメリカでやったほうがいいと考える医療分野の研究者、スタートアップ、あるいは大企業も増えていくのでしょうか。

中内　たとえば、ノーベル賞を取った本庶佑（ほんじょたすく）先生のがん治療薬

「ニボルマブ（製品名オプジーボ）」や「ペムブロリズマブ（製品名キイトルーダ）」は、日本の製薬会社の製品ですが、まずイギリスやアメリカで認可され、製品化されてグローバルに展開されて、日本でも使われるようになりました。

医療分野は必ずしもお金が儲かればいいという世界ではありません。先ほどいったように、新しい治療ができたらできるだけ早く人々に還元されたほうがいいと考えます。だから安全性の確認が合理的かつ迅速にできるシステムがあるところで製品化されるわけです。

しかし、日本の制度はあくまで安全第一。結果的には海外経由のほうがいち早く患者さんの手に届きます。そうだとしたら、自分たちの取り分は多少減っても、アメリカでやったほうがいいと考える人たちが増えて当然でしょう。私もその一人ですが。

筒井　シリコンバレーのエコシステムがあるのだから、そこにプラグインしてしまえばいろんなことがやりやすくなる。そういう発想は日本の政府にもあります。大学発イノベーションの目利きをシリコンバレーのVCに頼むとか、シリコンバレーに5年で1000人規模の日本人起業家を派遣してエコシステムに入り込んでもらうなどのスタートアップ政策が動き出しているところですね。
ただ医療と違い、ビジネスの分野だと、日本に税金が入らないのであれば政府が投資する意味はないという意見もあります。

中内　それは内向きの考え方で、私はあまり賛成しません。経産省が主導して2018年にできた官民ファンドの「産業革新投資機構（JIC）」は、アメリカにいる優秀な目利きを集めて日本のアイデアを評価してスタートアップをどんどん作っていこうという発想だったと思います。しかし、あっという間にうまくいかなくなった。日本の国際性の後れ、メディアの勉強不足、システム作りのまずさを感じます。

筒井　産業革新投資機構はすごく可能性があったと思います。けれども幹部の報酬が高すぎるということがメディアで問題になって、中心メンバーが総入れ替えになってしまった。世論が足を引っ張る日本の悪しき平等主義が顕在化してしまったケースだと思います。現在進められているスタートアップ政策に、この経験が生かされているといいですね。

日本ではなぜリーダーが育たないのか

筒井　制度面など、日本をどう変えたらいいかという議論において、この悪しき平等主義は大きく立ちはだかる壁になります。たとえば、定年制。なにもしなくてもその年齢まで会社にいられて、やる気のある若い人がなかなか上に行けない。あるいは定年が来たら、どんなに仕事ができる人でも即刻、会社を去らなければいけない。年齢が主要な評価基準になる悪しき平等主義です。

結局、個人の能力や業績を正確に評価できないシステムに問題があるのでしょう。つまり、学校の教育制度を含め人材育成のシステムが根本的に変わっていかなければいけないと思います。中内先生は日本の教育制度において、一番ネックになっているのは何だと感じますか。

中内　筒井先生のご専門でしょうが、やはり日本の文化、社会構造的に、一般の人がもっている教育に対するイメージ、あるいは教育制度に対する期待が他の国とは違っている。そしてやや時代遅れであるという感じがします。

日本は同調圧力が強いと言われます。日本の教育制度では、みんなで仲良く暮らせる社会を作るんだという発想がすごく強い。また妬みの文化でもあるので、多くの親は自分の子どもがあまり目立たず、まわりに迷惑をかけずに学校生活を送ってくれることを願っているように見えます。その辺の意識から変えていかないと、日本の教育制度は変わらないと思います。

一流の国に追いつけ追い越せでやっていた頃の日本は、いわゆる平等主義に基づくチームプレイが重要だったのでしょう。しかし今やグローバル・エコノミーのなかで互角に戦っている国です。その状況のなかで、三流国家にまで逆戻りしつつある印象です。それを食い止め、成長していくためには、やはりクリエイティブな人材を育てなければいけない。クリエイティブな人は個性が強く、同調性のないケースが多いと思います。そこを一般の人もよく理解し、欠点のない子どもを育てるのではなく、子どもの長所や個性を生かす教育を重視するよう、見る目を変えていかないと、教育制度も簡単には変わらないでしょう。

筒井　教育社会学でそういう研究はたくさんあります。幼稚園や小学校のレベルから集団のなかでまわりの子どもと協調的に立ち回ることがとても重視される。社会に出ても自分の会社や研究室で人間関係をうまく運ばせることが一番大事となっている。まさに同調圧力がすごく強調される社会なので、「出る杭は打たれる」という感覚がずっと子どものころから植えつけられているというわけです。

実際、教育の中身も個性を発揮する、他の人と違うことをやるといったことが大事にされていません。大学入試もAO入試（総合型選抜）が増えてきてはいますが、相変わらず共通テストで画一的な知識の習得が強調されています。

アメリカでも多くの親が自分の子どもをいい大学に入れたいのは同じです。ただ、そのために親がなにをするかというところが違います。日本では、塾に通わせて画一的なテストでいい点を取るスキルを高めることが中心です。

一方アメリカでは、スタンフォードの入試もそうですが、SAT

(大学進学適性試験)の点数を見ない大学がすごく増えています。アメリカの大学入試ではなにを問われるか。「今までにあなたはなにをやってきましたか」「あなたは人生でなにを成し遂げたいですか」「そのために大学の4年間はどう役に立ちますか」といった問いに対して、しっかり説明できないと大学に入れません。だからアメリカでは、中学生ぐらいからそういうことを考え始めるケースが多いです。

アメリカの子どもは、日本のように塾に行くだけではなく、なにか事業的なことをはじめたり、バイオリンやバスケットボールなどに打ち込んで成果を出そうとしたりする。親も子どもの自主性を重視してサポートします。日本とは教育のあり方が根本的に違い、それに最も大きな影響を与えているのは受験制度だと思います。

中内　アメリカの大学は入試にすごく時間も労力もかけます。一方で、日本の大学は試験の点数で合否を決めるほうが客観的でいいと、単純に済ませている印象です。アメリカの大学は「なにが客観的なのか」というところから問い直し、いろんな面からその個人を見て判断します。大学教育の成果に大きな違いが出てくるのは、ある意味当然でしょう。

筒井　こうした教育の影響で、リスクに対する考え方にも違いがあります。減点主義の入試制度に象徴される日本ではリスクを回避する個人の生き方、社会のあり方が強くなり、昭和の頃は良かったが、今の時代に必要な教育や研究、産業の発展に相当マイナスに働いていると思います。加点主義で個性やそれぞれの長所を伸ばそうとするアメリカでは、リスクをおそれず新しいことに挑戦する人が育ちやすいと思います。

中内先生は、日本にいる研究者とアメリカにいる研究者の違いについて、特に起業に関して、どの程度リスクを取るのか、どの程度我慢できるのか。その辺の差を実感されていると思うのですが。

中内　やはり非常に違います。同調圧力の強い日本はリーダーシップをもっている人材が育ちにくい傾向があると思います。アメリカはそもそも多様性に富む国なのでそれをまとめていくことが大変だということもあるでしょうが、小学校からリーダーシップに注目した教育が行われています。たとえば、人前で話をするのもその一つで、リーダーシップがあるかどうかの大きな評価のポイントになります。強いリーダーシップのおかげで、個人としても全体としてもリスクをおそれず、行動できるわけです。

日本はリーダーを育てるというところに、あまり労力をかけていない。だから、良いリーダーがなかなか出てこなくて、問題解決に非常に時間がかかったり、責任回避のために先延ばしの繰り返しになったりする。研究者、あるいは政治家を見るまでもなく、あらゆる分野でリーダーシップの不在を感じます。だからリスク回避の行動が個人的にも社会的にも続くのだと思います。

日本のリスク回避やリーダーシップの不在は、アメリカ以外の国々と比べても顕著でしょう。たとえば、私のスタンフォードの研究室には、大学院生やポスドクが日本を含め、世界中からやって来ます。日本の一流大学出身者は、言われたことはきちんとこなすし、頭もいいし、良い人が多いです。しかし、非常に迫力不足。自分で課題を見つけて周りの人を巻き込んでバリバリやっていくタイプがほとんどいません。

一方、日本以外の国々から来ている人たちは、みんな目が輝いている。やる気十分で、一旗揚げてやろうという強烈な意気込みを感じます。

こうした違いには、日本の社会が非常に安定している影響があると思います。いわれたことだけやっていれば大丈夫、右のものを左に置けばオーケーというリスク回避の風潮が、若い人たちにも蔓延しているのでしょう。良い国であることはたしかですが、問題は今の日本の豊かで安定した生活が厳しい世界経済の競争のなかでこの先も続くのかということをどれくらい多くの人が認識しているのでしょう。そういう危機感がないこと自体、大きな問題だと思います。

バナキュラーライゼーションという発想

筒井　先ほど人材の循環性や流動性の話をしましたが、日本は敷かれたレールの上を歩いていくのがベストだと多くの人が考えている社会、アメリカは自分で新しいレールを敷いていくことに価値を見出す社会という違いがあります。その違いがスタートアップに人材が集まるかどうかに顕著に表れていると思います。

本書に登場するスタンフォード大学出身の日本人には、いくつかの共通点があります。一つは自ら新しいレールを敷いてきたこと。全員、これまで述べてきたような日本的な考え方や教育のあり方にとらわれず、挑戦を大事にしてきた人たちです。つまり、コンフォートゾーン、自分の慣れ親しんだ世界、敷かれたレールの上から飛び出して新しいことにチャレンジして、今の地位を獲得しています。

もう一つは、価値観の多様性に加え、論理性を大事にしていること。スタンフォードには世界中から優秀な人たちが集まっています。それぞれの価値観は実に多様です。しかし、優秀な人たちなので論理的に話せばだいたいわかり合えます。それが同じ学生や同僚と長く続く関係を作るうえで大事になってきます。つまり本書に登場する人たちは、みんなスタンフォードで多様な価値観を受け止め、論理的に説明して相手を説得する技術を磨いたわけです。

強い積極性で新しい出会いを作るというのも共通点です。スタンフォード及びシリコンバレーのエコシステムのなかには、有名な研究者や有名な起業家がたくさんいます。そういう人たちにどんどん話を聞きに行って、アドバイスをもらうことが可能だし、とても大事なことです。本書に登場する人たちは遠慮しないで、全員が積極的にドアを叩いています。

全員から前へ前へ進む精神がすごく感じられます。この制度は変わらないだろうと思われているものを変えようとしたり、科学的には難しいだろうということを研究したり、とにかく常識を破ることに挑戦しています。それも大きなスケールで、世界を相手にして考えていたりする。いろいろな意味でスタンフォード出身者らしい発想、行動だと思います。

中内　なかには、スタンフォードで学んだことを日本で実践しようと思ったけれども、組織の壁に阻まれて起業できなかったという苦労人もいます。その点に関連して、筒井先生にぜひお聞きしたい。日本の社会はまだ「追いつけ」という発想が強くて、アメリカやヨーロッパの制度を日本に取り入れれば、社会が良くなると考えているケースが多く、特に行政官にはそういう人が多いと感じます。

しかし、失敗例がたくさんあるわけです。中途半端に欧米のシステムを理解して、それをそのまま日本の社会に持ち込もうとするからうまくいかない。先ほどのJICの話もそうでしょうし、たとえば、NIHをまねしたと言われるAMEDなど、見かけをまねしているだけで、中身はあまり有効なシステムになっているとは思えません。

欧米に限らず、他国の進んでいる制度、システムを日本に持ち込む際には、やはり社会的あるいは文化的な違いをよく理解したうえで、専門家がしっかりと吟味、あるいはアレンジして、日本の社会でもちゃんと通用するような形にして制度改革をしなければいけないと思います。こういう当たり前のことが、どうして日本にはできないのでしょうか。

筒井 日本は近代化後発国として、明治維新以降欧米の進んだ制度を取り入れて、大きな成功を収めてきました。ところがバブル期以降あたりから、日本型の政治経済モデルが成熟してきたなかで、自分たちの成功体験に囚われてか、外のモデルをうまく取り込むことが苦手になってきたのかもしれません。

たとえば、日本の企業は1990年代後半、アメリカをまねて成果主義の賃金体系を導入しようとしました。しかし、年功序列を完全に打ち破ることはできず、賃金体系は今もほとんど変わっていないという状況です。

実は、アメリカは相当特殊な国なのです。だから成果主義に限らず、アメリカでうまくいっている制度だからといって、それをそのまま日本にもっていってもうまくいかないことはたくさんあります。私のような社会科学者の仕事は、そういう制度改革の種を分析して、どういうふうに微調整を加えればうまく日本に根づくのか考えることだと思います。

他国でうまくいった制度を取り込むことの難しさは、なにもアメリカと日本の間に限りません。新制度論と呼ばれる社会学の分野での重要な知見は、外から取り入れたシステムはその国のそれまでの慣習や実際の社会的要請などとの間に齟齬を起こしやすく、「デカップリング」と呼ばれる制度と実践の乖離が起きやすいというものです。

たとえば、人権の仕組みです。第二次大戦後の国際社会では、人権が世界共通の普遍的なものだということで、世界のどこにでも同じ考え方をもっていかなければ駄目だという発想でずっとやってきました。それで多くの政府が国際人権条約を批准したり国内人権機関を作ったりするわけですが、ただ国際的な人権規範をそのまま当てはめようとするだけでは、社会のあり方が違う国・地域では、うまくいかないことが多いわけです。女性の権利や子どもの権利に対する考え方が違う国・地域で、国際基準を押し付けてもうまくいかない。そういうことがようやくわかってきました。

そこで、今よく言われているのは「バナキュラーライゼイション(vernacularlization)」というやり方です。バナキュラーとは「その土地の固有の様式」といった意味。つまり、人権という考え方を地元の言語にうまく落とし込んで、地元の人に受け入れられやすくするというものです。「シュガーコート(砂糖の膜で包んで飲みやすくする)」と言ったりもします。

たとえば、「この国は女性蔑視の酷い国だ、女性の権利を向上しろ」とアメリカ人がいくらうるさく言っても、ジェンダー関係についてアメリカと全く違う理解をもつ国はなかなか受け入れません。現地の女性自身も反発したりします。それをうまく地元の人たちが受け入れやすい言葉にするわけです。

その際は、地元のリーダーに受け入れてもらうことが大事です。地元のリーダーはたいてい年を取った男性です。「あいつが諸悪の根源だ」と既存のリーダーを排除するような発想をもちやすいのですが、発展途上国で成功した例を見ると、そういう人を説得したほうが結構スムーズに人権の改善が進んでいます。

日本の制度改革もそれと似ているところがあると思います。もちろん、「日本は後れているからこれを変えなければ駄目だ」と言って聞いてもらえる分野もあるでしょう。たとえば、経済の分野は「このままでは危ない」という実感をもっている人が多く、聞く耳をもつ人が増えてきていると思います。ただし、そうだからと言って、たとえば「老害で年を取ったトップが良くない」と強く叩き過ぎると、そこから反発が出て、うまくいくものもうまくいかなくなるでしょう。

要するに、制度としてこれはうまくいくだろうというものを適切に選び取って、日本の社会や政治、経済のあり方に根づかせる努力を重層的にしていく必要があるわけです。

日本を外から眺めないとわからないことがある

中内　これだけインターネットが発達して、SNSでいろいろな情報の交換ができるようになると、ずっと日本にいても、世界のことを十分理解できると考えがちです。しかし、本当はほとんどわかっていない。私自身、10年前にサバティカルでケンブリッジ大学とスタンフォード大学に半年ずつ滞在して、そのことを痛感しました。

それまで毎年、何度も海外に出て、いろいろな国・地域を訪れていたので、世界の大学のことをよくわかっているつもりでした。ところが、実際に英米の大学で研究する、生活するという経験を1年間したことで、はじめて心の底から「日本の後れ」を理解できたのです。

ただ、今の若者たちには「日本はいい国だし、別に海外に出なくてもいいか」という風潮がすごくあると聞きます。

日本のマスコミはどこも同じようなニュースを流しています。しかも、日本の国民が喜ぶようなことしか発表しません。インターネット経由の情報にしても、いろいろなバイアスがかかっています。そういう情報環境では、どんどん井のなかの蛙状態になって、危機感がもてず、「日本はいい国」としか思えないのも、ある意味当然かもしれません。

しかし、先に述べたように、危機感がないと社会は良い方向に変わらないでしょう。だからメディアは日本の良いところだけでなく、悪いところも積極的に発信しないといけない。そして、若者たちは積極的に海外に出て世界の状況を実際に見聞きして、「日本の後れ」をよく理解してほしいと思います。

筒井　日本のメディアの体質は、いわば同調圧力の一種なので簡単には変わらないでしょう。たとえば、成功した人の足を引っ張るような言説がワイドショー的なメディアで受ける傾向は、かつてのホリエモン叩きなどの頃から、ずっと続いています。日本の社会では、相変わらず「出る杭は打たれる」わけです。

アメリカにも、たとえば、イーロン・マスクへの反発はありますが、ホリエモン叩きのように成功者に対するジェラシーがものすごく強いかというと、それほどではないと思います。

「日本の後れ」の理由としては、行政と民間に壁があって風通しが良くなかったことも挙げられるでしょう。専門知識をもっている官僚は、外の話をあまり重視しません。しかし新しい制度を作る時には、現場でやっている民間のステークホルダーたちの意見が大事になってきます。その風通しが悪いと制度改革は良い方向に進みません。

ただ最近は、官庁が民間の識者の意見をしっかり受け止める場面も増えていますし、専門の分野をもっている若手の政治家も増えてきています。それもあって以前よりは風通しが良くなっている傾向はあると思います。ステークホルダーたちと対話を重ねる「アジャイル・ガバナンス」の意識も出てきていると思います。

たとえば、スタートアップ税制の改革では、政府がちゃんと民間と対話しながら制度を直そうとしていることを、官僚の側からも民間の側からも聞きます。危機感をもつ人が増えれば、さらにいい方向に行くことが期待できます。

中内　外国にいると日本のことが非常に心配になります。残念ながら日本のなかにいる人にはそういう危機感がないように見える。そこが実に歯がゆいところです。

私がはじめてスタンフォードに留学したのは30年以上前です。そのころは日本人がたくさんいて、他のアジアの人はあまりいなかった。今はまったく様変わりして、日本人が非常に少なくなって、中国人とインド人が大勢います。中国から来た学生も優秀ですが、特にインド人は、IT産業が大学のまわりにあるので、学内だけでなく学外にもたくさんいて、非常に優秀です。

シリコンバレーには、世界中から優秀な人たちが集まっています。私は以前、日本人は優秀だと思っていましたが、最近は非常に自信をなくしています（笑）。日本人は言われたことをきちんと丁寧にやるという点では、今でも優秀です。しかし、たとえば大学で本当にイノベーティブなトップクラスのサイエンスをやっているかと問われると、まったく影が薄くなってしまいます。文化的な背景もあるとは思うのですが、とても残念なことです。

日本という狭い国から出て、いろいろな国を訪れ、いろいろな人に会い、いろいろな経験をする人がもっと増えてくれたら、日本の社会は少しずつ変わっていくと思います。数日の観光旅行では無理でしょうから、外国の学校でも会社でも何でもいいので、ある程度長い期間日本から出て、日本を外から見て、外国に人脈を作ってほしいと思います。

筒井　私も人材交流が日本の閉鎖性を打ち破る一番のきっかけになると思います。日本からの留学生を増やす、日本への留学生を増やす。留学生だけではなく研究者もそうです。

特に日本では社会の制度、システムは簡単に変わりません。若者たちのマインドセットを変えるのもそんなに簡単ではないでしょう。

しかし、リスクをいとわず、今ある壁をぶち破る気力のある若者は、必ず一定程度出てきます。そういう人たちをどんどん応援してほしい。やる気と才能のある若者が、たとえ失敗したとしても温かく見守ってほしいと思います。

もし、そういう若者たちがなにかで成功したら、日本人みんなが得をするはずです。日本だけでなく世界もそうです。すごい発明で世界が救われるかもしれないし、特許で日本全体が恩恵を受けるかもしれません。とにかく頑張っている人の足を引っ張らない日本社会になってほしい。そう願っています。

中内　サッカーや野球、バスケットボールなど、日本人選手が海外で活躍しています。彼ら彼女らは日本のプレゼンスを上げていると思うし、その存在は妬みの対象ではなく、若者たちにとって格好のロールモデルになっていると感じます。

筒井　科学もスポーツと同じ面があります。ここ15年ほど日本人がノーベル賞をかなり取っています。これは中内先生がおっしゃったように、かつて日本の研究者が大勢海外に出ていたころの成果といえるでしょう。裏を返すと、日本から海外に出て交流する研究者が減ると、重要な研究を発信できる日本人が減ってしまうということです。ビジネスも同じでしょう。やはり海外の舞台で挑戦してみることが大事だと思います。

中内　日本の若者には東京大学や京都大学を目指すのではなく、ぜひスタンフォード大学を目指していただきたい。優秀な人は優秀な環境で教育を受ければ、さらに優秀になります。日本で教育を受けることが本当にいいのかどうか。日本の超一流大学も常に考えないといけない問題でしょう。

筒井　多様な考え方に触れるという意味では、日本とアメリカの大学には大きな差があります。特にスタンフォードには選りすぐりの精鋭たちが集まっています。私たちが勤めている大学なので、どうしたって一番のお勧めになりますね（笑）。

CHAPTER 1

スタンフォードの教育・研究とイノベーション

第1部は、アカデミックな先端研究あるいは社会制度改革に力を注いでいるスタンフォードの卒業生たちによるストーリーである。マーケットデザイン、法制度と宇宙資源ビジネス、量子生命科学、web3のルールメイキング、デジタル技術と社会制度、紛争解決手続きのデジタル化、資源開発技術と地域共創、そしてコンピューターと音楽、という多様な分野を取り上げ、そこでの動向、社会課題の認定と解決方法、社会実装について熱く語る。

学術知を結集し 現実の社会問題を解決、 マーケットデザインの 実用に向けて

#01

野田俊也

NODA *Shunya*

東京大学経済学部経済学科卒業、同大学大学院経済学研究科修士課程を修了後、スタンフォード大学経済学部博士課程に進学。2019年にPh.D.を取得した後、ブリティッシュコロンビア大学経済学部助教授を経て、東京大学大学院経済学研究科講師・東京大学マーケットデザインセンター（UTMD）プロジェクトマネージャーに着任。マーケットデザイン、マッチング、オークション理論を専門とし、特に社会実装を強く意識した応用性の高い制度設計の研究に取り組んでいる。新しい制度設計の対象の開拓を志向しており、近年は特に仮想通貨およびスマートコントラクトの経済学的分析に注力している。

世界最高のマーケットデザイン研究

筆者が経済学者として専門とする領域は、「マーケットデザイン」と呼ばれる制度と市場を設計する科学である。制度は常に限られた資源を配分するためにある。たとえば、オークションは多数いる買い手のなかから、だれに・いくらで商品を売り渡すかを決める制度だし、企業の社内公募などはどの部署にどのような人的リソースを配分するかを決める制度だ。望ましい資源配分を達成するために、考えられる選択肢としての制度は多数存在するが、そのすべてが同等の性能をもっているわけではない。ある制度が、望ましい資源配分を本当に達成できるかを判定するためには、制度が参加者にどのようなインセンティブを与え、参加者らの行動を引き出し、どのような帰結をもたらすのかを注意深く分析する必要がある。これを追究するのがマーケットデザインという学問である。

これまでの社会では、経験・前例・試行錯誤をもとに、さまざまな制度がいわば手探りで生み出されてきた。しかし、ただ事例を観察し、場当たり的な修正を加えるだけでは制度の改善は緩やかにしか進まないし、必ずしも最適な制度に至れるわけではない。マーケットデザインが旧来の制度設計に関する議論と一線を画す点は、制度を導入することで解決したい問題、いわば制度の目的を強く意識し、問題の構造を可視化するゲーム理論的なモデルを作り、分析し、目的を達成する最適な制度を数理的に導出するというアプローチにある。マーケットデザインは、たとえるなら社会問題を算数の文章題とみなして解く。文章題を文章のまま眺め、たとえば他の文章題と比べてどうだ、などと議論しても答えは得られない。答えを得るためには、一度数式に落とし、計算を行うべきであり、これがまさにマーケットデザインの理論研究に相当する。理論的な研究で設計された「望ましい制度の候補」は、ラボ実験などによる性能検証を経て現場に投入され、実社会での性能はデータを活用した実証分析によって細かく検証される。

マーケットデザインの応用例は多岐にわたるが、とりわけ読者の興味を引くのは、近年盛んになってきている巨大テック系企業による活用ではないだろうか。我々が日常的に行っているネットサーフィンの裏では、表示する広告を決めるためにアクセスの都度、瞬間的にオークションが行われている。UberやLyftなどのライドシェアサービスでは、配車の仕方や価格の調整を最適に行うためにマーケットデザインが活用されている。最適な人材配置を達成すべく、Googleが社内の異動にマッチング理論を活用した制度を採用したことも有名だ。情報の電子化が進み、アルゴリズムとしての「制度」があらゆる場面で活躍するようになった現代では、マーケットデザインの学術知を駆使して最適に設計された制度がその力を最大に発揮するのだ。

筆者が留学をはじめた2014年当時、スタンフォードはマーケットデザイン研究で世界最高の研究機関であった。たとえば、マッチング理論という分野の創始者であるアルヴィン・ロス氏は、2012年に「安定的な配分の理論と、マーケットデザインの実践に関する功績」を理由にすでにノーベル経済学賞を受賞していたし、後の2020年に「オークション理論の改善と新しいオークション形式の発明」でノーベル経済学賞を受賞するポール・ミルグロム氏とロバート・ウィルソン氏も在籍しており、当時から「近いうちの受賞は間違いない」「むしろ、まだノーベル賞を取っていないのがおかしい」といわれるほどの業績を挙げていた。ノーベル経済学賞受賞者が複数在籍する大学は他にもあるが、マーケットデザインのような特定の領域だけでこれほど著名な研究者が集中している機関はきわめて珍しい。筆者が、博士課程に合格した後にキャンパスを見学した際、ミルグロム氏に「マーケットデザインをやりたいならスタンフォードが間違いなくベストの大学だ。入学先に悩む必要はない」と真剣な顔で言われたのをよく覚えている。

マーケットデザインの学問としての最大の特徴は、実用性、つまり「現実世界で使える、役に立つこと」に対する強い意識である。ロス氏のノーベル賞受賞理由は、「マーケットデザインの実践に関する功績」であり、実践、つまり理論的な枠組みから自身で開発した制度を、研修医の病院配属や、公立学校の入学先の選択、ドナー交換生体腎移植など、さまざまな応用例に対して社会実装してきたことが高く評価されている。ミルグロム氏とウィルソン氏についても、自身でオークションの理論という分野を確立しただけではなく、周波数帯の利用免許をオークションを用いて配分するという社会的課題に取り組み、実装し、そして成功を収めたことが評価された。彼らが開発した制度はいずれも米国で最初に導入されたが、今日では世界各国で実用され、現実社会を改善することに貢献している。

主に大学で研究されているアカデミックな分野なのに、実用性を意識しているのはいささか不思議に思われるかもしれない。実際、筆者の周囲の他分野の大学研究者には、「研究者は実用性ではなく、自らの興味にしたがって研究を進めるべき」「役に立つ・立たないで研究の優劣を判断するべきではない」「『役に立たない』基礎研究にもっとリソースを割くべきだ」と主張する方も多い。「『役に立つ』ことは民間企業が営利目的で研究開発するのだから、大学はもっと公共性の高い『役に立たない』研究に注力すべきだ」とも。

これらの主張は一理あるが、少なくとも経済学の研究にはあまり当てはまらないとも感じる。「役に立つ」ことと「お金儲けにつながる」ことは一対一対応していない。たとえば、ロス氏が取り組んできた病院配属・学校選択・臓器移植などは明らかに社会的に重要な問題だが、民間企業が営利目的で取り組んでマネタイズするのは難しい。ミルグロム氏とウィルソン氏が開発した周波数オークションでは、周波数帯の利用免許の価値が価格となり、通信事業者から政府に莫大な額が支払われたという意味で、ある意味「お金儲け」につながった。しかし周波数オークションは「政府が管理する国民の財産である利用権を、特定の事業者に割り当てる」という公的な問題であり、その制度設計を民間企業の研究開発に任せきりにするのは無理がある。これらの制度の改善は、アカデミアに所属する大学研究者が政策担当者と適切に対話した結果、実現したものだと言えるだろう。基礎研究を否定するつもりはないが、応用研究のレベルでも研究開発にはかなり強い公共性があり、大学研究者が「役に立つ」研究をしてはじめて実用化される技術は多々存在する。そして、「役に立つ」研究によって救われる人々がたくさんいる以上、その要請に応えることも職業研究者としての務めではないだろうか。

スタンフォードで学んだ実用・ビジネスへの意識

このような実績をもつ世界的な研究者がリードしていたためか、スタンフォード大学におけるマーケットデザインの研究グループでは、実用性への意識が特に徹底していた。グループ内での研究発表会では、常に「その研究が今すぐ、もしくは将来的にどう役に立つのか」は議論された。望ましい制度を理論的に設計するだけではなく、それを実際に使用するためにどれくらいの計算能力が必要なのか、現実の人間相手に実施して意図通りに機能するか、実際に使うためにはどのような政治的ハードルがあるか、実際に使われたケースがあればそこではうまくいっているか、これまでに議論されていない設計上の課題はないか、あるとすればどう解決できるかなど、さまざまな題材が研究テーマとして議論されてきた。

また、スタンフォード大学はマーケットデザインの学術知をビジネスに活用するテック企業が多いシリコンバレーに位置しており、テック系企業の研究部門に属する研究者たちとの交流も多い。経済学の博士課程の卒業生にはテック系企業に就職する者も多く、経済学の知見がどのようにショッピング・配車・民泊・レーティングなどのサービスにされているかを体感した。自らの研究がどのように現場で生かされ得るかを肌感覚として理解する機会は、経済学研究者としては非常に希少かつ貴重だ。

自然な流れとして、筆者も実用性を意識したテーマ選択を行い、マッチング理論のなかで、特に「マッチする人数をなるべく増やす方法」を在学中の研究主題としていた。マッチする人数を増やしたい状況は、数理的に扱いにくい問題であったためか、経済学系のマッチング理論の文献ではあまり人気がなかった。一方、実社会での応用例は多い。たとえば、パンデミック時におけるワクチンの配布をマッチングの問題ととらえると、マッチする人数は接種を受ける人数に相当するので、マッチする人数の最大化は接種率の最大化と同じだ。スタンフォードで経験を積んだ筆者は、いま学界で人気のトピックよりも、実社会で必要となる技術の研究をしたいと考え、このテーマを選択した。その後、新型コロナウイルスが実際に流行し、ワクチン配布は実社会の重要な課題となった。当時もっと研究を進められていれば、新型コロナの際に起きたいくつかの混乱は避けられたかもしれないと反省している。博士号の取得後に取り組んだテーマは、仮想通貨システムのデザイン、スマートコントラクトの活用法、災害時の買いだめが発生する原理の解明、レーティングに頼らない推薦システムの開発など、多岐にわたるが、いずれも実社会の課題解決を目指して研究を行ってきた。

その後、博士号を取得する際の就職活動で痛感したことだが、2010年代後半当時、このような実用性を殊更に重視する空気は経済学界でも特殊な環境であった。経済学、特に理論経済学は、社会科学であり、社会のなかで起きる現象を分析対象にするとはいうものの、分析のためのモデル化・抽象化が繰り返されるなかで、もともとの問題意識から乖離し、数理的な興味が中心的なモチベーションとなっている研究も多い。理論経済学者は（本心ではそう思っているとは限らないが）「理論経済学は何の役にも立たない」と悪びれもなく自虐的なジョークを平然と言うものだったし、2022年現在でもこの空気は残っている。この自虐的な雰囲気にのまれず、「ちゃんとやれば、マーケットデザインは社会を改善できる学問だ」という意識をもてたことは、筆者にとって留学生活における最大の収穫であった。

筆者はスタンフォード大学で博士課程を取得後、まずカナダのブリティッシュコロンビア大学（UBC）に就職したが、後に聞いた話によれば、人事委員会が筆者を選んだ決定的な理由は、「なにか現実に役に立つこと（something real）に取り組む人がよい」という選考方針にもっともよく合致していたからだという。UBCでは、現実との結びつきが弱いと思われがちな理論経済学に対する学生からの人気が弱く、この状況を打開するために、理論経済学者でありながら実用性を重視した研究をする筆者を採用することにしたらしい。就職活動を行うなかで、「外の研究者は想像した以上に実用には興味がないらしいぞ」と思い、先行きに不安を感じた時期もあったが、最終的には実用への意識の強さを理由に一流校であるUBCからの採用を勝ち取ることができ、「方針は間違っていなかった」と安堵した。

学術知を生かし、日本をマーケットデザイン先進国に

その後、筆者は結婚を経て、現職の東京大学に移籍したが、こちらではさらに学術知の活用に本格的に取り組むこととなった。筆者が移籍する前年、スタンフォード大学で教鞭をとっていた小島武仁氏が設立した東京大学マーケットデザインセンター（UTMD）に、主力となるメンバーとして参加したのである。

UTMDは経済学研究科の下部組織に位置する研究センターでありながら、通常の研究機関とは異なり、マーケットデザインの実社会への周知活動や、学術知を使って現実の社会問題を実際に解決することにも取り組む、新しいタイプの機関である。UTMDの活動は、あくまでも「研究」である「実用的な制度設計の研究」の枠すらも超える。現実に解決すべき課題を抱えている企業・自治体からの相談を受け、解決策を講じ、提案するという直接的な社会貢献も活動内容と定めているのだ。マーケットデザインの分野で、学術知を結集して組織的に現実の社会問題の解決に当たることは、スタンフォード大学ですら達成できていなかったことだ。日本は現在のところ、マーケットデザインの実用に関して進んでいる国だとはいえないが、近年、社会的な認知度と実用への取り組みは急速に盛り上がってきており、我々の働き次第では日本をマーケットデザイン先進国とするのは夢ではないと感じている。

本稿を執筆している時点で、筆者の東大での勤務期間は1年強に過ぎないが、この間だけでも、新型コロナウイルスに対するワクチンの配布方法や、公立高校入試制度の改革、容器包装リ

サイクルのためのオークション制度の再設計など、さまざまなトピックについて政策担当者や実務家と議論し、学術知を生かした提言を行ってきた。また、UTMDと同時期に誕生した東京大学エコノミックコンサルティング株式会社のアドバイザーとしても、マーケットデザインのビジネス活用について助言を行っている。

学術知の実社会での活用という取り組みはまだまだはじまったばかりであり、越えられなかった障壁や、経験不足ゆえの失敗も多く、結果は必ずしも誇れることばかりではない。しかし、場数を踏むにつれて、実用を効果的に進めるための方法も身についてきた。また、「科学的に政策決定を行うことの大切さ」が日本に浸透しつつある空気も感じている。経済学者がどのように「実用」に取り組むべきか、そのために個々の研究者はどのようなスキルを身につけなければいけないのか、学術知が十全に活用されるために、アカデミアをどう変えていかなければならないのか、筆者にとってこれらを追究すること自体が長い時間をかけて解決すべき課題となった。

実用が筆者の研究者としての長期的なテーマとなったのは、疑うまでもなく、スタンフォードで過ごした5年間のうちに、徹底して学術知の実用への精神を叩き込まれたことが発端である。経済学の研究機関としてスタンフォードと同等以上の評価を受ける大学は他にも存在するが、この精神は他のどこで修業しても得られなかったスペシャリティだ。

スタートアップとビジネス弁護士が創る新規産業と宇宙資源ビジネス

#02

水島 淳

MIZUSHIMA *Atsushi*

西村あさひ法律事務所パートナー弁護士。テック領域の企業の新規事業構築・新規事業展開における法律実務を駆使したストラクチャリング・取引遂行戦略の策定と意思決定・交渉・取引実行のサポート（エクセキューション・デザイン）を手がける（M&A、事業提携、国際展開、資金調達、新規ビジネス構築、IP戦略等）。スタンフォード大学ビジネススクール在学中から2年間米国シリコンバレーにてハードウェアスタートアップWHILL, Inc.の設立メンバーを務め、事業運営・2ラウンド合計約15億円の資金調達を実行。また、弁護士業務の傍ら大学非常勤講師や企業の社外取締役などを務める。2004年東京大学法学部第一類卒業（LL.B.）、2013年スタンフォード大学ビジネススクール卒業（MBA）。

スタンフォードMBAで、新規ビジネスの作り方を学び・実践する

私が進学したスタンフォードのビジネススクールでは、マネジメント・リーダーシップを含むビジネスのさまざまな分野を全般的に学ぶが、そのなかでもリーダーシップとアントレプレナーシップの分野ではたくさんの講義や実践の機会がある。アントレプレナーシップの領域では、実際に全米トップクラスの会社を作り上げた起業家や全米トップクラスのスタートアップ企業を多数生み出してきたベンチャーキャピタルのパートナーが自ら講師を務める。そうした経験豊富な講師が、ビジネスを作ること・それによって社会的インパクトをもたらすことの何たるかをプロセス・手法などのハードスキル面、マインドセットや思考方法などのソフトスキル面の双方から教えてくれる。また、学生が自分の起業アイデアを持ち込み、それに講師がアドバイスし、学生が学びながらビジネスを進めていくクラスなど、実践形式で起業を学ぶことができるクラスも存在する。私も、学生の起業アイデアに起業家・ベンチャーキャピタリスト複数人がメンターとしてついてくれるクラスに自分が取り組んでいた起業アイデアが採択され、その起業アイデアについてプロダクト開発の進捗や資本政策を講師・メンターと議論しフィードバックをもらうなどしていた。

同時に当時のスタンフォードの学生は学部問わず一様に起業熱が高く、ビジネススクールの内外でスタートアップに関する学生イベントが毎日のように開かれていた。当時屋内測位技術を用いた屋内におけるコミュニケーションプラットフォーム事業の起業を考えていた私は、そういったイベントに顔を出しては参加している学生に自分のビジネスアイデアをプレゼンし、そのビジネスに適した技術をもっている学生を探していた。そのなかで、

最終的にクアルコム社でWi-Fiを用いた測位技術研究のインターンをした経験のある電子工学科のPhD（博士号）の学生と出会い、二人でそのビジネスを立ち上げていくことにした。前述したクラスで持ち込んだビジネスアイデアもこのビジネスである。しかし、想定ユーザーからの引き合いが十分に得られず、また、開発も難航するなどしてこのビジネスは結局うまくいかず、ビジネススクール1年目の終わりにはストップすることになった。

その後、自分でリーガルテックの起業アイデアを進めたり、ロボティクスのスタートアップにアドバイスしたり、ヘルスケアや流通系ビジネスのスタートアップの立ち上げを手伝ったりしたが、ビジネススクール2年目がはじまったころに友人からWHILLというパーソナルモビリティを開発するスタートアップの立ち上げに誘われ、チームに参画することになった。ビジネススクール2年目の春にはデラウェア法人を設立し、私は事業開発、ファイナンス、ユーザーヒアリング、パートナーシップ構築などを担当し、卒業年の翌年までその会社の運営に奔走した。もともと最終的に法律事務所に戻り新たなリーガルサービスを作り出したいと考えていた私は、第一号製品の事前注文を獲得し、また、2ラウンドで合計1000万ドル超の資金調達を完了し、私の後任となるメンバーを採用した後、その会社のフルタイムの職を退き、もともと所属していた法律事務所に復帰した。

戦略ビジネスロイヤー＝エクセキューション・デザイナーに

アメリカでのスタートアップの事業運営の経験は、新しくビジネスを作ること、組織を運営することについて多様な観点からの学びがあった。加えて、自分のバックグラウンドであった法律という面でも大きな気づきがあった。

ある時、自分のスタートアップで、サプライヤーとの取引がうまくいかず、「我々のような小さなスタートアップは不利な条件での取引・安定しない納期をのまざるを得ないのか」と苦慮した時期があった。しかし、あきらめず契約条件を新たに作り込み提案書を作成し、サプライヤーの本国に赴いて契約交渉を行った結果、それまでとまったく違った好条件と安定供給を実現することができた。また、日米における法規制の状況という意味では、日本のスタートアップ環境の問題点として規制がイノベーションを阻害しているといわれることがあるが、アメリカでもAirbnb、Uberなどが各州で規制の洗礼を受けているのを目の当たりにし、アメリカも法規制は厳しいということを思い知った。その上で、アメリカで知り合った規制産業に属するスタートアップの起業家たちは、自らの会社がごく小規模の段階から政府系の経験者を採用し、ワシントンDCにオフィスを置き、ロビイングのための弁護士を起用するなどして能動的に法制度について政府との意見交換や政策提言を行っていくことでそれに向き合っていた。さらに、友人が経営するスタートアップで大企業と事業提携した会社が複数あったが、提携事業が順調なケースのなかにもそれによってスタートアップが大きく成長したケース、提携事業自体はうまくいっているのに提携事業の利益の大半を提携相手先が手にしてスタートアップ側の成長にはつながらなかったケースなど状況はさまざまで、その原因は提携当事者間の収益の配分や知財・データ等の帰属の取り決めなどの契約条件の違いによるところが大きかった。

これらの経験は、スケーラブルなスタートアップや強い新規事業を作るためには戦略的な法律実務が不可欠であるという気づきを与えてくれた。

これらの気づきをもとに、日本に戻り法律事務所に復帰した後、

「エクセキューション・デザイン」業務という、法律実務・取引実務・交渉実務の観点から新規事業の構築・展開の意思決定と事業遂行に対する戦略的支援を行う業務を開始した。

新規ビジネス、特に生命科学、AI、半導体、宇宙などといったいわゆるテック領域と呼ばれる領域では法的戦略が事業の成否を大きく分けることが多い。エクセキューション・デザイン業務では、こうしたテック領域のビジネスを手がけるスタートアップや大企業から相談を受け、スタートアップの事業構築や大企業の新規ビジネスなどの新規事業の立ち上げや、企業の第三者との事業連携、大きなライセンス取引、買収・投資、外国市場進出などの事業の新規の展開に際しての法的戦略を提供し、必要な事業アクションの意思決定と遂行の支援を行う。

現在はこのエクセキューション・デザイン業務を通じて、日々さまざまなテック領域のスタートアップや大企業の新規事業の事業構築・事業展開をサポートしている。

宇宙資源ビジネスの黎明とビジネス展開上の根本的課題

このようにテックの領域のさまざまなビジネスをサポートしているが、そのなかでも宇宙ビジネスは深く取り組んでいる領域の一つである。子どものころからの純粋な宇宙への興味もあいまって、日々宇宙ビジネスの動きを追い、宇宙法を勉強し、また、業務としても宇宙ビジネスに携わる企業の事業活動をサポートしている。

私はビジネス構築・強化において法的戦略、すなわち、エクセキューション・デザインが特に重要となる事業領域には以下の特徴があると思っている。

① テクノロジーが事業の根幹となるビジネスであること

② 国際的に展開されるビジネスであること

③ 法人顧客向け事業、サプライチェーンとの取引が最重要な事業など、法人との取引が鍵となるビジネスであること

④ ソフトウェアとハードウェアを組み合わせた事業、医療とAIを組み合わせた事業など、分野横断的な要素があるビジネスであること

⑤ 規制が厳しい産業に属するビジネスであること

宇宙ビジネスはその多くの分野においてこのすべてが当てはまる領域である。そのため、宇宙ビジネスを行う会社に事業連携、投資・M&A、知財戦略などさまざまな局面のサポートをしているが、とりわけ宇宙ビジネスの分野では現在全世界的にさまざまな領域で急速にルールメイキングが進んでいる。そして、そのなかでも宇宙資源ビジネスは近時、世界レベルで大きくルール作りが進んだ領域である。

宇宙資源ビジネスとは、月や小惑星などの天体から採取した資源をエネルギー資源やその他の資源として利用するビジネスである。たとえば、月には相当量の氷が存在しているといわれており、氷すなわち水を電気分解して得られる水素は宇宙活動を行うに際してのロケット燃料その他のエネルギー源として活用できる。また、さまざまな天体に存在するヘリウム3もエネルギー資源として利用でき、レアメタルを採取できる天体も存在する。このように、宇宙資源産業は宇宙におけるエネルギー産業であり、将来的にはさらに広い意味での資源産業となり得るものである。そのため、将来大きなマーケットに成長する産業であるといわれており、ここ数年世界的に注目度が特に高まっていえる。

ただ、宇宙に関する国際的な憲法とも呼ぶべき宇宙条約は、「天体はどの国家にも帰属しない」と謳(うた)うのみで、天体から採取した資源を民間事業者が所有し自由に処分できるのかどうかについては規定を設けていない。そのため、宇宙資源に所有権が認められるのかという、宇宙資源ビジネスを行うにあたっての大前提というべき論点が明らかになっていない状態であった。そのようななか、2015年にアメリカが国内立法で民間事業者の宇宙資源の所有権を認める法律を制定した。これをきっかけに、国連をはじめとする世界のさまざまな場で宇宙資源に関する規律のあり方についての議論が巻き起こった。しかし、宇宙資源に関する規律を設けるという取り組みは、いかなる国家の主権もおよばない領域における物の権利を定義するという途方もなく根源的な取り組みであり、その議論は今も継続中である。

エクセキューション・デザイン思考を適用し宇宙資源ビジネスの政策・ルールを作る

上で述べたとおり、アメリカは設立間もないスタートアップでも規制産業と向き合う場合には自ら能動的に政府と意見交換や政策提言を行っており、それがスタートアップの成長の鍵であり、かつ、社会変革の一つの大きなドライバーとなっている。

宇宙資源産業の将来に情熱を感じた私は、日本でもスタートアップとともに能動的なルールメイキングに乗り出すべきだと考え、宇宙資源開発を目指すスタートアップと協働して宇宙資源開発に関するあるべきビジネス態様、その基礎となるあるべき制度論をゼロから検討した。その過程では個社のビジネス・経済合理性というミクロ的な視点のみならず、国家が産業・社会基盤として宇宙資源開発産業振興に取り組む意義というマクロ的な視点からも宇宙資源産業が認められるべきであることのロジックや規制のあるべき姿について検討を行った。

同時に、自らが所属する法律事務所のシンクタンク部門で学者の先生方や企業の有識者を招いて宇宙資源開発のあるべき規律についての研究を行い、その成果を報告書として日本語・英語の2言語で世界に対して発表した。

また、世界でルールメイキングの動きが進むなか、わが国のプレイヤーがそうした活動に参加することはわが国の国際貢献に寄与し、また、今後のわが国の経済・事業者にとってもプラスであろうという思いから、オランダのハーグで立ち上げられた宇宙資源のガバナンス検討のための国際的なフォーラムに参加した。そのフォーラムでは、上記の研究結果を発表し、宇宙資源の規律のあり方につき各国の参加者と議論を重ねた。さらに、そのフォーラムの第2期以降は、我々が同フォーラムの幹事メンバーに就任し、最終的なフォーラムでの成果は国連の宇宙空間平和利用委員会で取り上げられた。

それと並行して、日本でも宇宙資源産業振興の社会的意義と

【図1】宇宙空間における宇宙資源の開発・利用のイメージ図

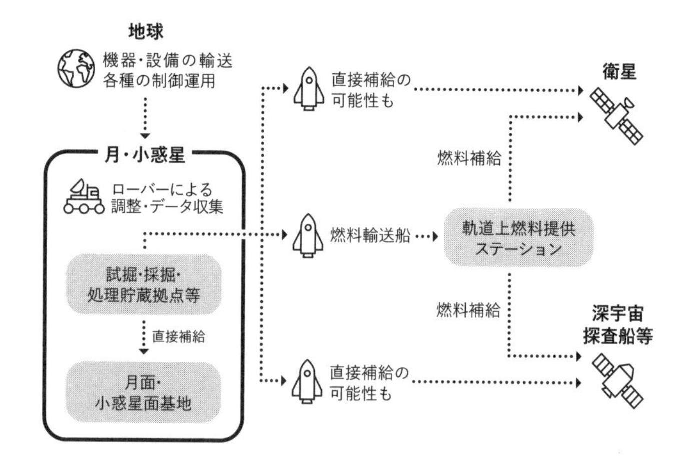

経済的意義を取りまとめ、政府に対して政策提言を行い、また、宇宙資源産業を検討する政府委員会の委員も務めた。さらに、宇宙資源の国内法成立を目指す国会議員の集まりでも世界の動向や法的見地についての助言を行った。

これらのこともあいまって、2020年に日本は、その他の諸外国とともに、アメリカとの間で宇宙資源に関する国家間合意であるアルテミスアコードに合意した。

さらに、2021年にはわが国の国会で民間の宇宙資源開発活動を認める資源法が提案・可決された。特に、日本においていまだビジネスが立ち上げられていない産業領域において法律が先行して誕生するのは異例のことであり、これは今後のわが国の宇宙資源産業の発展に大きな追い風になるものと考えている。

スタートアップによる産業構築と法への向き合い方

宇宙資源法の立法は、スタートアップが自らあるべき社会像や産業像を描き、そこから逆算した適正な法的枠組みやルール作りに能動的に関与していくという、新規事業・産業における法制度との向き合い方のあるべき姿が体現された例であると考えている。

また、このような能動的な法的戦略を駆使したアプローチは、法制度整備のみならず、新規事業展開や新規技術の事業化などさまざまな事業局面において今後いっそう重要性を増していくものと考えている。

スタートアップ・新規事業が新たな道を切り拓き、世界を変えていくことに、法律家として、また、一人の人間として、今後もかかわり、協働・支援していきたいと思うことしきりである。

量子計測と生物学の間を切り開く 疾患解明に向けた新しい学問への挑戦

#03

石綿 整

ISHIWATA *Hitoshi*

国立研究開発法人量子科学技術研究開発機構 量子生命科学研究所主任研究員。2016年1月スタンフォード大学電子工学科博士課程修了。卒業後、東京工業大学大学院理工学研究科 産学官研究員、同大学特任助教としてCVD合成を用いた量子センサ形成法の開発を行う。その後、国立研究開発法人 科学技術振興機構 さきがけ専任研究員として生体応用に向けた量子計測装置の開発を行い、新規細胞膜診断法に向けた量子計測による脂質二重層相転移計測を実現した。現在の研究内容はダイヤモンド量子計測を用いたナノスケールESR/NMR計測による生体解析。

スタンフォード電子工学科ではじまった自分の足で歩く研究者としての人生

携帯電話、パソコン、車、センサ等、我々が日々利用するほぼすべての電子製品に導入され、製品の基礎動作を決定している半導体は、電子工学の技術が世界を変えた代表例である。今や半導体は世界的なインフラの一つと考えられる主要技術となっており、コロナウイルス等社会的な労働形態の変化による需給の低下は社会的問題にまで発展している。そんな半導体を世界トップレベルの学生と学び、新しい領域で世界を変えたい。そんな思いで私はスタンフォード大学電子工学科(Department of Electrical Engineering)に進学した。シリコンバレーが「シリコンバレー」と呼ばれるのはまさにこの半導体を生み出したからであり、スタンフォード大学はその中心として機能している。半導体の生みの親でありノーベル物理学賞を受賞したショックレー教授が教鞭を執っていたこともあり、大学として技術を生み出し、今なお世界を変えていっている。

米国トップレベルの大学で学ぶに際し、日本と大きく違ったことは、年間6万ドル(当時約600万円)にも上る学費(授業料と生活費)が高すぎるため、大学に雇用される形で学位を取得する必要があることだ。研究で成果を出し、教授に認められることでRA(リサーチアシスタント)として雇用され、自分がスタンフォードに在籍する価値をきちんと示しながら博士課程を進める必要がある。それは常に成果を上げることで雇用が継続されるプロサッカー選手などと同じで、自分の力を証明することで日々の生活や所属を勝ち取るというものであり、大学に学生として所属することとは責任の重さが大きく異なっていた。すべてのことに自分で責任を取り、失敗すれば雇用が終了し、帰国することになる。自分が当時在籍した電子工学科は、スタンフォードのなかでももっとも選抜度が高い分野で、それだけ学生に対する要求も高かった。そんな環境のなかで自分が一番やりたい研究を進め、自分が世界で一番ほしい学位を取得する。スタンフォードで自分が学んだことでもっとも価値があったことは、このような自分の人生に対しての責任の取り方であると思う。

スタンフォード大学の電子工学科には本当に世界的に優秀な学生が集まっていた。北京大学主席の学生や物理オリンピック優勝者など、自分が知り合った友人たちは名実ともに「世界トップ」と呼べる経歴をもっていた。そんななかで私がもっとも衝撃を受けたことは、多数の優秀な学生がアカデミアのトップや自分で起業するなどという、いわば「頭の良い人のエリートコース」に進んでいなかったことだ。私が知り合った学生のなかでももっとも優秀な学生はずっと教室で勉強しているわけでなく、誰よりも短い時間で課題を解決し、平日でも授業を抜けてLA（ロサンゼルス）にドライブに行っていた。学ぶことは学び、学問への興味もあるがそこで突き抜けることだけを目的にした人生を過ごしていなかった。少なくとも自分が日本で過ごしたときの感覚では、優秀な人はアカデミアで教授になったり、自分の会社を起こして挑戦する、もしくは大企業で取締役になるなど、いわばエリートコースをひたすら進んでいた。しかし、日本でのそういったエリートたちをはるかに超えたレベルの人間たちがエリートコースを進むことにまったく興味がないことは、私には大きな衝撃であった。こうであればこうであるべきという常識をすべて捨てて、自分のやりたいようにやりたいことを貫けばよいと、心の底から思えたのはここでの経験からである。

米国の博士課程では博士取得に際し、Qualification Exam と呼ばれる博士審査と博士論文討論会（PhD Thesis Defense）

の二つに合格する必要がある。特にQualification Examは大学により手法は異なるが博士取得最大の難関とされており、合格しなければ博士課程を途中で終了する必要があるほど重要である。スタンフォード大学電子工学科でもこの審査は非常に厳しく、毎年半分の学生が不合格と審査され、合格できなかった学生は修士課程までしか在籍できずに就職するケースも多い。内容としては電子回路、電子デバイス、電磁気学などの基礎分野に関して教授と一対一で議論を行い、学生は短い時間で理解力や解説力が試される。テスト自体が全体の評価の平均と相対的に規格化されることから、高得点を取得することが非常に困難な試験である。私は授業においてよい質問をしていた学生を集めて自分たちでスタディグループを結成し、おたがいに問題を作り合い、重要となる項目に関して日々議論することで、あらゆる問題に対してその問題点を整理した。解決策を論理的かつ効率的に説明する手法を、世界トップの学生と磨いたのである。結果として私は全体のトップ5%の成績を収めることができ、このときの経験は自分の力で世界を切り開ける自信を自分に植えつけた。また、ここでの訓練が異分野のまったく知見のない内容を聞いても、その場で重要な問題点を把握し、論理的に理解できる能力の基礎となったと思う。

量子センサの作成からはじまる量子計測の確立

　スタンフォードで研究者としての基礎を築き上げた自分だが、研究において結果が残せない状況が続いていた。材料工学において熱力学の限界に挑戦する研究では多少成果はあったものの、自分が納得する研究を行い、自分が納得する形で議論することが困難な研究テーマであった。自分が納得のいく研究を行うには、研究に重要となる技術をすべて自分の手で実現可能とすることが重要であることを痛感していた。また、材料工学をきわめるのであれば、今後大きな発展性が考えられる技術に直結した材料開発を行いたいと考えていた。

近年量子コンピューターを代表例とする量子技術は、技術の根底に量子を利用することでこれまでの古典的な概念を破り、これまでにできなかったことを実現可能とする研究分野である。量子センサはこの量子技術をセンサとして計測に利用する技術の開発であり、たとえば東京スカイツリーの頂上と地上とでの時間の進みの違いの計測など、これまで計測不可能であったパラメータを計測可能な感度をもたせる技術である。アインシュタインの間違いを証明し、2022年度のノーベル物理学賞を受賞したベルの不等式の実験において利用されるなど、物理的な極限状態の計測にも応用されている。

量子計測技術の根底には材料工学が非常に密接にかかわっている。たとえばGoogleが量子コンピューターの研究を進める際にも、量子コンピューターの基礎となる量子ビットを形成するすぐれた材料開発が根底でもっとも重要な役割を担っている。彼らはそういった材料工学の高い基礎技術をもった研究室を取り入れることで、現在世界トップの競争力を維持しているのだ。そうした背景を横目に、私は量子計測にかかわるために量子センサを自ら作成することから研究を開始した。自ら量子計測の装置を開発し、自分のアイデアで量子計測を利用した生物計測を行いたいと思ったのである。

量子センサは世界的にもたくさんの形式が存在するが、もっとも生体応用にすぐれていると考えられているのがダイヤモンド中のNVセンタと呼ばれる量子センサである。NVセンタはダイヤモンド固体中に形成され、室温において安定した量子計測が可能な状態を有する。NVセンタを含むダイヤモンドをさまざまな形式により細胞内や個体内へ導入することで、温度や核スピンなど多様な生体パラメータの計測が可能になる。私はスタンフォード大学での博士課程においてダイヤモンドの合成に関する研究を行っていたことから、NVセンタの数や特性を合成から調整することで高感度量子センサの開発を実現した。

世界に先駆けて高感度量子センサを開発した段階で、日本ではJST個人型予算戦略的創造研究推進事業（さきがけ）新規研究領域として「量子技術を適用した生命科学基盤の創出」が創成される。生命科学にはまったくこれまで触れたことがなかったが、世界的にも高感度な量子センサの形成に成功したので、自分で作成した高感度量子センサを利用して生体現象を解明したいという思いで応募した。当時国内でNVセンタの研究をしている若手研究者全員が応募するなか、たった一人だけが採択されるというきわめて可能性の低い状況でのチャレンジだった。しかし、高感度な材料の作成に成功した実績と、誰よりも量子計測の壁を越えて生物学に挑みたいという意思を生物応用に向けた具体的な問題点を明確にすることで示し、きわめて高い倍率のなか採択された。

自分はここまで材料工学での実績しかなかったため、生物学応用を実現するにはまず量子計測装置の確立が必須であり、光学系を利用した顕微鏡の構築やPython等プログラミングの経験もないなかで生物応用が実現可能な量子生体顕微鏡の開発を行った。顕微鏡の開発にあたりもっとも重要視したことはユーザビリティである。それまでの量子計測は物理学的応用が重視されており、たとえば生体サンプルを載せるステージまわりの調整が複雑であったり、高感度な計測は可能でも光学系の補正が困難であったりした。そこで私はIX73というオリンパスの顕微鏡を中身をくり抜いた状態で購入し、なかに独自の定盤を導入することでオリジナルの光学系を利用して顕微鏡を作成した。それにより通常の顕微鏡の土台を利用したシステムのなかに自分の光学系を導入し、自分の好きな光で好きな量子計測が可能な装置を構築した。プログラミングのプの字も知らないところから一つひとつ他人が書いたコードを読んでは自分で書くということを続けながらオライリーなどの専門書を辞書のように利用することで、Pythonの構造や使い方を理解した。この地道な努力から独自のGUI（グラフィカルユーザインタフェース）を構築し、ハードウェアだけでなくソフトウェアも自ら構築している。これにより量子計測の量子操作を好きなようにいつでも調整することが可能となり高度な量子計測をさまざまな形で実現し、微小領域の核スピンや電子スピンの計測さらにはそれらの操作法を実現した。最終的にこれら技術をすべて融合し新しい量子計測の生体応用として脂質二重層相転移計測を実現し、量子計測の論文誌において表紙を飾り、ダイヤモンド関係の国際学会、量子計測の国際学会、日本生物物理学会において賞を受賞するなど、新しい量子計測を用いた生体応用の実現として、世界的に評価を得ている。

量子計測と生物学の間にまったく新しい学問を作り、疾患を解明する

これまで細胞生物学はGFP（緑色蛍光タンパク質）を代表例とする蛍光プローブによる計測や、X線・クライオ電顕など高い分解能をもった構造解析によりその働きが明かされてきた。計測手法をすべて羅列すると本当にたくさんの計測手法が存在するが、新しい考え方としてそのなかに「量子」がどう存在するか

を考えると、「量子」こそがその計測手法の分解能を決定していることがわかる。たとえばX線による構造解析は高いエネルギーの電磁波を利用することで〜2Åの高い分解能を実現し、原子一つひとつの相対的な位置を決定している。近年生物学における構造解析技術としてもっとも注目されているクライオ電顕は計測に利用する電子を加速電圧で加速し、電子がもつエネルギーを高くすることで量子的な波長として非常に短い値を対応させることでX線同様〜2Åの高い分解能を実現する。このように「量子」はこれまでも生体計測の分解能を決定する要素としてかかわってきた。この「量子」により直接的に着目し、分解能だけでなく量子コンピューターに用いられる重ね合わせ状態を利用することで、生体内におけるダイナミクスやタンパク質がもつ量子性などこれまで計測不可能であったさまざまなパラメータを計測することが可能となる。

このようなすべての物理の根底に存在する「量子」に着目し、「量子」の性質を新しい形で生かした生体計測が、これまで存在しなかったまったく新しい学問である「量子生命」領域の目指すものである。典型的な「量子生命」領域の例としては、たとえば植物における光合成のなかに「量子」により定義されるコヒーレンスの存在が示唆されている。それ以外にも、渡り鳥が磁場を検出する手法が、渡り鳥の目の奥に存在するタンパク質における「量子」を用いた磁気検出法によるものであるという仮説も存在する。これまで当たり前のように利用されていた生体計測における「量子」に着目し、新しい量子計測の概念を融合することでまったく新しい学問を切り開く、そんな「量子生命」と呼ばれる領域が近年開拓されはじめている。

「量子生命」が今後どのような学問に発展するかはまったくわからない。しかし個人的な見解としては主体的な対象が生物学である以上、最終的な目標は疾患の解明であると考えている。渡り鳥の磁気観測メカニズムや光合成のコヒーレンスメカニズム解明だけでなく、アルツハイマー病等神経変性疾患の原因解明、細胞死のメカニズムの解明による疾患修復など、今後量子生命領域に期待される課題は多大であり、まったく想像されない発展が期待されている。たとえば細胞の生死を決定する細胞膜においてこれまで統計的な診断による細胞評価が創薬に用いられてきた。細胞に対して薬物を投与しその細胞の7、8割が目的の反応をすればそれによって薬は作成されてきた。しかし、このような統計的な手法では薬物によるどういった反応が細胞内において起きているかを解明することは不可能である。また、統計的に多数の薬物が効かない細胞が一定量存在することになる。このような細胞をもつ人には薬物を利用しても治せない不治の病が存在し、そういった患者を救う手法の開発への目処は存在しない。しかし、たとえば私が開発した微小領域細胞膜診断法を利用することで、薬物による細胞反応を解明することができれば、私の細胞診断を介して不治の病を治すことができる可能性が見えてくるかもしれない。量子生命はそのようなこれまで不可能であった現象を解明する可能性を秘めている。私は不治の病など現在の技術では解明不可能な疾患を修復することで、社会における病のあり方を変えていきたいと考えている。

新潮流「web3」の分野横断的ルールメイキングの現場——Web 2.0時代におけるわが国の「デジタル敗戦」を乗り越えて

#04

増田雅史

MASUDA *Masafumi*

一橋大学大学院法学研究科特任教授／森・濱田松本法律事務所パートナー弁護士。理系出身の弁護士（東京大学工学部卒）として法律家のキャリアをスタートし、現在に至るまでIT分野を一貫して手がける。スタンフォード・ロースクールではLL.M. in Law, Science & Technologyを専攻。その後、シカゴおよびシンガポール駐在を経て、2020年まで金融庁の常勤専門官としてブロックチェーン関連の法改正を担当。近年はわが国におけるweb3分野の第一人者として、多くの団体や中央省庁の会議体に参画。自由民主党デジタル社会推進本部web3プロジェクトチーム（web3PT）有識者メンバーとして、2022年4月「NFTホワイトペーパー」、同年12月「web3政策に関する中間提言」の策定に関与。web3分野の代表的な著作として、共編著『NFTの教科書』（朝日新聞出版・2021年）、監修『NFTビジネス見るだけノート』（宝島社・2022年）がある。

岸田政権は2022年6月7日に閣議決定した「経済財政運営と改革の基本方針2022」(いわゆる骨太方針)において、「web3」の推進と環境整備をわが国の成長戦略に盛り込むに至った。

web3(ウェブスリー)とは、特定の管理者がいない、ブロックチェーン技術によって実現した分散型インターネット、あるいはその利用法を指す概念だ。いわゆるGAFA(Google、Apple、Facebook、Amazon)をはじめとするビッグテックによる個人情報管理への懸念、ブロックチェーン技術の発達、仮想通貨の普及などを背景として台頭したアイデアであり、「NFT」分野の勃興をきっかけとして、2021年後半から全世界的に注目されるようになった。

私はこの政策決定に至る過程に深く関与する機会を得た。そこには私が修士課程の学生として学んだSLS(スタンフォード・ロースクール)のLaw, Science & Technology (LST) プログラムが重視する学際的視点や、私自身の分野横断的なキャリア形成が深くかかわっているので、この場を借りて紹介させていただく。

学際的な米国型ロースクール制度

SLSについては次の羽深さんの章に譲るとして、ここではもう少し広く、米国型ロースクール制度について触れておきたい。

わが国と異なり、米国の大学には基本的に「法学部」が存在しない。法律は他の学問領域を修めたのち、大学院であるロースクールで学ぶ仕組みである。したがって米国の法律家たちは、必然的に法律以外の学問的バックグラウンドを有しており、元来学際的だ。いわゆるSTEM※1教育を受けた者も多数存在する。

これに対しわが国は、多くの大学に法学部が存在し、大学院を経ずに法律家となることが一般的であったが、小泉政権における司法制度改革の結果、2004年から日本版ロースクール「法科大学院」の仕組みがスタートした。各大学には法学部が引き続き存置されたが、部分的に米国の制度を模倣し、法律学を修めていない者にも3年間の課程（いわゆる未修者コース）が用意された。修了者には米国と同様、J.D.（Juris Doctor：法務博士）の学位が与えられる。司法試験という一点勝負ではなく、正式なプロセスとして学際的な法律家が輩出するルートが用意されたのだ。

私は大学生活の4年間を理系学生として過ごしたのち、ちょうど卒業のタイミングではじまったこの制度に第一期生として飛び込み、一から法律学に取り組んだ。わが国ではこうした選択を「文転」（文系への転向）と評する向きがあるが（私もよくいわれた）、私はむしろ、理系学生としてのバックグラウンドに法律を「掛け算」したつもりであったし、実際、今の弁護士業務においても両方のセンスが求められる場面が多い。元来、社会で生起するさまざまな事象は文系や理系といった色分けをもっているわけではなく、よって両者を区別したり、まして出身の大学・学部によって将来を規定したりすること自体が本来的にはおかしなことなのだ。

LSTプログラム、イノベーションとのかかわり

上記のとおり米国のロースクールは元来学際的だが、SLSのLSTプログラムはとりわけ、分野横断的な発想で設置されている。すなわち、SLSによればLSTは、「科学技術の交錯する法律実務を最高のレベルで実践する」ことを志向するプログラムだ[※2]。私が在籍した修士課程には、世界各国ですでにこうした

分野で経験を積んだ法律家や学者が集結し、法分野・社会分野それぞれの視点でさまざまな情報や考え方に触れることとなった。情報法の講義のなかでは、2015年の時点ですでにビットコインの話題も取り上げられていた。

シリコンバレーの誕生に深くかかわり、現在もシリコンバレー・エコシステムの枢要部を担うスタンフォードの特質から、周辺の著名企業やスタートアップ関係者との交流の機会も多く得られた（現地の日本人コミュニティにもよく顔を出させてもらったが、ほとんど毎日晴れている気候のせいか、みな一様に明るく前向きであったことが印象的だ）。またStanford OTL（Office of Technology Licensing＝技術移転機関、いわゆるTLO）は、Googleの「ページランク」特許で知られるように産学連携によるイノベーションに深く関与しているが、その責任者から直接講義を受ける機会にも恵まれた。

LSTは、法律実務家のみならず、企業や政府その他の公共部門を巻き込む形で、科学技術の発展が生起するさまざまな社会問題に対してイノベーティブな答えを発見することをも志向している。怒涛（どとう）の速さで変化する社会に対して、法制度や政策を動員してどう問題を解決するかという、ルールメイカーとしての思考を磨くに適した場であった。

分野横断的ルールメイカーとしてのキャリア

私は弁護士となって以来、大手法律事務所にありがちな特定の法分野に特化した専門性の獲得ではなく、IT・デジタル分野を横断的に取り扱うことを一貫して志向してきた。

スタンフォード留学前はとりわけデジタルコンテンツ分野に深く関与し、経済産業省メディア・コンテンツ課（現・コンテンツ産業課）初代弁護士出向者としての経験を起点として、スマホの普及とともに急速に規模を拡大したオンラインゲーム業界における諸問題に取り組んだ。なかでも、2012年のいわゆる「コンプガチャ」騒動に前後して、業界団体における複数の自主規制ルール策定に関与し、「ソフトロー」（法令に基づく拘束力を前提とする「ハードロー」に対置される、緩やかな社会規範）的アプローチによる問題解決の最前線に立つ経験を得た。

留学及び海外駐在後は一転、金融庁の常勤専門官として2年にわたり、急速に発展し種々の問題を抱えるブロックチェーン分野にかかわる金融関連法制の改正を担当した。企業法務弁護士の一般的なキャリア観からすると、これは専門分野の「転向」である。現に私は、改正作業の主担当となった金融商品取引法について、そもそも弁護士として取り扱った経験すらなく、この出向は一見する限り異例なものであった。しかし、私は弁護士となることを決意したときと同様、これは転向ではなく「掛け算」と考えた。あらゆるもののIT化が進行する現代において、ブロックチェーン技術がもっとも先鋭的に法制度と衝突する金融規制の領域は、むしろ「本丸」に思えたのだ。

2020年、無事に改正プロジェクトを完遂し弁護士業務に復帰した私は、理系のバックグラウンドをもち、デジタルコンテンツ分野に加え金融分野という専門性を獲得しつつ、ソフトロー的アプローチに加えてハードローによる問題解決の経験も有するという、特異な、しかしきわめてスタンフォード的なキャリアに至った。

社会課題の複雑さ：「Web2.0」から「web3」へ

前記のとおり、社会で生起する新たな事象は文系や理系といった色分けをもっていないし、従前の思考様式・方法で簡単に整理・解決できるものとは限らない。ましてIT社会の在り方が変革を迫られるとすれば、発生する問題はきわめて複雑である。

ネットの利用が情報の取得に限定され、情報の送り手と受け手の関係が固定化されていた時代と異なり、特にスマホの普及が本格的にはじまった2010年前後から、一般大衆が情報の送り手として振る舞うようになった。この変化が、いわゆる「Web2.0」である。もっとも、Web2.0は消費者の情報の大規模な集積と、それを利活用する事業者の「勝者総取り」を招くに至り、GAFA等のビッグテックによるネット空間の支配が強まるに至った。わが国はこの大きなトレンドのなかで主役としての地位を占めることができず、「デジタル敗戦」を迎えたとも評される。

ここで登場するのが、新たな概念「web3」である。冒頭で述べたとおり、これはビッグテックによる個人情報管理への懸念、ブロックチェーン技術の発達、仮想通貨の普及などを背景として台頭した、ブロックチェーン技術によって実現される分散型インターネットのアイデアだ。web3はWeb2.0を置き換えるものではなく、棲み分けつつ共存するという考え方が主流であるが、いずれにせよ、大衆のネットへの接し方を大きく変化させる点で、社会に変革を迫るものである。

web3が全世界的に注目されるようになったのは2021年後半になってからであるが、そのきっかけとなったのが、2020年末ごろから急速に台頭した「NFT」だ。NFT（Non-Fungible Token）とは、ブロックチェーン上で発行・取引されるデジタルトークン（トークン＝お金の代わりになる印のようなもの、のデジタル形態）のうち、ビットコイン等の仮想通貨のように一つひとつが無個性なものと異なり、それぞれ個性的なトークンのことである。当初はデジタルアート分野での活用が注目されたが、その後、デジタル資産の取引インフラとしてブロックチェーンを用いる際のツールとしての利用可能性を見据え、多種多様なチャレンジが行われている。

NFT分野においては、デジタルコンテンツ領域とブロックチェーン領域が必然的に交錯することとなるが、コンテンツビジネスの分野と、主なブロックチェーン規制である金融分野とでは、求められる専門性が大きく異なる。その両面を同時に扱える法律実務家はほぼ絶無であり、必然、両分野に深く関与してきた私には、さまざまなご相談が飛び込んでくることとなった。さかのぼれば、世界にNFTという概念自体が生まれたのが2017年後半のことであったが、私は同年末にはすでに、国内第一号と思われるNFT活用サービスへの法的支援を行っていたこともあり、その後の金融庁でのキャリアとあわせ、故スティーブ・ジョブズ氏が説いた“Connecting the Dots”を感じずにはいられなかった※3。

新たなルールメイキングの萌芽：自民党web3PTにおける取り組み

急速に台頭したNFTは、既存の法規制・税制との衝突や消費者保護をはじめとするさまざまな課題を浮き彫りにした。政・官はその対応を迫られたが、のちのweb3につながるように、関連する領域はきわめて多岐にわたるため関係省庁の特定が難しく、また、その新規性のため、具体的な課題の抽出や解決策の提示自体が簡単なことではなかった。他方で、政府の一部には、Web2.0時代におけるデジタル敗戦をweb3時代にもふたたび繰り返すのではないかとの危機感から、このトレンドを機動的・積極的に政策立案に活かすべきだという動きが生じていた。

そこで自由民主党デジタル社会推進本部は一計を案じ、平将明議員を座長とする「NFT政策検討プロジェクトチーム（PT）」を組成したうえで、政策提言の策定のため、複数の外部弁護士で構成されるワーキンググループを設置した。私はその一員として、とりわけNFTに関する諸問題をもっとも横断的に把握する者として政策集の目次づくりから関与することとなり、その成果は2022年4月公表の「NFTホワイトペーパー」※4に結実した。その作成過程では、課題ごとに特定された省庁関係部局とのすり合わせを実施し、ペーパー公表後も進捗状況をヒアリングする場が設けられるなど、政策の実行に向けたフォローアップにも余念がない（現に、各省庁での検討は着実に進行しており、私も複数の会議体の構成員を務めている）。さらに、名称変更を経た「web3PT」は同年12月、「web3政策に関する中間提言」を公表※5。2023年春には再度のホワイトペーパー公表を計画している。

政権与党の政策提言といえば、関係省庁が事実上関与する形で策定するのが一般的なやり方であり、少なくとも、外部弁護士をドラフターとして積極的に起用する進め方は先例がなかったようである。しかし結果として、分野横断的な社会課題をスピーディーに整理し提言化することに成功したため、政治主導の新たなルールメイキングの手法として定着するかもしれない。その裏側には、かつて大手法律事務所のパートナー弁護士を務め、2021年の総選挙で初当選した塩崎彰久議員（現・web3PT事務局長）による弁護士集めという努力があったが、その塩崎議員もスタンフォード出身者である（2000年・国際政治学）。

政・官・産・学

私はこうして、分野横断的な自身のキャリアを存分に活かしさまざまな立場からルールメイキングに関与する機会を得ているが、常に新鮮な視点を取り入れ、社会課題に対して柔軟に臨む姿勢は、スタンフォードで学んだものにほかならない。そのさらなる深化のため、2023年春からは一橋大学大学院法学研究科の特任教授（非常勤）として、学生指導の傍ら、講義「web3・メタバースと法」を開講予定である。政・官・産・学、あらゆる面から社会課題にアプローチできる、真に横断的なルールメイカーを目指して研鑽を重ねたい。

※1／Science（科学）、Technology（技術）、Engineering（工学）、Mathematics（数学）の頭文字をとった語

※2／https://law.stanford.edu/stanford-program-in-law-science-technology/

※3／2005年のスタンフォード大学卒業式に招かれたジョブズ氏が、スピーチのなかで話した三つのテーマの一つ。将来を見据えて点と点をつなぐことはできず、後になって振り返ることしかできないから、いつか点と点がつながると信じよ、と説いた

※4／2022年4月26日『デジタル・ニッポン2022～デジタルによる新しい資本主義への挑戦～』（https://www.jimin.jp/news/policy/203427.html）別添1

※5／https://www.taira-m.jp/2022/12/web3-1.html

▶ 劇的な変化を続けるデジタル技術と社会制度。法はイノベーションにどう向き合うか

#05

羽深宏樹

HABUKA *Hiroki*

京都大学法学研究科特任教授／スマートガバナンス株式会社代表取締役CEO／弁護士（日本・ニューヨーク州）。デジタル時代におけるイノベーションのガバナンスをテーマに、法規制、企業ガバナンス、市場メカニズム、民主主義システム等を統合したガバナンスメカニズムのデザインを研究している。前職である経済産業省在籍中に、同省が公表した「GOVERNANCE INNOVATION」報告書（Ver.1、2020年）、（同Ver.2、2021年）、及び「アジャイル・ガバナンスの概要と現状」報告書（2022年）の執筆を担当した。2020年、世界経済フォーラムGlobal Future Council on Agile Governance及びApoliticalによって、「公共部門を変革する世界で最も影響力のある50人」に選出。東京大学法学部卒（BA）、東京大学法科大学院修了（JD）、スタンフォード大学ロースクール修了（LLM，フルブライト奨学生）。

弁護士として、大手法律事務所と金融庁で3年半の実務経験を経た2016年の夏、私はスタンフォード大学ロースクールの修士課程に入学した。

当時の米国は、大統領選に向けたキャンペーンの最中である。泡沫候補と目されていたドナルド・トランプが、共和党の大統領候補指名を獲得したことは驚きをもって受け止められたが、それでも多くの人が、ヒラリー・クリントンが圧勝するだろうと考えていた。ただ、その直前には、大方の予想に反してイギリスのEU離脱（ブレクジット）が決定されており、米大統領選においてもそんな「まさか」があるのではないかという予感がないわけではなかった。

11月、その「まさか」が現実となった。学生たちが寮のラウンジで固唾(かたず)をのんでTV中継を見つめるなか、ドナルド・トランプ氏の勝利確定の一報がなされたのである。その瞬間、普段のパーティ会場はお通夜のような雰囲気となり、涙を流す学生すらいた（スタンフォードが所在するカリフォルニア州は、民主党の支持基盤が堅いいわゆる「ブルーステート」であり、私自身、選挙前にトランプ支持を公言する人は見たことがなかった）。

2016年の大統領選の結果にはさまざまな要因が関与しており、それを単純化することはできない。それでもあえてこの大統領選の特徴を挙げるとすると、それは、FacebookやTwitterなどのSNS（ソーシャルネットワーキングサービス）を通じた社会の分断が大々的に報じられたことだろう。本稿では、劇的な変化を続ける世界の背後にあるデジタル技術と、それに我々の社会制度がどう向き合うかということについて、スタンフォードで学んだことを踏まえながらご紹介していこうと思う。

スタンフォード・ロースクールの環境

はじめに、スタンフォード・ロースクール（以下、SLS）の環境について、日本のロースクールと比較しながら簡単にご紹介したい（ロースクールについてご関心がない方は、次項に進んでいただいてかまわない）。

(1)未来志向

SLSが日本のロースクールともっとも大きく違うと感じた点は、未来志向という点だ。シリコンバレーの中枢に位置するスタンフォードでは、常に周囲で新たな技術やビジネスモデルが生まれている。こうしたイノベーティブな環境を前にして、既存の規制や制度の解釈だけをじっくりと議論しても仕方がない。現実に目を向け、イノベーションからどのようなリスクが生じるかを考え、それを解決するための最適なルールや制度を議論することが重視されていた。たとえば、紛争解決システムのデザインについて学ぶ「Dispute System Design」というクラスでは、日本の法律家の多くが暗黙の前提としている「裁判こそ究極の紛争解決システム」という幻想を捨て、「目の前の紛争を解決するために一番よい紛争解決の仕組みはなにか？」ということを議論した。考えてみれば、一口に紛争といっても、オンラインショッピングに関するトラブル、離婚訴訟、薬害訴訟、民族間抗争などでは、当事者の立場、要求されるスピード、求める結果などは大きく異なる。これらの紛争を無理やり同じ裁判制度で解決するのではなく、それぞれを最適に解決できるように制度をデザインすべきであるというアプローチは、まさにコペルニクス的転回であった。

(2)学際的

このような未来志向の議論を行うためには、法学だけに閉じるのではなく、経済学やビジネス、コンピュータサイエンス、システムエンジニアリングなど他分野に関する知見を得ることが重要である。そのため、SLSには他学部と共催のコースも多く、また、他学部のプログラムを履修することも推奨されていた。私が履修した「Legal Informatics」という講義は、エンジニアリングスクールと共催であり、法的課題を技術でどのように解決するかを、コンピュータサイエンス専攻の学生とともに議論し実装するという画期的なものだった。

交流の輪は学外にも広がる。上述の「Dispute Design System」のクラスで、紛争をテクノロジーで解決しようとするオンライン紛争解決(ODR: Online Dispute Resolution)の取り組みに感銘を受けた私は、ゲスト講師であった同分野のパイオニアのコリン・ルール氏にインタヴューを申し込んだ。そうしたところ、きわめて多忙であったにもかかわらず、ルール氏はパロアルト市内のカフェで面談してくださり、また「日本へのODRの導入について共著論文を書きたい」という私の厚かましいお願いにも、快く応じてくださった。卒業後にジャーナルで公表した共著論文※1は、OECD(経済協力開発機構)をはじめとする国内外の文献に多く引用していただき、日本におけるODR実装の議論にも一定程度貢献できたのではないかと思う(ODRについては108ページからの渡邊真由さんの章を参照されたい)。

こうした学際的な学習やネットワーキングを尊重するためもあってか、SLSの成績評価は、とてもおおらかであった。他大学では、A+/A/A-/B+/B.../Fというように細かな成績評価がなされると聞くが、SLSではHonor/Pass/Failの三段階評価であり（なお、不正などよほどのことがない限り、Failにはならない！）、いわゆる「ペーパーチェイス」※2 をする必要はない。

(3) グローバル

高度なデジタル技術の発達によって技術やサービスがグローバルに提供されている現在、一国だけでルールや制度を議論していても意味がない。そのため、スタンフォードの学習環境はきわめてグローバルであった。教授陣は、米国だけでなく、欧州、アジア、南米、アフリカと、世界中からエキスパートが集っていた。また、学生の側も、75名ほどいたクラスメートは、全世界から集まった法律のプロフェッショナルたちだった。ちょうど全員の顔を見渡せるような規模であることもあり、学生間の交流は密であった。私の人生にとってSLSでの一番の収穫は、ここで得た同世代の仲間の存在といえるかも知れない。

法律家としてのキャリアの初期に、このような環境に身を置くことができたのは、きわめて幸運だったと思う。

新たなテクノロジーが社会にもたらすリスク

さて、話を冒頭の大統領選に戻そう。ブレクジットやトランプ選挙において、「まさか」の結果が出た背景には、FacebookやTwitterに代表されるSNSの影響があったのではないかと指摘されている。SNSの主な収入源は、そこに表示されるデジタル広告であり、運営側は、できるだけ多くのユーザーに広告を届けようとする。そのため、SNSの運営者は、PCのブラウザやスマートフォンを通じて、個人の行動や嗜好、政治的立場等に関する大量のデータを集めている。

人は、難解で緻密な分析よりも、わかりやすく極端で、ときに憎悪を煽るような投稿や広告に注意を引かれる傾向がある。そのため、上述のような大量のデータをもとに構築されたアルゴリズムは、あえて人の負の感情を刺激するようなコンテンツをユーザーに表示し、社会分断をもたらす場合がある。実際に、2021年に行われたFacebookの元社員の内部告発によれば、同社の経営陣は、アルゴリズムが有害情報を拡散し、差別を助長していることを認識していたとされる。

さらに、個人の思想信条等を推測させるデータが、取引の対象となることもある。2016年の大統領選にあたっては、選挙コンサルティング企業であるケンブリッジ・アナリティカ社が、Facebookからダウンロードされた5000万人分のユーザー情報を用いて、ブレクジット（イギリスの欧州連合離脱）やトランプ氏の当選を後押しするように広告キャンペーンを行ったことが報告されている。このように、ターゲティング広告は、個人のプライバシーという領域だけでなく、民主主義システム自体を一定程度操作可能にしてしまうものなのだ。

もちろん、SNSが社会に悪影響のみを与えているわけではない。それどころか、SNSによって我々のコミュニケーションは飛躍的に便利になり、コンテンツやアイディアが拡散するスピードも劇的に向上するなど、社会全体に大きな便益をもたらしている。2010年の「アラブの春」のように、自由な情報のやりとりが民主化運動につながった事例もある。

結局のところ、問題となるのは、高度なデジタルシステムを、どのような目的でどのように使うべきかという、倫理やガバナンスなのだ。このような問題は、SNSによる言論空間の話に限られない。たとえば、自動運転車が事故を起こしてしまった場合、誰が責任をとるべきだろうか（実際、2016年5月には、テスラの自動運転車が初の死亡事故を起こしてしまった)。また、被告人の再犯率の予想や人事採用においてAIを用いることは適切だろうか。人間ではなくAIがローンの限度額を判断することは、消費者にどのような利益とリスクをもたらすだろうか。こうした問題は、私が留学した当時から議論されていたが、現在でもまったく収束に至っていない。

これまでの社会では、コンピュータはあくまでも人間の指令どおりに動くツールにすぎず、コンピュータが人間の意志決定に大きな影響を与えたり、人間に予測不能な形でリスクをもたらしたりすることは想定されていなかった。しかし、そうしたことが現実の事態として大々的に認識されはじめたのが、私が留学した2016年ごろだったのである。

法規制の限界

それでは、データやAIがもたらす便益を最大化しつつ、そのリスクを防ぐためには、法規制を強化すべきなのだろうか?EUでは、まさにそうしたアプローチがとられている。2016年にはGDPR(一般データ保護規則)という厳格な個人情報保護ルールが策定され、2020年代に入ってからは、デジタルサービス法、デジタル市場法、データ法、データガバナンス法、そしてAI法など、事業者にさまざまな義務を課す法律が策定され、または提案されている。

しかし、シリコンバレーにおけるイノベーションのスピードを間近で見た感覚に照らすと、そのようなアプローチに限界を感じざるを得ない。第一に、先端技術は複雑で、「なにをすべきか」を法律で特定することは容易ではない。第二に、先端技術はすぐに変わるので、仮に法律を作ってもそれはすぐに陳腐化してしまう。第三に、デジタル空間で法律が守られているかどうかを、規制当局がモニタリングする手段も乏しい。第四に、システムのステークホルダーが多いために、問題が起こった際に誰が責任を負うべきかを事前に決めておくことも容易でない。第五に、規制が重くなればなるほどイノベーションは阻害されてしまう。第六に、コンプライアンスの負担は、高額な弁護士やコンサルタントを雇う余裕のある大企業よりも、スタートアップや中小企業にこそ重くのしかかる。包括的で詳細な法規制というアプローチには、このようなさまざまな限界がある。

他方で、市場にすべてを委ねればよいわけでもない。ユーザーと事業者の間には、圧倒的な情報の非対称性や力関係の差があるからである。あるサービスを利用する場合、実はその裏で、個人の詳細な行動履歴や購買履歴、健康状態や交友関係に関するデータが収集・利用されているとしても、こうした事実について多くの人は知らないし、知っていたとしてもデータの提供を拒絶することが事実上できない。スマートフォンを買ったときに最初に出てくる「プライバシーポリシー」を読む人はほとんどいないだろうし、読んだとしても、そこで「No」を選択する人はほとんどいないだろう。

このような状況を目の当たりにして、高度な情報技術のうえに生きる我々の「ガバナンス」を根本から考えなければならないというのが、私がスタンフォードでの生活を通じて感じたことである。

アジャイルで対話型のガバナンスの構築に向けて

帰国後の私は、テクノロジーと法律に関する新たな政策形成に関与したい一心で、行政官の道を選んだ。経済産業省のガバナンス戦略国際調整官として、デジタルプラットフォーム政策や、複雑で自律的なシステムに関するガバナンスの検討を担当したのだ。

そこでは特に、「アジャイル・ガバナンス」という概念の開発に注力した。「アジャイル」とは、素早い・俊敏な、といった意味である。ソフトウェア開発における「アジャイル開発」とは、1週間～1カ月程度の短期間で設計・実装・検証を繰り返す手法であり、アジャイル・ガバナンスとは、この考え方をルールや政策の形成に応用したものだ。もちろん、政策をそこまで高速に変えるわけにはいかないが、これまでのように、数年間かけて一つのルールを作るというアプローチではなく、より短い期間で制度を構築して評価しアップデートすることが、この不確実性の高い社会のガバナンスには必要となる。

「朝令暮改」ということわざに代表されるように、日本では、ルールや制度を頻繁に変えることを悪いことと考える傾向があるが、現代のようにきわめて変化が速く不確実な時代においては、一度決めたルールを動かさないこと自体が大きなリスクとなる。イノベーションとは、既存の枠組みを超えた価値創造なのだから、これを既存の枠組みに当てはめて潰してしまうことは、社会にとっての損失以外の何物でもない。

とはいえ、アジャイルの名のもとに、何でもありの世界にしてしまってはいけない。大切なのは、どういう場合にどういうことをすべきか／すべきでないか、ということを細かに設定しておくことではなく、我々の社会で実現すべき価値はなにかという目標を設定しておくことだ（ルールベースからゴールベースの法律へ）。この目標を達成するための具体的な方法については、システムを実装する企業自身に委ねればよい。企業は、外部のリスク環境や自社のパーパスを踏まえながら、最適と思われるルールや組織、システムの設計を行う。最終的に目標を達成できているかどうかは、政府だけでなく、ユーザーその他のステークホルダーがきちんとチェックできるようにする。そのために企業は情報開示やアカウンタビリティを充実させるべきだろう。

社会全体としてどのような目標設定を行い、異なる目標をどのようにバランスするかということは、国だけでなく、自治体単位、またはコミュニティ単位で議論されることが必要である。たとえば、プライバシーは我々の生活にとって非常に重要な価値だが、データの使用や移転に関する規律を重くしすぎると、データを活用した迅速で利便性の高いサービスが提供されなくなってしまう。さらには、巨大なプラットフォームに集積されたデータを他の事業者が使えなくなってしまい、公正競争にも悪影響がおよぶ。このように、さまざまな異なる価値をどのようにバランスするのかは、国家単位で一律に決められることではなく、多様なステークホルダー間で、社会の移り変わりに応じて柔軟に判断されていくべきだ。

日本政府は、このようなアジャイルで対話型のガバナンスのモデルを「アジャイル・ガバナンス」と名づけ、2020年から2022年にかけて3本の報告書を公表した※3。私はこれらの報告書の執筆責任者を務めたが、幸い、報告書はいずれも国内外から多くの反響をいただいた。現在、「アジャイル・ガバナンス」は、日本政府のデジタル規制改革を進める際の主要原則の一つとして位置づけられている。

3本目の報告書を公表した2022年1月、私は任期満了に伴い経済産業省を去った。現在は、京都大学の法学研究科で特任教授として、上記の枠組みを社会実装するための研究活動を行う一方、自身の会社を起業し、企業にテクノロジーガバナンスに関するアドバイスを提供している。前者の研究活動では「社会がどうあるべきか」という視点で、後者のビジネス活動では「クライアントが社会へ与えるインパクトをどう最適化するか」という視点で、ガバナンス改革を後押しする。結局のところ、政府も企業も、社会をよりよくするために人間が生み出した人工的な仕組みにすぎない。だとすれば、これらの主体の振る舞い方や、相互を結びつけるルールは、社会の変化に応じてもっと柔軟に変えていってもよいはずだ。テクノロジーのイノベーションを我々の幸せにつなげるためには、社会制度のイノベーションこそが必要とされている。

※1／Hiroki Habuka and Colin Rule, "The Promise and Potential of Online Dispute Resolution in Japan", International Journal of Online Dispute Resolution, 2, (2017) :74-90

※2／ハーバード・ロー・スクールの学生たちが、少しでもよい成績をとって出世コースに進むために日夜勉学漬けになる姿を描く1973年の米国映画

※3／経済産業省 新たなガバナンスモデル検討会「GOVERNANCE INNOVATION: Society5.0の実現に向けた法とアーキテクチャのリ・デザイン」(2020)、「GOVERNANCE INNOVATION Ver.2: アジャイル・ガバナンスのデザインと実装に向けて」(2021)、「アジャイル・ガバナンスの概要と現状」(2022)

▶ ODR(Online Dispute Resolution)——オンライン紛争解決をデジタル社会のインフラに

#06

渡邉真由

WATANABE *Mayu*

立教大学法学部国際ビジネス法学科特任准教授。交渉、メディエーション、ODR等、民事紛争解決に関する授業を担当。法務省ODR推進検討会・ODR推進会議委員、一般財団法人日本ODR協会理事、一般財団法人日本ADR協会調査企画委員会委員、Weinstein International Foundationシニアフェロー、マサチューセッツ大学NCTDR(National Center for Technology and Dispute Resolution) フェロー。ICODR(International Council for Online Dispute Resolution)理事等、国内外での活動を行う。一橋大学大学院国際企業戦略研究科経営法務専攻博士課程修了(博士・経営法)。東京工業大学グローバルリーダー教育院修了。スタンフォード大学ロースクールADRセンター(Gould Negotiation and Mediation Program)元客員研究員。

ODRは紛争解決のイノベーションになる――スタンフォードロースクールで在外研究をしていた筆者は、デジタル化によって司法制度が大きく変わるであろうこと、そして、パソコンやスマートフォンといった端末でトラブル解決ができる未来が訪れることを強く感じていた。2014年のことである。

ODRとはOnline Dispute Resolution（オンライン紛争解決）のこと。紛争解決手続といえば、裁判に代表されるように、対面で行うのが基本である。それを文字通り、ICT・AI技術を使って、オンラインでそのプロセスを行おうとするのがODRだ。具体的には、法的トラブルに直面した当事者に必要な情報を提供すること、申し立てをすること、相手方と交渉すること、中立的な第三者（調停人等）を交えて話し合いをすること――これらのプロセスを専用のデジタルプラットフォームで行う。

この研究をはじめたのは在外研究中のことなのだが、はじめてODRについて知ったとき、強い衝撃を受けたことを今でも鮮明に覚えている。すぐれたデザインのODRが社会実装されれば、社会にさまざまにある法的トラブルのソリューションとなり、今まで泣き寝入りを強いられてきたような個人でも、技術の力で問題解決ができるようになる、そう感じたからだ。

国際的にも、SDGsのゴール16「平和と公正」に掲げられた目標と関連して、技術を活用して正義へのアクセス（access to justice）をひらこうという気運が高まっており、その実現に向けた取り組みがさまざまに展開されている。

トラブル解決のデジタル化がなぜ必要か

私たちの日常生活は便利なオンラインサービスであふれている。Amazonで商品を購入すれば次の日には手元に届く。旅行の手配も専用サイトを使えば自分でできる。だれかを応援したいと思えばネットで支援もできるし、マッチングアプリを使えばパートナー探しもできる。コロナ禍もあって、インターネットでできるサービスは格段に増えた。今では財布よりも、スマートフォンをなくすほうが困るという人も多いのではないだろうか。

他方で、裁判やADR（裁判外紛争解決手続）といった分野は、驚くほどアナログな世界である。それに、なにかトラブルに直面したとしても、個人が自分で法的紛争を解決するのは難しい。申し立て書類を準備するだけでも手間がかかるし、解決するには時間やお金もかかる。

そうすると、当事者はどうするのか。解決方法がわからずに「あきらめる」ことになる。たとえば、離婚紛争。将来的なトラブル予防のために、裁判所を通して離婚手続をしたいと考えても、平日の日中に裁判所に出向く時間が取れない、弁護士費用を捻出するのが難しいなどとなれば、たとえ「協議」ができていなくても、やむを得ず協議離婚を選択することになる（事後的にトラブルが起きないことを願いつつ役所に離婚届を出す。もしくは、そもそも離婚調停といった制度があることを知らない人もいるかもしれない）。

他には、電子商取引紛争。インターネットで購入した商品が破損していたのに、返金も代替品の手配もしてもらえないといったこともあるだろう。日本の事業者でも、個人が企業を相手に交渉をするのは難しい。それが海外の事業者ともなれば、英語でのやり取りが必要になるかもしれず、クレームをいうだけでも一苦労である（海外事業者が日本語の通販サイトを作っていることもあり、トラブルに遭うまで気づかないということも現実問題としてありうる）。

こういったトラブルに直面したとき、一般的には、なんとか解決できないものかと、まずは自分でできるアクションを取る。たとえば、インターネットで検索したり、家族や友人に聞いてみたり（なお、弁護士等専門家に相談する人の割合は少ない）。ところが、多くの場合、スムーズに解決までたどり着くことができない。結局、問題解決に至るまでの遠い道のりに直面し、「泣き寝入り」が合理的な選択肢だと気づくことになる（右の図は「法的紛争の一般的解決フロー」を示したものだが、紛争が発生してから裁判を利用するまでの間にも、多くの段階があることがわかると思う）。

インターネットの普及で私たちの生活は間違いなく便利になった。しかし、一度トラブルが起きると、その解決は容易ではないのだ。『ハーバード流交渉術』（三笠書房・2011年）の著者として知られるフィッシャー教授とユーリ教授は、1980年代に「紛争は成長産業である」と述べていたが、その言葉のとおりに、紛争の数は増えつづけている。

たとえば、国民生活センターには毎年100万件近くの相談や苦情が寄せられる。他にも全国各地に行政の各種相談窓口があり、民間企業もカスタマーセンター等で苦情等の受付をしていることを考えると、社会全体におけるトラブルの数は相当数に上るはずである。

デジタル社会は商品やサービスの利用を容易にしたが、その陰で多数のトラブルが発生している。まさにデジタル化による負の副産物である。他方で、2022年現在、一般人にとって使いやすくトラブル解決を容易にする、オンライン紛争解決の仕組みは、まだ日本社会で広まっていない。

スタンフォードでの研究のきっかけ

紛争解決に新たな選択肢をもたらすODRは、この分野のイノベーションになる。そう考え、筆者はこれまで法とテクノロジー

【図1】法的紛争の一般的解決フローの一例

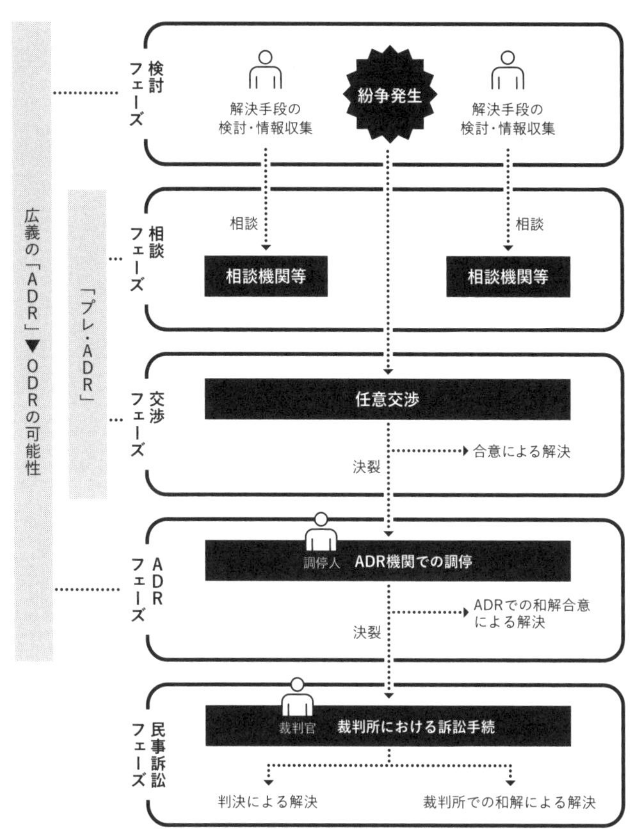

出所：ODR活性化検討会取りまとめ5頁※1

の融合領域に関する研究をしてきた。そして、そのきっかけとなったのがスタンフォードロースクールのADRセンターでの在外研究である※2。

このスタンフォードへの留学の道を開いてくれたのが東京工業大学の博士課程学生向けリーディングプログラム、グローバルリーダー教育院だ。海外研修として、d.school主催のデザイン思考ワークショップに参加する機会を得たのだが、せっかく行くのならと、ADRセンター長のジャネット・マルティネス先生に面談を申し込んだのがはじまりである。

もともとは個人的な経験から民事紛争解決の仕組みに興味をもち、一橋大学大学院で日米のADR制度について研究をしていたのだが、その際にマルティネス先生のDispute System Design（紛争システムデザイン）に関する論文を拝読して感銘を受け、ぜひ直接お会いしてディスカッションをしたいと考えたのだ。先生は、一学生の突然の依頼にも快く応じてくださり、ありがたいことに現地でお会いする機会を得ることができた。そして、研究をはじめた動機や問題意識、今後の展望をお話ししたところ、幸運にもスタンフォードで研究するチャンスをいただけたのである。

日本での社会実装が研究テーマの中心に

研究をしながら、強く感じたことがある。それは、ODRをサービスという形にまで落とし込み、広く一般に普及させるには、社会実装に関する研究を行い、その情報を発信することが必要だということである。

筆者がこのような考えをもつにいたったのも、まさにスタンフォードのカルチャーの影響が大きい。ODRは、紛争解決手続にICT技術を活用するところからスタートし、近年ではAI（人工知能）技術の利用も模索されている。そうすると、必然的に学際的な研究が必要になるのだが、そのような研究体制はスタンフォードではよくみられている。日本にありがちな縦割りの組織運営ではなく、研究目的を達成するために、学内外の研究者が分野を超えた連携をして、有機的なつながりを生み出しているのである。

たとえば、筆者が研究に使っていたブースは、ロースクールが入る建物の3階にあったのだが、同じフロアに各種研究センターが集められている。カフェスペースを中心に別々のセンターが配置されているので、ちょっとした休憩時間等に研究者同士が会話をしやすい環境だ。

学際的な研究センターも多く、筆者の研究に関連するところでは、リーガルテックに関する研究及び社会実装を行うCodeXや法分野にデザイン思考を融合させたプロジェクトを手がけるリーガルデザインラボがある※3。他にも従来の学術領域を超えた研究が多数行われているのを知り、このような環境がイノベーティブな研究を可能にし、それが社会にとってインパクトあるものとして還元されていくのだと強く感じたのである。また、スタンフォードらしく、「ユーザー中心」や「デザイン」といった概念が浸透しており、研究を行う社会的意義が明確に掲げられているのも新鮮な発見だった。

こうして「ユーザー中心」の法的サービスとはなにか、技術を生かして「正義へのアクセスをひらく」とはどのように実現できるのか、ということが大きな関心となった。そして、「ODRが新たな紛争解決の方法として社会に受容される」ためにはどう考えればよいのかということへ、研究テーマがシフトしていったのである。

ODRのプロセスと技術

研究をしていると、ODRとはなにか、どのような技術を使うのかといった質問をされることが多くある。117ページの**【図2】**はODRの進行フェーズをイメージしたもので、縦軸（①〜④）に紛争解決のプロセスが示されている。先ほどの**【図1】**とも併せて、自分でなんらかのトラブル解決をしようとしたときに取るであろうアクションを想像すると理解しやすいかもしれない。

これまで、これらの紛争解決プロセスは、主に対面（一部電話等）で行われてきた。裁判であれば裁判官、ADRの場合は仲裁人や調停人が手続きを進める。他方で、これらの手続きを利用するには、経済的、心理的、時間的障壁等があり、使い勝手のよい仕組みとはいえないのが実情だった。そこで、技術を活用して、法的サービスへのアクセスの改善や利便性の向上を実現しようとするのがODRである。

たとえば、申し立て書類をネット上で、自動作成ツールなども使いながら自分で作ることができたり、それをオンラインで登録できたりすれば、利便性は格段にあがる。法的情報を得ようにも、ネット上の情報は玉石混淆だ。しかし、専用サイトであれば適切な情報収集が可能になる。

相手方との交渉も、対面では交渉力の差や心理的負担で思うように話せないということがあるかもしれない。この点、ODRでは交渉時にチャットを使うことが多いが、自分のタイミングで返事ができるので、考える時間を確保できる。記録を残すこともできるため、事後的な紛争を予防することもできるだろう。海外では、交渉の自動化に関する技術開発も進んでいる。たとえば、当事者が合意可能だと考える金額をAIにレコメンドしてもらえるツールが実用化されているので、相手と腹の探り合いをする必要もなく、早期に和解にたどり着くことができる。

第三者を交えた手続きをする際には、調停人が当事者間交渉のチャットに加わり、話し合いを促進することもあれば、ビデオ会議等を使うこともある。法的問題はともかく、技術的には、裁判官や調停人が行っているプロセスの一部または全部の自動化を支援するようなツール等も、そう遠くない未来に利用ができるようになるだろう。

【図2】ODR の進行フェーズのイメージ

相談・交渉・ADR 業務において、将来的には個別事案の分析、診断、妥当な解決案の提示等を行う専門家等の判断を支援するAIツール

	第1段階［導入フェーズ］	第2段階［発展フェーズ］	第3段階［進化フェーズ］
① 情報収集・検討	（インターネット上で）法情報・解決手法等に関するランダムな検索	（左記情報の）より効果的な検索、信頼できる情報の集約されたポータルサイト化	AIによる情報提供 ▶先例分析による解決の選択肢・解決水準・解決可能性等の提供
② 相談	● メールでの相談・資料提出 ● テレビ・ウェブ会議の活用	● 非対面のチャット方式（メッセンジャーアプリ等）の活用 ● 先例の検索等による相談場面での活用 ▶ 相談対応の迅速化・質の向上	AIによる自動応答・相談支援 ▶相談内容の整理、相談員支援
③ 当事者間交渉	市販のメール・SNSツールの利用	（紛争解決に特化した）専用アプリ・ウェブツールの開発・提供（カスタマイズされたウェブ会議、チャット方式等）	AIによる交渉支援 ▶場の設定、合意誘導、解決目安の提示、合意案の検討・作成の支援
④ ADR（調停・あっせん等）	● メールでの相談・資料提出 ● テレビ・ウェブ会議の活用	● 非対面のチャット方式（メッセンジャーアプリ等）の活用 ● （ADR機関共通の）専用プラットフォーム（記録提出・管理・保存・振り分け機能）	AIによる合意解決支援 ▶調停人サポート型／当事者支援型
⑤ 裁判	—	—	—

出所：ODR活性化検討会取りまとめ14頁

使われる技術にも段階があり、【図2】の横軸は、技術のレベルに合わせて三つに分類したものである。単に既存のITツールを使うだけでなく（導入フェーズ）、ODRプラットフォームを構築して①から④までのプロセスをシームレスにつなげようとする段階（発展フェーズ）、さらには、AI等の技術を活用してプロセスの自動化を図ろうとする段階（進化フェーズ）が示されている。

将来的には、プロセス全体で、AI等の先端技術を使うことができるようになるだろうが、利用可能な技術や自動化の程度については、その他関連法規との調整もあり、政策的な議論が必要なところである。他方で、海外に目を転じると、特定の紛争類型においては自動化することを前提に、政策的な議論や技術開発を進めている国もみられており、日本国内における政策的議論よりも速いスピードで、関連技術の開発や社会実装が進展していくものと思われる。

紛争解決手続をデジタル化しようという動きは、特にコロナ禍を契機として急速に進んでいる。世界中で裁判所や各種行政窓口が一時的にでも閉鎖されることになったが、公的サービスへのアクセスを閉ざしてはならないと、技術活用をする方向へ大きく転換したからだ。ODRを社会実装する意義からいうと、めざすべきは、発展フェーズ以降の段階であり、筆者の研究も、主にこの第2段階と第3段階を対象としている。ODRプラットフォームの具体的な中身は、運営主体が達成したいと考えるゴールによるので、そのデザインのあり方について、研究をすることも重要だと考えている。

日本での議論の進展、国内外での活動

海外から遅れはあるものの、日本でもODRの社会実装に向

けた議論が進展している。日本ではじめてODRをテーマとした国際シンポジウムが開催されたのは2018年のこと。前任の一橋大学で「AI・ビッグデータ時代の紛争ガバナンス―Online Dispute Resolution―」というイベントを企画し、スタンフォードの恩師であるジャネット・マルティネス先生とODRにおける世界的パイオニアである、コリン・ルール氏に来日していただき、前章の羽深さんにもご登壇いただいてパネルディスカッションを行った。

このイベントも一つの契機となり、その後、2019年に政府の成長戦略にはじめて「ODR」という言葉が入り、内閣官房に「ODR活性化検討会」が設置された。2020年には法務省が「ODR推進検討会」を発足し、そこでの議論を経て、2022年3月に「ODRの推進に関する基本方針～ODRを国民に身近なものとするためのアクション・プラン～」が公表された※4。この基本方針では、短期目標としてODRの認知度の向上及び推進基盤の整備、中期目標として、世界最高品質のODRの社会実装、そして、スマホ等の身近なデバイスが1台あれば、いつでもどこでもだれでも紛争解決のための効果的な支援を受けることができる社会の実現を掲げている。筆者もこの検討会の委員として議論に参加してきたが、ようやく日本でも、ODRの社会実装に向けて動きはじめたことを感じている。

今後は、政策的な議論から具体的な社会実装のフェーズに入っていくことになるだろうが、それにはユーザーを中心としたODRの「デザイン」が重要となる。これもスタンフォードでの研究がなければ、気づくことができなかった視点だ。

研究以外にもODRの普及に向けた活動を行ってきた。2020年には、日本ODR協会を設立し、各種講演を行ったり、関連イベントの企画や研修を実施したりしている※5。国際的なところでは、APECにおけるODRの議論やISO規格に関する議論に委員として参画したり、マサチューセッツ大学附設のODRに関する研究センター（NCTDR）のフェローやODRの国際コンソーシアム（ICODR）のボードメンバーに就任したりするなど、さまざまな活動に参加している。これもすべて、ODRの社会実装を実現するための取り組みだ。

紛争解決のこれから──ODRをデジタル社会のインフラに

研究者としてもまだまだ駆け出しで、学外での活動についても、やりたいことのほんの一部しかできていない現実に、もどかしさを感じることもある。それでも、焦らずに研究を積み重ねて、その成果を社会に還元するというのが今の目標だ。

近年でこそ、裁判手続のIT化等を含む司法のデジタル化の議論が進展しているが、研究をはじめた当時、紛争解決手続をIT化するというアイデアを話しても、なかなか受け入れてもらえなかった記憶がよみがえる。これまでの道のりを振り返ると、決して平坦なものではなかったし、これからも、たくさんの山を乗り越えていかなければならないのだろうと感じている。

先端的研究や新たな仕組みの社会実装に向けた活動をしていると、思うように進められずに苦しい思いをすることも当然あるのだが、そんなときに、一歩でも先に、前にと、あきらめずに進むことの大切さを思い出させてくれるのがスタンフォードでの学びだ。そういう意味でも、研究者としての私の原点は、間違いなくスタンフォードにある。

諸外国では急速に社会実装が進んでいるものの、カルチャーの違いもあり、日本社会でODRが広まるには、もう少し時間がかかるかもしれない。それでも、これからも変わらずに、利用者を中心とした法的サービスのあり方に関する研究を積み重ねていくのだろうと思っている。トラブルで困る人を少しでも減らすためにも、ODRをデジタル社会に必須の仕組みとして、広く受け入れてもらえるように、働きかけていきたいという思いがあるからだ。

それにODRがカスタマーサービス機能をもつ企業や各種相談センター等で導入されれば、オペレーション効率が高まりコスト削減ができるだけでなく、利用者の満足度を向上させることもできるだろう。実際に、アメリカで行われた研究によると顧客に特別な体験を提供して喜ばせることよりも、顧客が抱える問題の解決にかかる作業負担を減らすことがロイヤリティを高めるということが明らかになっている。ODRも同様に、デザインの工夫をすれば、事業者や紛争解決サービスの運営主体と個人、その双方にとって、メリットのある仕組みにすることができるものと考えている。

ODRには、紛争解決手続をオンライン化するということ以上に、大きな可能性があると感じている。制度設計をする側のビジョンやアイデア次第で、イノベーティブなサービスを創造することができるからだ。ODRがリーガルテックの一領域として今後発展していくこと、そして、社会システムとして必要な仕組みだと認識してもらえる時代が来ることを信じつつ、研究の成果がODRの社会実装へとつながるよう、また、技術を活かして法的サービスへのアクセスをひらくというビジョンが形になるよう、少しずつでも前に進んでいきたいと思う。

※1／https://www.kantei.go.jp/jp/singi/keizaisaisei/odrkasseika/pdf/report.pdf
※2／https://law.stanford.edu/gould-negotiation-and-mediation-program/
※3／https://law.stanford.edu/codex-the-stanford-center-for-legal-informatics/, https://law.stanford.edu/organizations/pages/legal-design-lab/
※4／https://www.moj.go.jp/content/001379853.pdf
※5／https://japanodr.org/

テクノロジーを超えたワクワクを——資源開発技術と地域共創

#07

鈴木杏奈

SUZUKI ***Anna***

宮城県大郷町出身。東北大学工学部機械知能・航空工学科卒。日本学術振興会特別研究員DC1を経て、2014年に東北大学大学院環境科学研究科博士課程修了。2014年から2016年の間、日本学術振興会海外特別研究員および特別研究員PD（受入研究機関：東京大学大学院数理科学研究科）を利用して、スタンフォード大学エネルギー資源工学科にポスドクとして在籍。2016年11月より東北大学流体科学研究所助教、2021年11月より現職（同所准教授）。2020年JCI JAPAN TOYP 2020（公益社団法人日本青年会議所）より会頭特別賞を受賞。2022年科学技術・学術政策研究所（NISTEP）よりナイスステップな研究者2022に選定される。

地面の下も熱いスタンフォード

再生可能エネルギーの普及・促進に押され、世界では、地熱エネルギーの利用が右肩上がりで伸びている。アメリカは世界一の地熱大国であり、地熱資源は西海岸に多く分布し、スタンフォードからほど近いカリフォルニア北部には、世界最大の地熱発電所The Geysersもある。スタンフォード周辺は、地面の下も熱いのだ！

スタンフォード大学はそのような土地柄もあり、50年以上にわたって地熱研究を行ってきたスタンフォード地熱プログラムという組織も存在し、地熱コミュニティの中核をなす地熱ワークショップを毎年開催している。グループを主催するローランド・ホーン教授は、国際地熱協会の理事や会長を務め、世界最大の地熱学会（World Geothermal Congress）では技術プログラム委員長として、世界の地熱研究全体を牽引してきた。私は、スタンフォード大学がどんな大学かを深く考える前に、ホーン先生のもとで研究をしたいという思いからメールで直談判し、スタンフォードで研究するチャンスを得た。

地熱資源とは地面の下の熱で温められた熱水や蒸気のことを指し、私たちはこの蒸気による力を利用してタービンを回して発電したり、温泉や暖房などの熱源として熱水を直接利用している。従来の地熱資源は、雨が地面に浸透し長い時間をかけて地下の熱で温まったものなので、資源が無限にあるわけではない。そこで、水を地下に戻し、地下の熱で温めてふたたび水を取り出す人工的な水の循環サイクルを作ったり、熱い岩盤しかない場合には人工的に岩を割ることで「水みち」を作り人工貯留層を造成したりして、従来よりも多くのエネルギーを取り出そうという試みがなされている。これらの技術は、地熱増産システム（Enhanced

Geothermal System : EGS) と呼ばれており、アメリカ本土では100GW以上の経済的に利用可能な発電能力があると期待されている（ちなみに、原子力発電1基分で約1GW）。

【図1】地熱増産システム(Enhanced Geothermal System : EGS)のイメージ

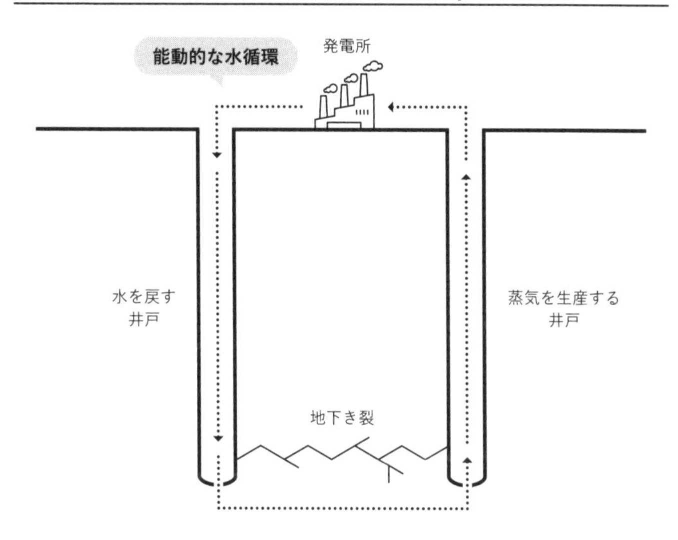

私の研究では、持続可能な熱水の循環システムを設計することをめざしており、見えない地下で岩の割れ目の間を流体がどのように流れているかを把握・予測・設計するための技術を開発してきた。たとえば、スタンフォード滞在時の2015年には、構造を制御できない岩石の代わりに3Dプリンタで模擬岩石を作成することで、複雑な構造内の物理現象の理解を進め、地球科学分野でのブレイクスルー的アプローチとして、世界的にも高く評価を受けた。また、複雑な構造内の水の流れを簡潔に表現するために、「非整数階微分」や「トポロジー」と呼ばれる数学を

活用し、地下資源の持続的利用のための本質的な情報を抽出することに成功している。その他、地下に割れ目構造よりも小さな粒子を注入することで、これまで得られなかった新たな地下の情報を検出するための粒子トレーサーを開発したり、機械学習を用いた貯留層モデリング技術の提案を行ったりしている。

地熱開発の今後の展開としては、これまでの地熱開発で対象であった150〜300℃程度の熱水資源だけでなく、より深い400〜500℃程度の高温・高圧の超臨界地熱資源の開発も期待されている。超臨界地熱発電は、従来の地熱発電より発電所あたりの出力を大規模化することが可能で、これまで示されている地熱ポテンシャル量を大幅に増やす可能性を秘めている。次世代技術として期待され、政府が2020年に策定した「革新的環境イノベーション戦略」のなかでも温室効果ガス排出量を大幅に削減する革新技術の一つに位置づけられ、2050年ごろの実用化が検討されている。また、水の代わりにCO_2を循環させることで採熱する、カーボンリサイクルCO_2地熱発電の技術開発も検討されている。超臨界流体の利用は、発電の作動流体として用いるだけでなく、人工的な流路形成（フラクチャリング）に用いることも期待される。従来のフラクチャリングでは、水圧によって岩石を破砕するが、地殻応力の関係で単一き裂が形成しやすく、流路が単一き裂の場合、熱交換をするための流路の表面積を確保することが難しかった。一方、超臨界水、超臨界CO_2は粘性が低く、水

地熱資源を代表するイエローストーン国立公園の熱水泉

圧破砕とは異なる割れ方を示し、広範囲でのき裂のネットワークを形成できる可能性が示されている。また、カーボンリサイクルCO_2地熱発電の場合、圧入されたCO_2の一部は、地熱貯留層中に炭酸塩鉱物などとして固定されるため、カーボンニュートラルへの貢献も期待できる。

研究の枠に囚われない スタンフォードのスタイル

スタンフォードでの学びは、自分の研究だけに限られるものではなかった。所属したエネルギー資源工学科（当時）は、研究グループに関係なく学科全体でオフィスが割り当てられ、異なる研究グループの学生やポスドク（博士研究員）とオフィスをシェアした。毎週金曜日にはFriday Beerというイベントが開催され、無料でビールを飲みながら、研究グループを超えた学科の教職員や学生と仲良くなることができた。他にも、学内全体でポスドクのためのオリエンテーションも用意されており、ポスドク用のパーティやセミナーも開催された（フリーフードの提供に釣られることもしばしば……）。研究グループ以外のコミュニティをもちやすく、異分野の人たちとの共同研究にも発展しやすかった。

多国籍なスタンフォード地熱グループ（日本人、中国人、フィリピン人、アメリカ人、アイスランド人、ニュージーランド人）

また、研究科だけでなく、異分野・異業種のコミュニティとの輪も広がった。留学当初は、せっかく海外にいるのに日本人と過ごしてはもったいないと日本人コミュニティを避けていたが、シリコンバレーにいる日本人はそれぞれの分野で世界的に活躍しており、日本人というだけで友だちになれるチャンスだった。日本人コミュニティの一つに、スタンフォード大に客員研究員として駐在していた人たちが、「みんなの仕事&研究を知ろうの会（通称みんしろ）」を立ち上げ、私も幹事として手伝った。当時は2カ月に1回、帰国者ともSkypeなどを使ってリモートでつなぎながら、みんなの仕事内容や研究内容をみんなでわいわいガヤガヤと発表し合う会だった。社会変革を起こしている最先端の話を聞くことができ、知識や価値観がアップデートされていった。スタンフォード界隈では、社会的な課題に対して、テクノロジーを使いながら、非常に速いスピードで解決の方向に向かう。このような環境下に身をおいて、自分は世界を変えることができるのだろうか、という問いをもつようになった。

日本の未来は、「温泉でワクワク」

しかし、日本に戻ってみると、世の中をよりよい方向へ変えようという前向きな気持ちよりも、自分の老後を気にしたり、他人の失敗をいつまでも批判したりする人が多いように思えて、日本の未来に対してワクワクする気持ちをもてなかった。自分の研究対象である地熱は、温泉事業者が地熱発電によって熱水が枯渇してしまうことを危惧し、開発に反対するためなかなか普及が進まない。一方で、地熱ポテンシャルの高い温泉地域では、過疎化、観光産業の衰退が起こっている。このままでは、発電としても温泉としても利用しない資源がどんどんと増え、次の世代には、自然のなかの廃墟、ゴミだらけの社会を残すことになってしまう。負の遺産だけが残される若い世代・次世代は、果たして、日本の未来に明るい希望をもてるのだろうか。

そんななかで、ふと「温泉で健康になればよいのでは？」と思いついた。地熱＝エネルギーという視点しかもっていなかったが、温泉で人々が健康になれば、超高齢化社会に対しても、若者の負担となる社会保障費を減らせるし、私の守備範囲でなにかできる可能性がある。そこで2018年から「温泉地域で、仕事しながら、健康になりながら、楽しみながら、生きる。」をテーマとした、Waku2 as life (http://waku2life.jp/) という活動を開始した。温泉の「湧く」と人の「ワクワク」の掛け合わせである。初めは高齢者を対象にと考えたが、保守的な人々の行動変容を促すのには骨が折れた。一方、海外の行き来に慣れ、ワーカホリックに仕事をする私のような人間は、パソコン、電源、Wi-Fiさえあればどこでも働くことができる。そのような人たちは、温泉地域で集中して仕事ができる環境や、世の中を変えそうな最先端の話を欲しており、そしてそこに多様な仲間が集まれば、新たな価値が生まれる可能性も期待できる。 Waku2 as lifeでは、コロナウィルスが広がる前から、都会の働き手向けのリモートワークやワーケーション合宿を企画してきた。また、仕事をしている働き手の子どもたちが地域の自然のなかで遊べるサマーキャンプ、温泉地域で最先端のワクワクする話をする集いを企画し、反響を呼んでいる。

都会の働き手とその子どもたちが温泉地域で自然に触れ合うことのできるWaku2 as lifeサマーキャンプ

異なる価値観同士を掛け合わせる

Waku2 as lifeをはじめた真の狙いは、人を温泉地域に運び、地熱資源を地産地消してもらうことである。 熱は（今の技術では）遠くまで運ぶことができないので、地域で消費せざるを得ない。また、もう一つの狙いとしては、温泉地域の人と仲良くなることで、温泉地域の人たちが地熱発電を敵対視しなくなることを期待したところもあった。しかし、温泉地域の人たちと話してみると、温泉は神からの恵みだと信じ、テクノロジーが入ることを拒む人もいてなかなか難しいと感じた。なにを問題とするかは、人それぞれの価値観の枠組みに委ねられ、ある人にとっては問題なことでも、ある人にとっては問題ではない。どんなにエネルギー問題解決のためだと言っても、先祖から受け継いだお湯を守り、後世につなげたいと思っている人には地熱開発は脅威としてとらえられてしまう。人はそれぞれの価値観や問題意識の枠組み（フレーム）のなかで論理を思考するため、いくら自分的には論理的に正しく話したとしても、異なる価値観の人には間違えているように聞こえることもある。だからといって、どの価値観が正しくて、どの価値観が間違えているということはできない。ゆえに、皆がそれぞれ、異なる価値観を尊重することが重要である。

スタンフォード界隈では、さまざまな人種、国籍、職種の人が集まるため、アメリカ人ですらマイノリティだと感じるそうだ。みんながみんな自分の当たり前が通用しない。それは決して居心地の良いものではないかもしれないし、効率が悪いかもしれない。しかし、一人ひとりがマイノリティを感じているからこそ、自分の問題だけがすべてだとは思わずに、他の人の価値観を探り、みんなにとっての問題はなにか、価値あるものはなにかを探究する。みんなが問題設定から探究し、人それぞれの価値観や問題意識の枠組みと枠組みとの掛け合わせ（Waku × Waku）によって、共通の問題意識を見つけることができるからこそ、スタンフォード周辺では世界規模の社会を変える価値を生み出すことができているのではないかと思う。

感性が導くこれからの課題解決

異なる価値観をもつもの同士では、論理が通じ合わない可能性が高い。なので、頭で考えるよりも心で感じること、すなわち、「感性」がこれからの地域共創におけるキーワードだと考えている。Waku2 as lifeでは、自然の資源を現地で感じ、体験し、人や自然とつながりを築くこと、そしてなによりワクワクすることを重視している。私は、この論理よりも先に感性がくることを「感性駆動」と呼んでいて、感性駆動な共創の場による社会変革についても研究をスタートしている。最近では、工学だけでなく、資源、環境、教育、疫学、脳科学、心理学、文化人類学者、あるいは、地域の企業、行政、住民との「総合知」に基づく課題解決をめざしている。地熱の工学的な研究者である私がなにをやっているんだと言われそうだが、工学的な研究だけでは社会は変えられない。だからこそ社会をよりよい方向に変えるために、自分ができることにチャレンジしていきたい。なによりスタンフォードで学んだことは、このチャレンジしてやろう精神かもしれない。日本の未来がワクワクしないと憂い、環境のせいにして文句を言っているのはカッコ悪い。ワクワクしないのなら、仲間とともに自分自身で世の中をワクワクさせていこう。

自由の風を日本へ。コンピューターと音楽が織りなす新しい文化

#08

寺澤洋子

TERASAWA *Hiroko*

電気通信大学電子工学科・同大学院修士課程電子工学専攻修了。スタンフォード大学音楽学科CCRMA修士課程・博士課程修了。Ph.D.(Music)。在学中にパリ国際芸術都市アーティスト・イン・レジデンス及びIRCAM客員研究員として派遣される。スタンフォード大学 Centennial TA Award、AES教育財団ジョン・アーグル記念奨学金、IPA未踏スーパークリエータ、日本認知科学会奨励賞、日米先端工学シンポジウム Best Speaker Awardなど受賞。筑波大学TARAセンター研究員、東京芸術大学非常勤講師、科学技術振興機構さきがけ研究者(兼任)を経て、2013年より筑波大学図書館情報メディア系助教、2020年より筑波大学図書館情報メディア系准教授。小4男子の母、保護猫3匹の飼い主。

音楽とコンピューターから広がる学際研究

スタンフォード大学キャンパスの北側の小高い丘の上に、青空に映える落ち着いたピンク色の古めかしい邸宅、The Knollがある。そこに私が学んだCenter for Computer Research in Music and Acoustics（CCRMA、コンピューター音楽音響研究センター）がある。

CCRMAは、コンピューターと音楽を融合させた学際研究および音楽活動を推進する場として、世界トップクラス、唯一無二の存在として認知されており、世界中から学生と研究者（その多くは演奏者あるいは作曲家としてのバックグラウンドも併せもつ）が集結する。1980年代に一世を風靡したDX-7シンセサイザはCCRMAのジョン・チャウニング教授の特許をもとにヤマハと共同で開発された。また、2000年代から日本で人気を博している初音ミクを初めとするボーカロイドも、CCRMAで博士号を取得したザビエル・セラ教授（現在、スペイン国立ポンペウ・ファブラ大学で教鞭を執る）の歌声合成に関する博士論文からスタートしたものである。CCRMAの設立当初はコンピューターによる音合成の研究が主だったが、現在はさらに学際的な広がりを見せており、音楽の脳神経科学、音楽の信号処理や深層学習、ネットワークを介した音楽演奏などのトピックに展開されている。

2002年9月から2009年12月にかけての7年間、私は音楽学科の大学院生としてCCRMAに在籍し、修士および博士の学位を取得した。博士論文のために音色の研究を行うかたわら、音楽のヒューマンコンピューターインタラクション（NIME）やレコーディング、音合成、作曲、音楽心理学、音楽理論、音楽音響学などの幅広いコースワークを履修した。世界に名だたる教授陣から直接、レベルの高い授業や研究指導を受けられることは純粋な喜びであった。たとえば、日本の大学では一学期（1単位）で学んだディジタル信号処理を三学期、9〜12単位かけて基礎から最新の発展的な内容まで学べたし、NIMEの授業ではコンピューター音楽を発明したマックス・マシューズ先生がみずから手ほどきをしてくれた。ディジタル信号処理のプロジェクトでは、物理モデル音合成のパラメタ推定を実装・検証し、NIMEのプロジェクトでは、オレンジジュースや赤ワインの化学反応から現代音楽を生成するシステムを作った。どちらもそのままの内容で憧れていた国際会議に採択され、私のキャリアをかたちづくる研究となった。

2010年1月には日本に帰国して筑波大学TARAセンターにポスドク（博士研究員）として着任し、2013年4月には同大学の図書館情報メディア系に教員として着任し「人と音の情報学研究室」をスタートさせた。日本での研究テーマは、時間変化する生体データ（脳波、筋電図、心拍など）を音に変換し、音を聴いてデータ理解を行う「データ可聴化」のプロジェクト、聴覚障害者が聴きやすい音楽やサイン音を検討し、音ゲームなどを開発するプロジェクト、図書館での快適な音の響きを検討するプロジェクト、歌声に伴う声振動を計測・分析するプロジェクト、インタラクションを伴う音楽における情動の理論的検討、コロナ禍におけるネット上の音楽活動に関する調査など多岐にわたる。いずれも、音楽とコンピューターの学際研究という大きな枠組みに入っており、CCRMAで学んだことの上に、現在の研究が積み上げられていると感じている。

自由の風がいつもそこに

スタンフォード大学のモットーは"Die Luft der Freiheit weht（自由の風が吹く）"であるが、学生時代を振り返ると、常に自由の風が吹いていたと言わざるをえない。音楽学科には（音楽学科だけではないと思うが）ヒッピーカルチャーの生き残りのような、見た目も中身も自由人といった風情の教授が多く在籍する。もちろん授業も非常にリラックスしユーモアがある雰囲気で行われる。リラックスし自由に発想することで、創造性が生まれ、トップレベルの研究が行われる。それが毎日の生活となっている。

そのような「自由の風」は、授業態度にとどまらない。スタンフォード大学におけるさまざまなカリキュラム設計にも表れている。印象深いのは"Independent study"と呼ばれる科目だ。1〜4単位で自由に単位数を選べ、またGrading option（成績をPass/Fail でつけるか、あるいはABCDでつけるか）も選ぶことができ、内容は、教授と学生が個別に相談して決定する。私は、この枠組みを活用して、講師の先生に音楽理論を個別に教えてもらう、自分で着想した研究プロジェクトを教授に指導してもらいながら進め、国際会議に投稿する、といった取り組みをしていた。

単位数を選ぶ、Grading optionを選ぶ、といったフレキシブルな履修の仕方は、Independent study だけでなく他の授業でも可能である。たとえば、ある科目を取るときにPass/Failで履修すれば、良い成績を取るプレッシャーやストレスを和らげられる、多少自信がなくともチャレンジできる、といった具合だ。また、単位数を調節できる科目は、授業を普通に履修するだけでは3単位だけれど、自分でプロジェクトを行い、レポートを出せば4単位にする、といった形で実施されていた。

個別の授業を振り返っても、学生によるプロジェクトに基づいた授業（Project-based learning）や、学生にグループワークや議論、発表を行わせる授業が非常に多かった。音楽学科、CCRMAの授業では大枠は示されるが、実際にどの音楽を分析・研究するか、どんな音楽をどんなコンセプトで作曲するか、どんなツールを使うか、などは完全に学生の自由に任されている。創造性を発揮し、一人ひとりが全然違うこと、なるべくユニークでおもしろいことをするよう創意工夫するのが当たり前、という文化・環境である。徹底的に個性を尊重することで生まれる自由な表現が多く見られた。

「自由」の最たる例として思い出されるエピソードは、博士課程在籍中の私が、新しい授業科目を作ってくれとリクエストしたら、なんと本当に実現してしまった、というものである。当時、客員教授として音響学の著名な研究者であるT・D・ロッシング先生がCCRMAに来て音響学の授業をしていたのだが、私はもっと専門性の高い講義を聴きたくなった。そこで科目新設をCCRMAのセンター長と音楽学科の学科長にリクエストしてみたところ、「どんな科目になるのか提案し、履修を希望する学生のリストを送ってくれたら検討する」と言われた。私は小躍りして、授業の企画書を書き（もちろん教科書は彼の名著であるところの『楽器の物理学』である）、学生たちの間を歩いてまわって「こんな科目興味ある？」と勧誘して履修学生リストを作った。数週間後「ヒロコ、あの授業を来年やることになったよ！」と言われ、私は飛び上がって喜んだことを鮮明に覚えている。学生のリクエストで、コース番号のついている科目が本当に生まれる、これほどの自由さは日本の大学にはまだまだ見られない。

スタンフォード芸術系の個を尊重するカルチャー

このような自由で創造的な学びを実践するとき、個人の特性や状況を尊重することは非常に重要であると思う。

スタンフォードは非常にコンペティティブな環境ではあるが、それは他者との競争というよりは、自分の限界への挑戦といった意味合いが大きい。どの学生も、なるべくたくさんの授業を、なるべく高いクオリティでやり遂げたいと願い、ギリギリまで頑張り抜く。ギリギリでやっているので、うまくいかないことも多い。それでも、TA（ティーチング・アシスタント）や教員、スタッフのすべてが、学生個々の状況を理解し、助けたいと思ってくれている。そんな信頼感が常にあるため、気軽に相談することが当たり前だった。相談された側は、授業や研究指導を通じて、常にフレキシブルな個別対応を行う、それが当たり前であった。

たとえば、学生がしょんぼりした顔で音楽学科のスタッフルームを通りかかると、スタッフたちが彼らの表情にすぐさま気づき、教員や学科長への相談を助言する。相談された教員も、まず個別の面談を行い、学生が心身ともに安全な状況にあるか、落ち着いて学べる状況が作れているかを確認しながら、学業上の課題を解決する手段を一緒に考える。学生の課題は、主に学業の問題であるが、タイムマネジメントから人間関係、経済的困窮、学習障害まで原因はさまざまだ。教員とスタッフは、学業だけでなく、学業を行うための生活が整っているか確認し、学生の生活環境や特性を前提として、学業面での現実的な手立てを考えていく。プロジェクトがうまくいかず単位を落としそう、という相談なら、プロジェクトのゴールを設定しなおしたり、より時間をかけずにプロジェクトを行う方法を一緒に考えたり、詳しいアドバイスができるTAを紹介したりする。そういった個別の相談、人間的な対応が数えきれないほどある。

こういった個別の対応は、美術学科でもよく見られ、スタンフォードの芸術系の特徴だと思われる。非常にコンペティティブな環境で、成績の競争に囚われてしまいがちな学生たちに、彼らが本来もっている芸術性・創造性を存分に発揮させるには、ストレスやプレッシャーを取り除き、ゼロから自由に考えさせる支援が不可欠である。彼らの対応を通じて、表面的にルールにしたがうことよりも、ルールが存在する本来の目的を考え、より本質的なところにアプローチして学生に力を発揮させることの重要性を学んだように思う。

筑波大学での実践、多様性に根ざした音楽情報の研究

日本に帰国して、筑波大学で働きはじめると、日本の学生たちはシャイで無口なことに驚いたが、すぐに素直で深く考えていることが伝わってきた。また、現代っ子らしく、学際的な研究領域にも深い興味を抱き、主体的に丁寧に取り組んでいる。こうした学生たちの特長を生かしつつ、少しでも楽しくてワクワクする授業と研究に取り組んでいきたいと思う。幸い、私の研究室には、音楽と情報のバックグラウンドをもつ学生が毎年入ってきて、愉快な研究プロジェクトをどんどん進めている。私がよく知らない分野に取り組みたいというので、慌てて学外の共同研究者を探して指導に参加してもらうことが頻繁に起こる。スタンフォード時代の同級生にサポートを依頼し、海外共同研究につながることも増えてきた。また、授業ではグループワークや実験、プロジェクトや作品制作を取り入れたカリキュラムを行っており、学生たちがいきいきと創造的な発表をしてくれる。つくばでは実家を離れた一人暮らしの学生が多いため、正しい生活習慣や経済的なリ

ソースの確保にフォーカスして支援や指導を行っている。これらは私がスタンフォードで受け取ってきたことであり、日本の学生にそのまま返していきたいことである。

筑波大学での主たる研究の一つは、聴覚障害をもつ人々と音楽のつながりを解き明かし発展させることである。聴覚障害があると音楽を聴かない、というイメージをもっている方は多いが、実は先天性、加齢性、中途失聴など、どのタイプの聴覚障害者であっても、音楽を趣味とする人は多い。特に難聴をもつ大学生は、ヒップホップのダンスサークルに参加したり、AKB48のようなガールズグループや星野源、米津玄師、椎名林檎、宇多田ヒカル、松浦亜弥といったJ-POPアーティストの曲を深く聴き込んでカラオケで歌ったりしている。

多少耳が悪くても、音楽が心を動かすことはまったく変わらない。これは情報理論の観点からは非常におもしろい現象であり、聴覚障害により音響的な情報が損なわれていても、音楽の感情を伝達する機能は損なわれない、という頑健性を表している。そこで、私たちは、聴覚障害者を対象にインタビュー調査や聴取実験を行ったり、模擬難聴と呼ばれる信号処理技術を用いて難聴者の音楽や環境音の聴き方を再現したり、J-POPの素材を用いた音の聞き取りトレーニングゲームを開発したり、といった取り組みを行っている。

また、J-POPは、演歌やフォークソング、ロックやテクノ、ヒップホップ、ボーカロイドなどの多様な様式を反映させ、日本の豊かな音楽文化の一翼を担っている。日本では、著作権による制限を憂慮し商業音源を敬遠する理工系研究者が多く、J-POPを題材とした音楽情報処理の研究はまだ少ないが、若い学生たちにとっては非常に魅力的なテーマである。そこで、私たちの研究室では、著作権法を専門とする教授のアドバイスを受けながら、深層学習を用いたJ-POPの歌唱テクニックに関する研究や、ミキシングの音響特性に関する研究などが学生主導で行われ、アノテーションデータセットの公開なども行っている。これらの取り組みにおいては多数の音源を確保する必要があり、我々ほどJ-POPのCDを網羅的に収集している研究室は世界でも例を見ないのではないかと自負している。

こうした教育や研究の取り組みの一方で、今後充実させていきたいことも多数ある。やはり、日本における社会的な課題の多くが、コミュニティを尊重するあまり個々のニーズを無視しがちなことに起因すると考える。そういった課題は大学にも多く存在するが、これらにフレキシブルな対応をすることで、個を尊重する文化を日本に発信、普及させたい。たとえば、授業中になかなか学生が発言しないが、それをトレーニングするクラスが作れないだろうか。学習障害や発達障害を抱える学生が単位を取りやすいような科目が作れないだろうか。文部科学省が「単位積み上げ型の学位授与制度」を提唱しているが、同じようなことが、大学の学部間でできないだろうか。実際、スタンフォードにはSelf-designed degree programといって、自分でテーマを設定し、さまざまな学部で授業を履修し、学位を取得する仕組みがいくつかの学科にあるが、同じようなことは日本の大学でもできないだろうか。ルールをきちんと守るのが日本社会の特徴だが、もう少しネジをゆるめて、ルールに囚われずにより本質的な目標を達成できないだろうか。そういった目標を胸に、毎日、少しずつ自分のできることに取り組み、提案、実践していきたいと思う。

大学における自由とはなんだろうか。私は「一人ひとりが自分の考え方を構築し、のびやかにそれを表明し、リソースに恵まれた形で実践できること」だと思う。日本の大学はもっと自由になれるはずだ。

スタンフォードのアントレプレナーシップ・社会変革

第2部は、ビジネスにおけるイノベーション、アントレプレナーシップについてである。日本のエネルギー基盤構築、ディープテックスタートアップ振興、メドテックイノベーション・日本の医療改革、シリコンバレーでのバイオテック・スタートアップ、社会変革のための人的エコシステムの構築、フィンテック・金融改革、サーチファンド、クリエイターエコノミーなど、イノベーションを通した社会変革にチャレンジしているスタンフォードの卒業生たちによるストーリーである。最後に、スタンフォードビジネススクールの人材育成、そして、日本の次世代を創造する鍵について論じる。

原子力エンジニア×MBA×社内ベンチャー。アンチ・フラジャイルな日本のエネルギー基盤構築へ

#09

立岩健二

TATEIWA *Kenji*

京都大学・同大学院にて原子力を専攻し、1996年東京電力に入社。新型原子炉の安全設計等に従事していた2000年代初頭、「黒船」エンロンの国内電力市場への参入により業界に衝撃が走ったことをきっかけに、日本のエネルギー基盤を支えられる「技術のわかる経営者」を目指し、2004年にスタンフォードMBA取得。東電復帰後、日本の電力会社初となる海外原子力事業への出資参画を主導するも、東日本大震災で白紙撤回となる。国際機関と連携して福島第一原発事故対応に奔走するかたわら、日本のエネルギー基盤を「アンチ・フラジャイル」に立て直すための構想を検討。この一環として、「分散コンピューティングによる再生可能エネルギーの導入量最大化と電力系統の最適化」事業を考案。当事業を社会実装するプラットフォームとして、株式会社アジャイルエナジーXを2022年8月に東電の社内ベンチャーとして設立し、代表取締役社長に就任。

東京電力保守本流の原子力部門でMBAに目覚める

2000年、筆者は東京電力本社原子力技術部で、米国GE、東芝、日立と共同で次世代原子炉の開発に取り組んでいた。柏(かしわ)崎刈羽(ざきかりわ)原子力発電所6／7号機（1996年／1997年運転開始）で採用された、最新の改良型沸騰水型軽水炉（ABWR）をさらに進化させた、ABWR-2と称する、世界最高水準の安全性と経済性を誇る原子炉の開発計画である。

当時、東京電力は17基の原子炉を保有・運転する、世界第2位の原子力事業者であった（第1位は、フランス電力公社）。筆者は東京電力が今後も国内ではもちろんのこと、世界でも原子力業界のリーディングカンパニーであり続けるものと信じて疑わず、そのような会社で原子力事業を推進していることを誇りに思っていた。

そのころ、米国ではエネルギー企業エンロン社が隆盛を誇っており、日本法人を設立して大型発電所の建設計画を発表するなどしたことから、「黒船襲来」と国内電力業界は戦々恐々としていた。エンロンが日本の電力会社を買収するのでは、という噂も広がっていた。万が一、東京電力がエンロンに買収され、短期的利益と株価上昇のみの観点から原子力事業からの撤退を強制されるような事態になると、日本のエネルギー基盤が揺らぎかねない、という危機感を筆者は強く抱いた。このような事態を回避するためには、原子力技術だけを極めるのでは不十分であり、グローバルに闘える経営スキルも修得しなければならない。エンロンをはじめとする米国の一流企業の経営層は、トップスクールのMBA保有者であることが多いということも知り、筆者はMBA取得を目指すことを決めた。幸い、東京電力には公募による海外留学制度があったため、応募することとした。

ところが、原子力部門の直属の上司からは、「MBA留学などすれば、原子力技術者としてのキャリアに傷がつくぞ」と猛反対された。原子力部門から海外留学する場合は、マサチューセッツ工科大学（MIT）やカリフォルニア大学バークレー校の原子力工学科に進学するのが出世コースとされており、技術系社員のMBA留学は事実上禁止されていた。このようななか、筆者はこれからの東京電力には、原子力を規制で守られた産業としてではなく、グローバル規模のビジネスとして成長させられる人材が必要不可欠になることを懸命に説いた。なんとか上司の了解を得たうえで、社内選考を通過することができたが、世界ランキング上位30位以内のビジネススクールに合格できなければ、留学資格取り消しになるという条件付きだった。2001年後半から2002年はじめにかけて、第一志望のスタンフォード大学GSB（経営大学院）を含む複数のビジネススクールを受験し、結果発表を待った。

2002年春、翌日からの海外出張の準備で慌ただしくしていたところ、職場の同僚から「立岩さん、外国人から英語で電話がかかってきています！」と大声で伝えられた。電話をかわると、GSBのデリック・ボルトン学長補佐が、直々に合格を知らせてくれた。その後伝説となる、ボルトン学長補佐（2002年から入学選考の責任者に就任）による世界中の全合格者への直電のはじまりの年だった。

GSB受験時の小論文テーマ、“What matters most to you, and why?”では、“Establishing a perfect energy world.”、すなわち「持続可能で環境にやさしいエネルギー基盤の構築」という目標を書いた。これは、いまだにぶれない筆者のキャリアゴールであり続けている。

DREAMING OF A PERFECT WORLD

［理想的な世界を夢見る］

I'm basically an idealist, and have lived my life thriving on dreams. From the relatively modest dream of getting accepted to one of the best universities in Japan and the more daunting goal of meeting my life partner - both of which I have realized - to the wildest dream of traveling to outer space on a rocket with an imaginary propulsion system and living in an airtight dome on the surface of Mars, dreams have given me the spiritual nourishment and vitality essential to achieve a fulfilled life.
I grew up aware of and sensitive to the environment and energy problems through experiences that shaped with a bold but pragmatic dream of establishing a perfect energy world - one sustainable from an energy point of view and protective of mother nature. Realizing this dream is what matters most to me.

［和訳］

私は基本的に理想家であり、夢を食べて生きてきた。日本の一流大学に合格するという比較的控えめな夢や生涯の伴侶を見つけるという困難な目標（幸いにしていずれも達成できたが）、そして想像上の推進システムを搭載したロケットで宇宙に飛び出し、火星でドーム状の家に住むという壮大な空想まで、夢は豊かな人生を送るために必要不可欠な精神力と活力を与えてくれた。
私は環境とエネルギー問題を強く意識する環境で育った。さまざまな経験を通じて、持続可能かつ環境にやさしい理想的なエネルギー基盤を構築する、という大胆かつ実用的な夢が形作られた。この夢の実現こそが、私にとってもっとも重要なことである。

出所：筆者のGSBエッセー“What matters most to you, and why?”抜粋

人生でもっとも濃密な2年間

幼少期の9年間を米国で過ごし、日本人のなかでは英語力やグローバル対応力は相当あるほうだと自負していたが、GSBでの授業初日に、その自信は脆くも砕け散った。クラス・ディスカッションの内容は聞き取れるものの、瞬時に気の利いた発言をする瞬発力と度胸が、圧倒的に不足していたのだ。GSBを含む欧米のビジネススクールでは、ケーススタディと称する、具体的な企業で生じた実際の事例に基づき、自分が経営者だったらどのような意思決定を行うかについて学生同士が議論し、実践的に学ぶ授業が多い。筆者がGSBに留学した2002年は、高品質な日本製品の輸出で日米貿易摩擦が激化した1980年代の「ジャパン・バッシング（日本叩き）」の時代から、半導体産業等の凋落により日本の存在感が希薄となる「ジャパン・パッシング（日本素通り）」の時代に移っていた。ケーススタディで取り上げられる日本企業もトヨタ以外にはほぼ皆無で、筆者が日本人の視点からクラス・ディスカッションに貢献することは容易ではなかった。

ある日、とある米国企業のケーススタディで議論していたとき、原子力業界での経験に基づくコメントを遠慮がちにしてみた。すると、隣に座っていたアメリカ人のクラスメートから、ノートの切れ端をわたされた。そこには、“That was a great comment, Kenji!”と書かれてあった。この日を境に、弁の立つアメリカ人コンサルタントたちよりも多少雄弁さに劣っていようが、1学年372名のクラスのなかで唯一の原子力エンジニアとしてのユニークな視点は価値があるものだという絶対的自信をもって、積極的に発言をするようになった。そうするうちに、チームを組んで課題に取り組む授業では、意識の高いチームほど、筆者をチームメートとして誘ってくれることが増えていき、それがよりレベルの高い教育機会につながっていく、という正のスパイラルが働くようになった。

当時、日本国内では原子力はあまり魅力的な産業とはみなされておらず、原子力関係者であることを胸を張っていいにくい空気すらあった（現在ほどではないにせよ）。ところが、GSBで原子力エンジニアだと自己紹介すると、「すごい！　要するに、アインシュタインみたいな天才ということだね」と勝手に誤解して、過大評価してくれる人が多かった。「まあ、ちょっと分野は違うけどね」と、まったく謙遜になっていない適当な受け答えをしつつ、プラスの評価はちゃっかりいただく処世術も学んだ。

“Get out of your comfort zone and take risks!（ぬるま湯から飛び出し、リスクを取ろう！）”　GSBのロバート・ジョス学長が強調していた言葉である。原子力部門のなかでも安全設計が専門だった筆者にとって、リスクは極小化するものであり、積極的に取るものではなかった。もちろん、GSBでリスクを取るといった場合の意味は原子力の場合とは異なり、経験のないことや苦手なことでも挑戦してみることを指しており、仮に失敗しても失うものはなにもなく、一方で成功した場合のアップサイド（成長余地）は青天井である。筆者はこの精神にのっとり、学生委員会のなかで、もっとも影響力が高くかつ人気の高い、Academic Committee（AC）に立候補することを決めた。

ACは学生代表として、GSBでの教育にかかわるあらゆる事柄について教授や大学のスタッフに要望を出して改善のイニシアチブを取ったり、学生に対する学業面での種々の支援活動を企画・実行したりする、非常に重要な任務を帯びている。クラスのなかから5名のAC委員が選出されるのだが、選挙を勝ち抜く必要がある。立候補者は、いずれも弁が立ち、学業優秀かつ課外活動にも積極的なリーダーシップあふれるクラスメートたちである。とても勝ち目がないと思ったが、インターナショナルの視点をACに導入すべきというセールスピッチを展開し、2倍の倍率を突破して当選することができた。

Presidents' Awards to Pat Molloy and Kenji Tateiwa

By [illegible]

We are awarding two Presidents' Awards this month, as we [illegible] for both of them, and agree that they are true "[illegible]" at the GSB.

Pat and Kenji share many endearing characteristics, which we document in this article. [illegible]

Pat Molloy

Pat has been extensively involved with [illegible]

Dependable and Dedicated

"Pat's commitment and dependability are second to none" [illegible] "He puts in [illegible] hours, picks up all the slack, and just plain gets it done. When Molloy says something will be done, you know it will be done."

[illegible]

Positive attitude

"Pat is the heart and soul behind [illegible]" [illegible] "Pat's positive attitude has had a substantial impact on the Athletic Committee. He is always excited about what he is doing, and he is doing a lot. [illegible]"

Pat is also apparently a decent football player. [illegible]

Congratulations Pat. We are very grateful for all the behind-the-scenes work you do, and the way you go about it. Thank you.

Kenji Tateiwa

Kenji is "the man behind the AC's [illegible]", and is responsible for the Peer Tutoring, the Faculty Appreciation Lunch, the Distinguished Teaching Award, as well as the "View from the Class" initiative.

[illegible] as all the concrete things he delivers to the AC and the school."

[illegible] says, "In spite of everything that he does, Kenji remains admirably humble... he gets a lot done and never seeks recognition."

Finally, we had to note [illegible] that Kenji is the only person who "can and does introduce himself by saying, 'I'm a father. I'm from Japan. And I'm a nuclear power engineer.'"

Congratulations Kenji. Thank you for doing so much for so little recognition.

Please email us with your nominations for future winners of this award.

学内新聞"The Reporter"2004.2.9号。最優秀クラス貢献賞の受賞理由として、学生委員会や各種イベントの企画を通じた活躍について紹介

ACでは、Distinguished Teaching Award（DTA）というGSBの最優秀教授賞の授賞式をとりしきる委員長を務めた。筆者がDTA委員長だった年には、クラスメートによる厳選な投票の結果、現在GSBの花形教授の一人であるヨッシー・ファインバーグ教授を選出した。授賞式では、筆者からファインバーグ教授に賞を手渡すという、今から考えるとなんとも畏れ多いイベントが執り行われた。

留学中にもっとも印象的だったことの一つは、クラスに貢献する、というGSBのカルチャーに基づき、卒業直前にプエルトリコ人のクラスメートと2人で企画実行したプロジェクトだった。"Consolidation of Learnings at the GSB"と称したこのプロジェクトでは、2年間の学びの要点をクラスメートからボランティアを募ってとりまとめ、CD-R（当時の最先端ITツール！）に焼いて全クラスメートに配布し、大いに感謝された。

各種課外活動を通してGSBコミュニティに大きく貢献したクラスメートが選ばれるStudent Association Presidents' Awardを受賞し、学内新聞に掲載してもらったことも励みになった。GSBのクラスメートは皆、厳しいカリキュラムや就職活動をこなしつつも非常に幅広い課外活動に精力的に取り組んでおり、こ

のような多様な経験を積むことが、広く柔軟な視野をもったバランス感覚に富むリーダー人材を育むうえで重要な役割を担っていると感じた。

GSBは、ファイナンスのコール・オプションに似た環境を提供してくれる場所ではないかと考えている。つまり、リスクを取ってさまざまな活動に果敢にチャレンジして失敗したとしても失うものはなにもない（ダウンサイドは有限）一方で、成功した場合に得られるものは多大である（アップサイドは無限）ということ。そして、オプション理論が教えるようにオプション価値はボラティリティ（＝リスク）が大きいほど高くなるので、大きなリスクを追求すればするほど高い価値が得られるのである。

GSBでの2年間は、学業、課外活動、遊び等、あらゆる分野で全力疾走し続けた。あまりにも多くの魅力的な機会がありすぎて、優先順位づけすることに日々苦労したが、なにかをやるかやらないか、迷ったときには、とにかくやることを選ぶように心がけた。ただ、後悔していることもある。2年目にEntrepreneurial Thought Leaders' Seminarという授業を受講したときのことだ。著名な起業家本人から創業時の逸話等が聞ける絶好の場であるが、学生の利便性を考慮してオンラインで聴講する選択肢も提供されていた。ある講義の日、多忙だったためオンラインを選択した。その日の講演者は、SpaceXのイーロン・マスクCEO。同氏の名前は聞いたことはあったが、GSBでは、Appleのスティーブ・ジョブズCEOやAmazonのジェフ・ベゾスCEOと直接会ったことがあったため、オンラインでいいだろうと安易に考えてしまった。今では、GSBの恵まれた環境について自慢するネタとして、紹介するようにしている。

2年目の最終学期にアーブ・グロースベック教授のManaging Growing Enterprisesという看板授業を受講したときに、教授から教わった以下の言葉が、卒業以降の行動指針となった。
"Regret for the things we did can be tempered by time; it is regret for the things we did not do that is inconsolable.（行動を起こしたことに対する後悔は時とともに薄らいでゆくが、行動を起こさなかったことに対する後悔は一生薄らぐことがない）"

社内ベンチャーへの挑戦その1：セグウェイ・シェアリング

社費留学でMBAを取得させてもらったので、卒業後は会社が自分に投資してくれた額の10倍以上のリターンを生み出すつもりだ、と人事部門との面談で伝えたところ、「そんな意気込みを語る社員ははじめて」と驚かれた。MBAの経験を最大限発揮できる新規事業を希望したものの、留学前と同じ原子力部門に戻ることとなった。

そこで、本業と並行してGSB2年目に考案したビジネスプランを、社内ベンチャーとして提案することとした。電動立ち乗り2輪車「セグウェイ」のシェアリングビジネスの東京での展開である。

1999年に設立されたセグウェイ社の商品は、その革新的な技術と利便性で、大きな注目を集めていたが、高額であったことや道路交通法上の位置づけが不明確であったことから、世界的に販売は苦戦していた。そこで、短距離移動手段のニーズの高い東京都市部に

セグウェイ本社での試乗（2004年）

セグウェイのシェアリングシステムを構築し、時間貸しで低廉なコストで、都心の駅からのラストワンマイル問題の解決に資するビジネスプランを提唱した。

GSB卒業直前に、ニューハンプシャー州のセグウェイ本社を訪問し、当時のCEOと面会し、全面的に協力するとの確約を取りつけることができた。セグウェイCEOとの面会は、GSBのクラスメートの奥さんが、セグウェイに出資している大手ベンチャーキャピタルであるクライナー・パーキンスの共同経営者だったことから紹介してもらい実現したものだった。スタンフォードGSBネットワークの威力を実感するとともに、「ドアは叩かなければ開かれることはない」ことも痛感した。おそらくGSBに留学する前の筆者であれば、そもそもCEOに面会を申し込むなどという大それたことを思いつかなかっただろう。

当ビジネスプランは、電力会社として新たな電力需要創出に資する価値もあった（当時は、電気自動車普及の見通しはまったく立っていない状況だった）。道路交通法上、セグウェイは公道を走れないという制約があったため、経済産業省、内閣府、国土交通省等の関係官庁に働きかけた。当時の小泉首相が提唱していた構造改革特区制度を利用し、千葉県幕張エリア等の道路幅が広いエリアでの試行的適用の協議を進め、行政側も大いに乗り気であった。

ところが肝心の東京電力側は、新規事業部門の審査で門前払いとなった。近年の電動モビリティのシェアリング事業拡大に鑑みて時代を先取りしたプランではあったが、提案した時期が15年早すぎたため、「前例がない」として、理解されなかったのである。

社内ベンチャーへの挑戦その2：海外原子力事業

セグウェイ・シェアリング事業の提案は却下されたが、これでくじけることなく、次はジェフリー・フェッファー教授のThe Paths to Powerという授業で学んだ、組織行動学のテクニックを繰り出すこととした。

「権力への道」というびっくりするような大胆な名称のついている本授業では、効果的なリーダーとなるためには、ともすれば汚いものとして敬遠しがちな「政治力」の効用を直視せざるを得ないことを説き、いかにして自らの信念を実現するために影響力を行使し得るポジションに自分を導いていくかについて、実例と組織行動学の理論をもとに学んだ。

フェッファー教授は本授業の目標を「自らの意志に反して組織を離れざるを得ない状況に陥ることを防止すること」と設定し、目標達成のために次のポイントの修得を強調した。

① 権力という概念について深く理解し、それがどのようなメカニズムで発生し行使されるのかについて分析できる能力を養う
② 権力に関する臨床的、観察的、診断的能力を養う
③ 自分に合った「権力への道」を探求する

ニクソン政権の大統領安全保障担当補佐官だったヘンリー・キッシンジャーのケーススタディでは、組織構造上のポジションと個人の特性との関係の重要性を学んだ。これを東京電力と筆者の関係に当てはめたとき、海外発電事業を拡大しようとしていた会社と、それに必要なスキルを有している人材という関係が成立した。

東京電力には、スポーツ界で一般的なフリーエージェント制度と類似の、社内人材マーケット制度というものがある。自分の能力を高く買ってくれる社内の他部門に売り込みをかけ、マッチングが成立すれば引き抜いてもらえるというものだ。とはいえ、これは建前であり、実際には社内でこのような引き抜き合戦が行われると、組織の和が乱されることとなるため、適用事例はごくわずかであった。

筆者はかまわず、当時の国際部に売り込みをかけ、MBA取得から1年後の2005年に引き抜いてもらった。原子力の直属の上司が、理解ある人格者であることも幸いした。国際部で最初に取り組んだのは、オーストラリアの石炭火力プロジェクトであった。正直にいえば、筆者は火力発電事業にあまり興味はなかった。いずれ東京電力の海外原子力事業を展開するときに必要となる、海外プロジェクト・ファイナンスの知見を獲得する目的で、取り組んでいた。

2005年当時、東京電力では原子力事業の海外展開は、まったく想定されていなかった。しかし、筆者はじり貧の国内電力事業、および国内原子力産業活性化のためには、世界に誇る日本の原子力技術の海外展開と国際標準化の推進が不可欠と確信していた。MBA取得を目指したのも、それが大きな目的の一つであった。とはいえ、そのようなチャンスが来るのは10年先だろう、と思っていた。しかし、2006年はじめ、米国の大手発電事業者NRGエナジーのデイビッド・クレーンCEOが、ふらりと東京電力を訪問した。そして、「テキサス州に原子炉を2基建設する（STPプロジェクト）ので、東京電力も参画してほしい」と打診してきた。

建設する原子炉は、東京電力が世界ではじめて建設・運転に成功した、ABWRという最新型のものだった。NRGエナジーがABWRを選択したのは、米国政府が打ち出した原子力推進政策の支援対象である第3世代炉のなかで、実際に建設・運転実績がある唯一の原子炉であるため、プロジェクト・ファイナンスの成立可能性がもっとも高いという見込みからであった。プロジェクト・ファイナンス成立の観点からは、日本でのABWR建設・運転の元締めである東京電力に、STPプロジェクトでの技術支援に加えて、出資参画もしてもらうことが必要条件であった。NRGエナジーから東京電力への、熱烈なラブコールがはじまった。

筆者は、まさにこのようなプロジェクトを推進するためにMBAを取得したのだ、と天命に感謝しつつ、東京電力社内で、STPプロジェクトへの参画を提案した。ところが、原子力部門の最初の反応は、「ありえない」であった。当時、日本国内の原子力事業も難しい状況に陥っており、とても海外プロジェクトを支援できる状況になく、ましてや出資参画して主体的に取り組むなど、夢物語を語るにもほどがある、とけんもほろろな反応だった。

STPプロジェクト建設予定地にて(2010年)。右端が筆者

しかし、原子力部門にも筆者の構想に賛同してくれる社員が一定数いた。STPプロジェクトにまず技術支援という形でかかわることで、プロジェクトについての理解を深め、出資に向けたデューデリジェンスも兼ねながら、東京電力がもっとも貢献できる関与の仕方を検討するという戦略を提唱した。限定的な技術支援だけなら、ということで原子力部門の理解を取りつけ、2007年に東京電力として初の本格的な海外原子力技術支援契約の締結に成功した。そして、技術支援と並行して出資参画に向け

た地ならしを進めた結果、2010年5月には、日本の電力会社として初となる海外原子力事業への出資契約締結を実現した。

この間、筆者は東京電力のプロジェクト・マネージャーとして、技術、商務、法務のすべての分野をとりまとめ、NRGエナジーとの出資交渉も主導した。この際、GSBで学んだファイナンスやネゴシエーションのスキルが、非常に役に立った。ファイナンスについては、留学前は知識がゼロであったところ、GSBで基本的な理論を学んだだけでなく、オプション理論もかじったことで、NRGエナジーとの交渉に際しては、東京電力の出資参画がNRGエナジーに対して大きなオプション価値をもたらす（＝日本の電力会社が出資することで、国際協力銀行による融資を取りつけられる確率が有意に向上）、という論法で有利な条件を勝ち取ることができた。

フェッファー教授には、The Paths to Power の学びを東京電力でどのように適用しているかについて、卒業以来毎年メールで近況報告しているが、いつもおもしろがって即レスをくれる。2010年にフェッファー教授が上梓した“Power”という組織論に関するビジネス書のなかの、「構造的空隙」について論じた章で、筆者の事例を紹介してくれた。邦訳版は、『「権力」を握る人の法則』（日本経済新聞出版・2011年）という刺激的なタイトルで、都内の書店で平積みになるくらいのベストセラーとなった。会社には特に報告していなかったのだが、ある日、上司に声をかけられた。「スタンフォードの有名教授が書いた本を読んだが、『日本の大手電力会社に勤務する、MBAをもつ原子力エンジニアのケンジ』って、立岩のことだよな!?」

なおオプション理論といえば、ブラック・ショールズモデルが金融界では有名だが、このモデルの考案者の一人が、GSBのマイロン・ショールズ教授である。GSB卒業直前には、The

Last Lecture Seriesと称する、豪華メンバーによる講義が行われるが、筆者の年のスピーカーは、ショールズ教授、マイケル・スペンス教授というノーベル賞受賞者2人と、エリック・シュミットGoogle CEOというラインナップだった。ショールズ教授が超難解なオプション理論について淡々と解説して多くの学生を煙に巻いていたのに対して、スペンス教授は難しい経済理論には触れず人生論について語り学生を感化していたという点が対照的で興味深かった。シュミットCEOは、若い創業者2人（ラリー・ペイジとセルゲイ・ブリンの両氏ともスタンフォード大学工学部出身）と協力しながら、いかにしてベンチャー企業の活気を保ちつつ企業規模を拡大してきたかについて熱く語り、シリコンバレー経営者の神髄を見た思いがした。

マーガレット・ニール教授のネゴシエーションの授業では、各種交渉テクニックを学んだ後、クラスメート同士の模擬交渉で技を磨きあった。また、実社会で自らの交渉術を試す宿題も課された。筆者は近所のディスカウントストアで見事に失敗したが、ある日とあるクラスメートが、60個のクリスピークリームドーナッツをタダで入手してきたといって、クラスメートに配った。彼いわく、ドーナッツ店に入って店長を呼び、「自分はGSBの学生だが、60個のドーナッツをタダでくれたら、クラスメートたちに配る。彼らは全員CEO候補なので、将来クリスピークリーム社の株価を上げてくれるかもしれないことを考えると、安い投資だと思わないか？」と説得したとのこと。交渉では、この厚かましさが必要なのかと、感銘を受けるとともに、相手とのウィン・ウィン関係を構築することで、交渉はうまく成立することを認識した。

さて、STPプロジェクトへの出資参画にあたり、東京電力は米国原子力投資会社TEPCO Nuclear Energy America LLCを設立し、NRGエナジーと連携してプロジェクトを推進する体制を着々と整えていった。そして、筆者は米国駐在に向けて、居住地探しをはじめた。

東日本大震災：緊急事態でのグローバル・リーダーシップ

2011年3月11日は、STPプロジェクトに関する法律事務所との会議が15時から予定されていた。地下鉄銀座線の赤坂見附駅で降り、地下道を同僚と歩いていたところ、14時46分、激しい揺れに襲われた。会議はキャンセルとなり、電車は不通となっていたため歩いて内幸町の東京電力本社まで戻った。

福島第一原子力発電所（1F＝イチエフ）では、運転中の原子炉は地震により、設計通りに自動停止した。外部電源は喪失したものの、非常用ディーゼル発電機も設計通り起動していた。この速報を聞いた時点で、筆者は大事には至らないだろうと高をくくっていた。ところが地震発生から約1時間後、1Fに巨大津波が襲来し、非常用ディーゼル発電機を含む電源がほぼすべて喪失する事態となった。この状態が継続すると、約8時間で原子炉を冷却する手段がすべて失われ、炉心損傷事故は不可避となる。背筋が凍った。

しばらくして、広報部から電話がかかってきた。1Fの事態に関するプレス文の英訳をしてほしい、との要請だった。原子力発電所の全電源喪失事故、という未曽有の事態について、技術的に理解し、的確に英訳できる翻訳者がみつからなかったからだ。次々と発表されるプレス文を徹夜で英

IAEA調査団と福島第一原子力発電所にて(2011年)。左端が筆者

訳し、翌日の昼に一旦帰宅して仮眠を取った。夕方目を覚まして TV をつけたところ、1号機が水素爆発したという衝撃的な映像が飛び込んできた。急いで出社した。それから半年間、東京電力本社を拠点として、主に海外の原子力機関と連携しながら、事故対応に従事した。

事故発生から4週目となる4月6日には、国際原子力機関（IAEA）の調査団の通訳兼技術ガイドとして、1Fの現場に入った。当時、さらなる水素爆発を回避するための対策を検討中のタイミングであり、まったく予断を許すことができない状況だった。その修羅場のなか、崩れ落ちた3号機の原子炉建屋等の想像を絶する光景を、装着した全面マスクごしに目にした。全面マスクはあまりに不快で、装着して15分も経たないうちに激しい頭痛が襲い、吐き気を催した。しかし、震災発生以来、一度も帰宅せずに過酷な現場で対応し続けていた仲間のことを考えると、弱音をはいている場合ではなかった。

事故対応にあたり、IAEAと並んで東京電力を強力に支援してくれたのが、米国原子力産業界だった。全米の電力やメーカーから10名前後のベテランエンジニアが、3月下旬から東京電力本社に数週間交代で詰めてくれ、無償で技術的な助言を提供してくれた。しかし、当初東京電力はこの非常にありがたい支援の申し出をどのように受け止めるべきか、相手の真意を測りかねていた。このようななか、筆者は米国チームとのコーディネーター役を任され、1Fの状況や課題を英語で伝えながら、米国からどのような支援があると助かるかなどについて昼夜を問わず議論を重ね、対策を実行に移した。このときに予想もしない形で役に立ったのが、GSBで受講したTouchy Feelyのスキルである。

Touchy Feely（正式名称：Interpersonal Dynamics）は、異なるバックグラウンドを有する相手との間でも、強固な信頼関係を構築可能とするコミュニケーション能力を磨く、ユニークで実践的な授業である。T-groupと称する少人数で、極限までオープンに自らの本音をさらけ出して相手の懐に飛び込み、そのときにおたがいが感じたことを率直にフィードバックしあうことで、相互理解と信頼を深める訓練を繰り返した。そのときの成果を、米国チームに対して試すときがきた。

リーダーは、米国海軍原子力潜水艦乗組員出身のアル・ホチェバー氏だった。「なぜ、米国チームは、多くの外国人が日本から避難しているなか、東京にやってきて無償での技術支援を申し出てくれたのか」という、ストレートでぶしつけな質問を投げかけた。アルは、筆者の直接的な問いかけを歓迎してくれた。1Fの事故は時々刻々と進展しており、腹の探り合いをしている余裕はなかったからだ。アルの回答は単純だった。“We are in the same boat!” 世界の原子力の仲間が困っているときに、助けるのは当たり前、ということだった。米国チームの一人が語った、「30年間の原子力キャリアにおいて、今TEPCOを助けることほど重要なミッションはなかった」という熱い言葉は、今でも脳裏に焼きついている。

米国チームとは強固な信頼関係を構築し、効果的に事故対応にあたることができた。しかしながら、東京電力という会社に対する世間の信頼は地に落ち、事故に関する事実関係についての発表も信用されない状況となっていた。世界中に400基以上ある原子炉で同様の事故が発生しないよう、事実関係と教訓を共有する必要があるにもかかわらず、これは由々しき事態であった。

そこで、筆者は米国駐在を志願し、2011年9月から東京電力のワシントン事務所を拠点として、事故の事実関係と教訓について、全米で発信する活動を展開した。プレゼンテーションする際は、東京電力の公式見解の解説にとどまらず、あえて個人の体験に基づく心情も吐露することで、信頼と共感を得ることができた。ここでも、Touchy Feelyのスキルが大いに役に立った。駐在中の4年間で、209回、のべ1万人以上に対して、直接発信し、米国の産官学の関係者に、広く事故に関する正確な知識を普及することに貢献できた。

Touchy Feelyでは、“feedback is gift”が合言葉になっていた。おたがいに率直な本音のフィードバックをすることで、相手からどのように受け止められているかについて理解が深まり信頼関係構築に資する、という考え方である。筆者は、1Fの事故に関するプレゼンテーションをする際、可能な限り、参加者にフィードバックをもらえるよう、アンケート用紙を配ってお願いした。日本人的感覚からすると、事故の当事者が説明会を開催した際に感想文をお願いするというのは、ありえないと思うだろう。ところが、アメリカ人は逆に、「ケンジは、事故の教訓をより効果的に伝えるために改善しようと努力していて、しかも自分たちの意見を参考にしようと思っている」と、好意的に受け止めてくれた。

実際、多くの参加者が詳細なフィードバックを書いてくれ、4年間で1300件以上の貴重なデータが蓄積された。これらフィードバックを熟読し、次のプレゼンテーションに反映させることで、プレゼンの効果がどんどん高まり、それが口コミで広がり、次々と講演依頼が全米から寄せられる、という好循環につながっていった。たとえば、渡米初期のころにもらったフィードバックには、「ここはアメリカであり直接迷惑をかけたわけではないのだから、事故について謝罪するのはやめたほうがよい。むしろ堂々と、教訓を伝えるために来たことを明言すべき。さらには、ジョークで場を和ませてから、個人的なエピソードも交えてプレゼンするとなおよい」と書かれていた。

米国の関係者が、事故の当事者である東京電力から真摯(しんし)に学ぼうとする強い姿勢をもっていることにも驚かされた。多くの原子力発電所では、筆者のプレゼンの様子をビデオ撮影し、直接参加できなかった職員を含め全員必修の研修資料として利用していた。また、米国原子力規制委員会からはたびたび講演依頼をいただき、なかには委員長自らが出席し、熱心にメモを取るということもあった。

全米の大学（スタンフォード大学、ハーバード大学、マサチューセッツ工科大学、ニューヨーク大学、アメリカ国防大学他）からも講演依頼をいただいた。なかでもハーバード大学工学部で教えた経験は、有益だった。ES96という、実社会の複雑な問題に関する解決策を検討するプロジェクトベースの授業でのコラボだった。1F廃炉を題材として、具体的な課題を筆者が学生に説明し、学生が3カ月の間に創意工夫して解決策を提案し、筆者にプレゼンテーションした。溶融燃料デブリの位置特定方法や、放射性物質を含む水を貯蔵するタンクからの漏洩防止策について、提案してもらった。学生の立場からは、実際の困難な課題解決に挑むという意味で、高い学習効果と学習意欲の向上につながり、東京電力の立場からは一流の学生からアイデアがもらえる、という双方ウィン・ウィンの関係になる授業であった。

GSBの人気授業の一つである、フェッファー教授の The Paths to Power に、2013年2月にゲストスピーカーとして招聘いただき、GSBでの学びが1F事故対応時にどのように役に立ったか等について紹介し、後輩たちとディスカッションするという光栄にもあずかることができた。

米国駐在中は、対面でのプレゼンテーションに加えて、電話会議形式での情報発信も毎週開催し、好評を博した。駐在期間が終了し日本に帰国して以降も、米国原子力業界の関係者から情報発信を継続してほしいとの強い要望が多数寄せられた。そこで、個人の課外活動として、1Fの廃炉の進捗や事故原因に関して新たに判明した事実について、公開情報をもとに、Zoomでの情報発信を毎月実施している。今後も、世界からのニーズがあり続ける限り、1F事故の当事者の責務として、発信を継続するつもりである。

社内ベンチャーへの挑戦その3：MW2MHプロジェクトとアジャイルエナジーX

2015年に日本に帰国し、本社で1Fの廃炉を安全に進めるためのフレームワークを構築する責任者となった。世界でもっとも過酷な現場ともいわれる1Fで、安全性や環境への影響等を考慮しながら、速やかに、かつ低コストで廃炉を進めるという、きわめて難解な多元方程式を解くことが求められた。

たとえば、燃料が溶け落ちた原子炉の状態に関する情報が不十分な状況下で、高額なロボット等の調査機器開発に関する意思決定が求められる。このようなとき、GSBのData & Decisionsの授業で学んだ、decision treeおよびvalue of informationの手法が役立った。その他にも、この授業で学んだNPV（Net Present Value、正味現在価値）、IRR（Internal Rate of Return、内部収益率）、重回帰分析、AHP（Analytic Hierarchy Process、階層分析法）、等の各種意思決定手法の知見を踏まえ、1F廃炉の各種難題に対する意思決定を合理的に行うために、MCDA（Multi Criteria Decision Analysis、多基準意思決定分析）手法の応用形を考案した。

MCDAは、さまざまな評価軸が存在する複雑な社会課題に対して意思決定を行う際に用いられる手法で、英国の公共事業等で適用された事例がある。筆者は、これを1Fに適用するにあたり、①公衆安全、②作業員安全、③リスク低減効果、④廃棄物発生量、⑤コスト、⑥実現の不確実性、という評価軸を設定し、それぞれの評価軸の重みづけをAHP手法で決定。そして、たとえば放射線量が高くてアクセスが困難な2号機の原子炉建屋から使用済燃料を取り出すための構築物の最適な設計を、複数の候補のなかから、総合的な視点に基づき選択するための判断材料とすることを提案した。

1F廃炉業務をしばらく務めた後、日本原子力発電株式会社に3年間出向し、日立製作所が推進していた英国の原子力発電所新規建設プロジェクト（ホライズンプロジェクト）に参画した。米国でのSTPプロジェクトを主導した経験が買われてのことだった。ここでも、Touchy Feelyのテクニックを駆使して、ホライズンプロジェクトの英国人CEOダンカン・ホーソーン氏の懐に飛び込むなど、GSBのスキルが大いに役に立った。

このようななか、2018年、東京電力社内で次世代経営リーダー研修の公募があった。公募条件の一つが、「安定した事業環境下よりも変革の時代に求められる資質を強くもつ者であること」。迷わず申し込み、受講メンバーに選抜された。選抜面接で、「経営層が椅子からずり落ちるような、革新的な事業を提案してもらいたい」と面接官からいわれた際、「いわれるまでもなく、そのつもりである」と即答したことが奏功した（と思われる）。今こそ、GSBで学んだ起業家精神を最大限発揮し、東京電力が福島の責任を貫徹するためにも、きちんと稼げる会社に生まれ変わるためのチャンスだ、と闘志を燃やした。

研修の最終発表で提案したのは、2点。1点目は、「アンチ・フラジャイル（＝逆境で強くなる）」な経営戦略の構築。2点目は、

「MegaWatt To MegaHash(MW2MH)プロジェクト」の実行である。アンチ・フラジャイルとは、ニューヨーク大学のナシム・タレブ教授が著書『Antifragile』で提唱した概念。タレブ教授は、“Fragile(脆弱)”の対義語は、一般にいわれている“Robust(強健)”や“Resilient(強靭)”ではなく、不確実性や外乱により一層強くなる“Antifragile”であるべき、と主張。

筆者は、“VUCA”(Volatility=変動性、Uncertainty=不確実性、Complexity=複雑性、Ambiguity=曖昧性)の時代においては、これらVUCAをむしろ糧として企業価値を高められるような、「アンチ・フラジャイル」な戦略の構築が必要であると確信した。そして、このアンチ・フラジャイル性を、「ヘッジ性」と「リアルオプション性」の二つのパラメータの掛け算で定義し、アンチ・フラジャイル性の高い事業を東京電力の経営戦略に組み込むことを提唱した。

そして、アンチ・フラジャイル性の高い事業の一例として、MW2MHプロジェクトを提案。これは、変動性再生可能エネルギーの余剰分(MegaWatt:MW)を、分散コンピューティング技術により、デジタル価値(MegaHash:MH)に直接変換するというコンセプトである。

2018年当時、再エネの導入増大により、九州地方では出力抑制という事象が発生しはじめていた。出力抑制とは、春秋のように電力需要が低い季節の晴れた日中に、太陽光発電による供給が増大し、需要を上回ると、電力系統が不安定になり停電するリスクがあるため、太陽光発電を止めざるを得ない事象を指す。せっかくの太

MW2MHプロジェクトPoC装置(2021年)

陽エネルギーが有効活用されずに捨てられるのだ。同じころ、ビットコインをはじめとする仮想通貨の取引が日本でも活発になり、ビットコイン価格が急騰・急落するという展開を見せるとともに、仮想通貨マイニングという仕組みが、大量の電力を「浪費する」というネガティブな報道が増えていた。

そこで筆者は、仮想通貨マイニング（一種の分散コンピューティング技術）が電力を大量に消費するという特性を逆手に取り、変動する再エネの発電量に合わせて柔軟な電力需要を創出することで、再エネを余すところなく有効活用するソリューションを考案した。電力業界では、変動再エネの課題は大量の蓄電池を導入して調整するしかない、という固定観念が主流であったが、筆者は、GSBで常々意識していた“Think outside the box”のアプローチで、これまでにない発想に至ることができた。

MW2MHプロジェクト構想は、東京電力経営層の関心を引くことができたものの、筆者の本業は原子力だったため、研修期間終了後は課外活動として構想を練る必要があった。ここでも、Paths to Powerの教訓を生かし、社内キーパーソンおよび関連組織の利害関係を理解し、2020年夏にようやく原子力部門から、送配電事業を行う東京電力パワーグリッド（東京電力PG）への異動を勝ち取り、正式な業務としてプロジェクトを推進できるポジションを得た。そこに至る道のりでは、自腹でシンガポールに2往復し、ブロックチェーン業界のキープレーヤーと意見交換したり、自宅で仮想通貨マイニング装置の実験をして、経営層にプレゼンするためのデータ採取をしたりした。

東京電力PGでプロジェクト・マネージャーとして、MW2MHプロジェクトの概念実証（PoC）を進めていくなかで、当ソリューションに対する注目と期待度が高まっていった。経営層からは、新たな事業の柱として、第一線職場の社員からは、日々の業務

【図1】アジャイルエナジーX社のビジネスモデル

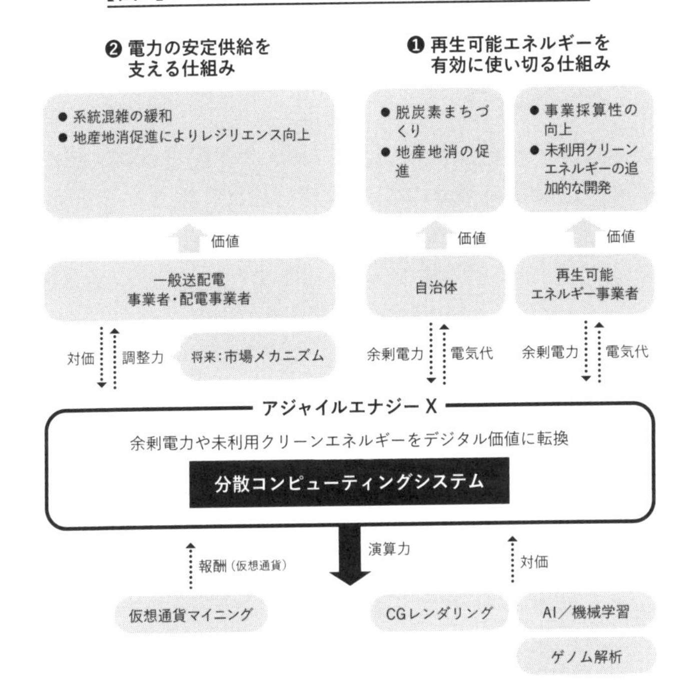

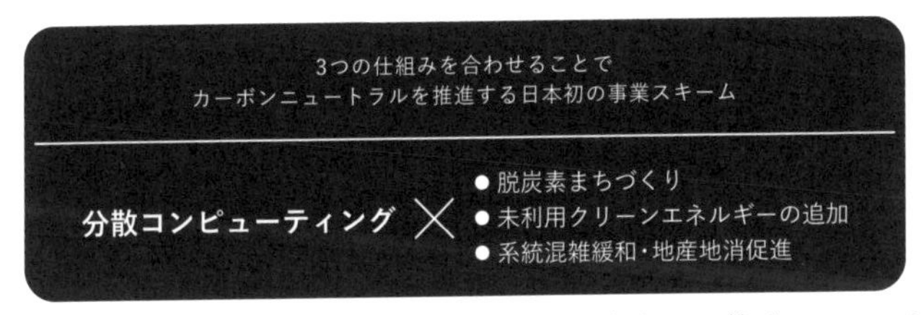

出所：https://agileenergyx.co.jp/

上の課題解決策として。そこで、段階的に進めてきたPoCがまだ完了していない状況であったにもかかわらず、事業化を加速するために新会社を設立することを、2022年はじめに東京電力

PGの経営層に提案した。

当初は、PoCを完了させ、収益見通しが立ってから会社設立の判断をすべき、という意見が多かった。しかし筆者は、MW2MHプロジェクトの事業化は、東京電力グループが、GSBのチャールズ・オライリー教授が提唱する「両利きの経営（既存事業の「深化」と、新規事業の「探索」を高い次元で両立）」を実現するための試金石になると確信していた。このため、速やかに会社を設立し、走りながらアジャイルに事業化の見通しをつけるアプローチを採用しない限り、東京電力からイノベーションを起こすことはできない、と主張した。

この主張は、侃々諤々（かんかんがくがく）の議論を重ねながら、徐々に東京電力PGおよび東京電力ホールディングスの経営層にも浸透していった。そして、新会社設立の機関決定を経て、2022年8月に株式会社アジャイルエナジーX（https://agileenergyx.co.jp/）が、東京電力PGの100%子会社として設立され、筆者が代表取締役社長に就任した。研修で構想を提案してから4年経っていた。

アジャイルエナジーXの事業内容は、「分散コンピューティング（仮想通貨マイニング含む）を用いた、電力のデジタル価値への直接変換による、再エネ導入最大化と電力系統最適化」である。大量に電力を消費するデジタル装置の特性を逆手に取り、時間と空間を選ばず柔軟に電力需要を創出可能なソリューションとして、電力の安定供給とカーボンニュートラルを両立させる、逆転の発想に基づく事業である。

世界にも類を見ないビジネスモデルのため、事業が軌道に乗るまで、アジャイルに試行錯誤を繰り返しながら、大きなアップサイドを狙っていくこととなる。なお、現時点でもっとも柔軟に電力需要を創出可能なソリューションは、Proof of Workというメカニズムに基づき、ビットコイン・ネットワークの健全性を確保するためのインフラ機能を果たす、ビットコイン・マイニング装置と考えており、この実装からはじめる。

東京で開催したGSBのイベントにて、オライリー教授と(2018年)

MW2MH事業の推進により、遠隔地の再エネや原子力を含むクリーンエネルギーの地産地消と地方創生が促進されるとともに、発電事業の収益性が確保され、ひいては日本のエネルギー基盤の「アンチ・フラジャイル性」の向上に資するものと確信している。

なお2023年はじめに、オライリー教授宛に恒例の近況報告メールを送り、アジャイルエナジーXの設立について報告した。すぐに返信が届き、2022年発行の著書『Corporate Explorer』(邦題：『コーポレート・エクスプローラー 新規事業の探索と組織変革をリードし、「両利きの経営」を実現する4つの原則』、英治出版・2022年）のテーマそのものであり、是非詳しく話が聞きたい、と喜んでくれた。

今後の展望：
アンチ・フラジャイルなエネルギー基盤の構築と人材育成

先進国のなかでもエネルギー自給率がきわめて低い日本は、元々エネルギー基盤が脆弱である。それに追い打ちをかけるように、世界的なエネルギー危機が発生している。日本のエネルギー基盤を支えるうえで重要な役割を担っている東京電力グループに、GSBの起業家精神を注入し、内側から変革すべく、筆者はGSB卒業後18年以上にわたり各種取り組みを推進してきた。この度、アジャイルエナジーXという新たなプラットフォームを用いて、これまで以上に大胆に戦略を立案し、実行に移せる状況となった。会社設立にあたり、陰に陽に協力していただいた社内外の関係者に、この場を借りてお礼申し上げたい。

再エネや原子力を含むクリーンエネルギー源と、分散コンピューティングをはじめとする柔軟な電力需要を組み合わせることで、GX（Green Transformation）とDX（Digital Transformation）を融合させる。さらには、分散コンピューティングに国内半導体技術を採用することで、日の丸半導体産業の復活にもつなげるとともに、金融をも取り込んだ、日本発のイノベーションの潮流を生み出す所存である。VUCAの時代にこそ一層強靭となるような、アンチ・フラジャイルなエネルギー基盤の構築は、国家百年の計という発想で長期的視座に基づき、取り組むことが必要である。そして、それを可能とするのは人材である。

筆者は、東京電力社内で「熱く語る会」と称する、課外活動としての勉強会をGSB卒業以来継続的に開催してきたほか、社外では、産官学連携の原子力人材育成ネットワークや宇宙太陽発電学会等のセミナーやさまざまな大学での講演を頻繁に引き受けてきた。たとえば、原子力人材育成ネットワークでは、日本の原子力産業を復活させるべく、『日の丸原子力「捲土重来」戦略』と称して、以下の大胆な提案を行った。

- **離島や洋上プラットフォームに、小型モジュール式原子炉を設置する**
- **原子炉で発電した電力を使って：①ビットコイン・マイニング装置を稼働させ、直接デジタル価値に転換する、②水素やアンモニア等のエネルギーキャリアを製造し、エネルギー基地とする、③マイクロ波に変換して、ワイヤレスで電力を遠隔地に送電する**

本提案について、原子力業界の若手・中堅受講者から、「前向きでワクワクする話が聞けてモチベーションが向上した」という声を多くもらった。

また、2004年からGSBの日本同窓会幹事として、GSBアドミッションオフィスと連携して、東京での説明会を毎年主催してきたほか、コロナ禍以降は、"Online Chat with an Alum"というZoomイベントを毎週開催している。2020年からの2年半で130回以上、世界中のGSB受験生1200名以上に対して、イノベーション教育の最高峰であるGSBの魅力を、自らの"Transforming the dinosaur TEPCO with GSB entrepreneurship"という具体例で解説し、好評を博している。

これら人材育成に資する取り組みを生涯実践し続け、"Change lives. Change organizations. Change the world."というGSBのスローガンを体現し、多くの人に夢と希望を与えることができたならば、わが人生に悔いはない。

▶ 東大を日本のスタンフォードに。日本らしいディープテックスタートアップ振興への挑戦

#10

郷治友孝

GOJI *Tomotaka*

株式会社東京大学エッジキャピタルパートナーズ（UTEC）共同創業者・代表取締役社長CEO。1996年通商産業省（現経済産業省）入省、我が国のベンチャーキャピタルファンドの根拠法となった『投資事業有限責任組合法』（1998年11月施行）を起草し、文化庁、金融庁も経て、2004年4月UTEC創業に当たり退官。以来、UTEC1号から5号までの投資事業有限責任組合（計約850億円）のベンチャーキャピタルファンドの設立・運営、東京大学発をはじめとする大学関連スタートアップへのシード／アーリーからの投資育成戦略、UTECのチームビルディングや国内外の大学・研究機関との関係構築を行ってきた。140社強の投資先企業の中からこれまでに20社がM&A等、19社が株式上場を果たす。また、近年行った研究で、科学技術に立脚したスタートアップの成功要因をデータサイエンスを用いてモデル化し、研究者の学術論文の役割の大きさを明らかにした。2022年7月より日本ベンチャーキャピタル協会副会長。2020年東京大学博士（工学）、2003年米国スタンフォード大学経営学修士（MBA）、1996年東京大学法学部卒。

私は、株式会社東京大学エッジキャピタルパートナーズ（UTEC）という、科学や技術に立脚したスタートアップに投資するベンチャーキャピタル（VC）の代表を務めている。2003年にスタンフォード大学MBA（経営学修士）課程を修了し、翌2004年に創業に参画した。UTECは、東京大学をはじめさまざまな大学や研究機関と提携しているVCであり、科学的な発見や革新的な研究成果に基づいて社会に大きな影響を与える技術（ディープテック＝Deep Techと呼ばれる）を活用するスタートアップに投資するファンドを運営するVCとして、日本で草分け的存在である。本稿では、私がスタンフォードでの学びや交友からどのような刺激を受けてUTECの立ち上げに至り、それをどのように生かそうとしてきたのか、また、その経験をもとに今後の日本のベンチャーキャピタル業界とスタートアップ業界をどのように展望しているかについて述べてみたい。

スタンフォードMBAを志望した背景

私は1996年に通商産業省に入省し、1997年から、「投資事業有限責任組合法（有責法）」というVCファンド（投資事業有限責任組合）の仕組みを定める法律の起草に携わった。

日本には数多くの技術の芽があるのに、その事業化のためにお金が流れる仕組みが弱いという問題意識のもと、リスクを取って技術開発するベンチャー企業（スタートアップ）を支援して投資しようというお金（リスクマネー）を増やそうという法律である。有責法以前は、1982年以降、民法の組合を用いたVCファンドが用いられていたが、投資家は法律的な無限責任を負わされるためファンドに出資することが難しかった。また、有限責任の投資家が出資した先の段階で法人税などの課税を受けずに済むスキームもなかった。有責法は、ファンドとなる組合に出資する投資家の責任を有限責任に限定することによって、ファンドの活動でトラブルが発生した場合でも責任を追及されるリスクが投資家に及ばないようにするとともに、組合段階では課税を受けずに投資家に利益を分配することを可能にすることで、投資家がVCファンドに出資しやすくしたものである。この法律は、1998年に成立し施行されている。

【図1】投資事業有限責任組合の仕組み

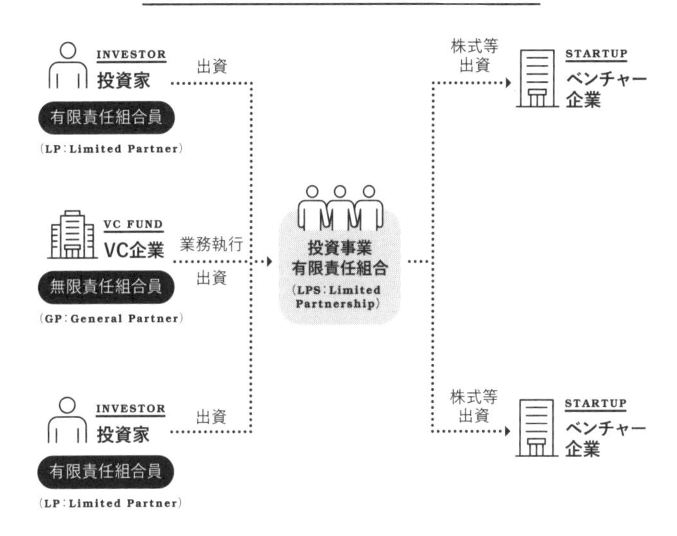

1998年といえば、当時スタンフォード大学でコンピュータ・サイエンスの博士課程に在籍中だったラリー・ペイジとセルゲイ・ブリンが、米国シリコンバレーにてGoogleを創業した年である。ペイジは、同年に発表した論文“The PageRank Citation Ranking: Bringing Order to the Web”のなかで、どれだけ

多くのウェブページからのリンクを集めているかなどを基準にウェブページの重要性を測るページランク（PageRank）という指標を公表し、このページランクをもとに「世界中の情報を整理し、世界中の人がアクセスできて使えるようにすること」を使命として掲げてGoogleを創業した。同社は、Kleiner Perkins Caufield & Byers（クライナー・パーキンス）など米国著名VCファンドからの投資を受け、その後の世界のインターネット革命を牽引することになる。

そうした時代背景のなか、私は、スタートアップとVCの聖地であったシリコンバレーの中心地にあるスタンフォード大学で学びたいとの思いを強くするようになる。起業意欲が高い研究者や学生の周囲にVCが集まり、新ビジネスが続々と生まれる現地の空気を吸いながら、スタートアップやVCのビジネスについて学びたいと思ったのである。私自身はずっと日本国内で生まれ育ち、英語をネイティブに使いこなせるわけではなかったが、有責法を起草したころから米国ビジネススクールに出願するための準備と英語の勉強をはじめ、幸運にもスタンフォード大学経営大学院（GSB: Graduate School of Business）のMBAコースに合格した。こうして、人事院が主宰する「行政官長期在外研究員制度」に基づき、2001年9月から2年間スタンフォードMBAに留学することになったのである。

スタンフォードMBAでの学びと同級生

(1)印象に残っている講義

そのような志望理由から、スタンフォードMBAでは、アントレプレナーシップ（起業家精神、起業家的資質）やベンチャーキャピタルに関する選択科目を多く履修した。スタンフォードの周辺には、Sand Hill RoadというVCが集積する大通りが近くにあるなどVCやスタートアップが多い環境から、第一線で活躍しているベンチャーキャピタリストや起業家たちが頻繁にゲストスピーカーとして講義にやってくるのが醍醐味であった。また、スタートアップやファンドを経営したり運営したりするためには、さまざまなメンバーから成るチームを組織的にマネジメントすることが欠かせない。そのため、組織のなかで人間がどのように行動するか、どのような態度を取るかについて扱う組織行動学（Organizational Behavior）の講義にも積極的に取り組んだ。

アントレプレナーシップの講義や討論は、留学まで英語で会話したことがほとんどなかった自分にとって、ついていくのが大変だった。しかし、ここで懸命に英語漬けになって学んだことは、その後の自分にとってどれだけ糧（かて）になってきたかわからない。講師陣のなかでは、ベリタス（Veritas Technologies）というシステムソフトウェア企業を創業して成功させたマーク・レスリー講師や、スタートアップの評価やファイナンスの専門家であるジョージ・フォスター教授という、経験やネットワークの豊富な先生たちの授業を選択した。

特にレスリー講師の授業からは、そもそもスタートアップとはとか、起業家にそもそも必要な心構えとは、といった点を叩きこんでもらったように思う。読者の多くは、アントレプレナーシップの授業というと、華々しい成功をするための起業の方法論を学ぶのかと思われるかもしれない。しかしレスリー氏の授業は、そんな華やかさとはまったく無縁であった。最初の課題図書として読まされたのは、“Endurance: Shackleton’s Incredible Voyage”という、英国の南極横断探検隊による奇跡の生還の物語だった。世界初の南極徒歩横断を目指して英国が南極に派遣したエンデュアランス号は、1915年1月、目的地まで残りわずかというところで流氷に囲まれ、難破してしまう。アーネスト・シャクルトン率いる探検隊は、文明圏から遠く離れた極地で極限の寒さと乏しい食糧を耐え忍んだすえ、22カ月後には全員無事に奇跡の生還を果たすことになるのであるが、その過程には数々の途方もない努力と行動があった。レスリー氏はこの物語から、スタートアップというものは、容易に周囲から取り残されて資源も不足して絶体絶命になりやすいものであり、アントレプレナーシップにおいてはまず、いかに生き残るか、いかに不断かつ最善の努力を行って窮地から脱するかが大事だ、ということを教えようとしていたのである。そこには微塵の派手さもなく、実践的な思考と行動を徹頭徹尾やり続けることが必要ということを学んだ。

エンデュアランス号が南極の流氷に閉じ込められた際の写真を表紙としている

困難をいかに乗り越えるか、というスタートアップの難問については、2015年に、『HARD THINGS（ハード・シングス）――答えがない難問と困難にきみはどう立ち向かうか』（日経BP社・2015年）というベン・ホロウィッツ氏（著名VCのアンドリーセン・ホロウィッツ共同創業者）の著書もヒットしたところである。しかしエンデュアランス号の乗組員たちの味わった困難は、生命を失う手前であった点、危機の克服まで22カ月もかかった点などにおいて、ホロウィッツ氏のハード・シングスよりもはるかに過酷なものであったといえよう。

また、アントレプレナーシップの講義では、ベンチャーキャピタリストや起業家のゲストスピーカーがやってきて、豊富な経験談を話してくれたことも忘れられない思い出である。特に記憶に残っているゲストスピーカーは、スタンフォードMBAの卒業生で、コンピュータ関連のサン・マイクロシステムズ社の共同創業者であり当時クライナー・パーキンスのパートナーでもあったビノッド・コースラ氏（米国主要VCの一つであるコースラ・ベンチャーズ創業者）である。彼は、スタンフォードGSBへの入り方も、サン・マイクロシステムズでの最初の売上の立て方も、ハンパではなかった。そもそも、GSBには普通に合格して入ったのではなく、連日Admission Office（入学事務局）の担当者に会いに行き、担当者が根負けして補欠にしてくれて、結果的に入学できたということであった。GSBのクラスメートだったスコット・マクネリとサン・マイクロシステムズを創業したときも、最初の製品をボストンの大企業に販売しようとする際、その会社の責任者が出社するところを連日捕まえにいってようやく説得して実現した、という話をしてくれた。

以上のように、私はスタンフォードGSBで、アントレプレナーシップとは困難な状況に陥ってもあきらめずにあらゆる合理的な手段を冷静かつ不断に講じてやり抜くことだと学んだのである。このことは、その後のUTECの立ち上げにおいてどれだけ役に立ってきたかわからないし、UTECからの各スタートアップへの支援においてももっとも大事にしていることの一つである。いくら革新的・先進的な科学や技術、事業アイデアがあっても、スタートアップを通じて事業化するとなると、事前に想定できないさまざまな艱難辛苦が待ち受けているからだ。

組織行動学の講義群のなかでは、ジェフリー・フェファー教授のThe Paths to Powerの講義が出色であった。組織におけるPower（影響力、権力）のダイナミクスについて、非常に中身の濃い知識と視点を提供する講義であり、起業家やベンチャーキャピタリストにとってもよく理解しておくことが望ましい内容といってよい。組織においてなぜPowerが重要であるか、といった基本から説き起こし、どのような人的資質がPowerをもたらすか、Powerを得るためにはときには嫌われることや不正直になることも必要であること、Powerを得るためにはどのように自分に力や資源を蓄えるのがよいか、どのように人を味方につけたりネットワークを作ったりするのがよいか、どのように信用を築き自分を人から見えやすくするか、Powerを行使する際の言動ではどのような点に気をつけるべきか、抵抗や失敗に遭ったときどのように対処すべきかなど、事細かに実践的である。実際、スタートアップやVCの実務では、不確実な状況下のさまざまな局面において、社内外の人々の協力や支持を得て、事業、投資、人事などを効果的に進めていかなければならないが、そのためにはPowerを適切に獲得し効果的に使うことが不可欠なのである。私自身、UTECやさまざまな投資先における経営とガバナンスにかかわってきたが、この講義で学んだPowerダイナミクスはそのうえでも大変参考になってきたといってよい。

(2)同級生

2001年9月に一緒に入学したMBA Class of 2003の日本人同級生は、私の他に3人いた。日本興業銀行からの派遣だった伊佐山元氏（現WiL創業者・CEO）、東芝から派遣されていた竹内健氏（現東京大学教授）、IBMからの派遣だった及川めぐみ氏の3人だった。なかでも伊佐山氏は、卒業後すぐに現地の一流VCの一つであるDCM（Doll Capital Management）に入って10年ほどシリコンバレーのVC実務経験を積んだ。そして2013年には自ら現地で、日本の大企業と日米のスタートアップとを橋渡しするWiLという新しいコンセプトのVCを創業したのである。在学中は家族ぐるみのつきあいをさせてもらっていたが、今でも同じVC業界にいる仲間としていつも刺激を受け続けている。スタンフォードGSBは、一学年350人程度と小規模なので、日本人同級生の数も他の米国ビジネススクールに比べて少ない。それでも、我が学年では、MBA日本人同級生の半分が卒業後に新しいVCを立ち上げているというのは胸を張ってよいと思う。一方、竹内氏は、MBA前は東芝でフラッシュメモリを実用化しており、世界の市場で勝つには技術も経営もわかるようにならないといけないと考えて入学してきた技術者であった。GSB卒業後は東京大学で電子工学の博士号を取得し、今ではアカデミアの世界で活躍している。そんな竹内氏からはいつも、事業化には経営と技術の両輪が重要ということを教えられたが、その後の私の考え方の基礎になっていると思う。

日本人以外でその後VC業界に入った同級生も多い。スタンフォードのそばのメンローパーク市に本拠を置く世界一著名なVCといってもよいセコイア・キャピタル（Sequoia Capital）でマネージング・ディレクターを務めているアミット・ジェイン氏や、同じく老舗の米国VCであるチャールズ・リヴァー・ヴェンチャーズ（Charles River Ventures）でゼネラル・パートナー（無限責任出資家）になっているザール・ガー氏などである。GSB在学中は、よく、彼らを家に招いて日本食を振る舞ったり、キャンパスの芝生で一緒にバーベキューをしたりという間柄であった。

UTEC創業の経緯

2003年6月に無事にMBAを取得して帰国した私は、派遣元であった経済産業省に帰任することになる。8月から10月にかけては金融庁に出向して信託業法という法律の起草に携わり、また経済産業省に戻った後の11月に転機が訪れる。東京大学が翌年4月に控えた国立大学法人化を前に、東大の技術シーズを活用するスタートアップを支援するためのベンチャーキャピタルの設立を検討している、というのだ。当時東京大学では、佐々木毅総長の総長特任補佐として、工学系研究科教授の石川正俊先生（2004年4月より2006年3月まで産学連携本部長）が中心になって構想を練っていた。東京大学自身がVCやファンドを設立することはできないため、東京大学と密接に連携する民間のVCを設立し、投資事業有限責任組合の仕組みを使ってVCファンドを立ち上げられないか、というのである。石川先生は、VCからのスタートアップへの投資が成功した場合、その成果を大学にも還元してさらなる研究や人材育成を活性化させる好循環を生み出したい、とも考えておられた。先生からそうしたお話をうかがった私は、これは自分がやらなければならないと即断し、すぐに経済産業省に辞表を提出することにした。日本でもっとも伝統的・保守的な国立大学と目されてきた東大が、その科学力と技術力を生かしてVCファンドやスタートアップの振興に大きく舵を切ろうとするこのタイミングに、経産省で有責法を起草しスタンフォードでアントレプレナーシップやVCを学んできた自分がその立ち上げに加わらないということが考えられなかったのである。日本のスタートアップが世界の企業と肩を並べられるとしたら、日本独自の技術力で勝負するほかはないとも思っていた。むろん当時はまだ、ファンドも会社もなく、ましてやUTECの社名も、自分の参画条件も決まってはいなかったが。

東大をはじめとする日本の大学には、数多くの科学、技術の長い蓄積がある。それも、最先端の革新的研究成果に基づいて、近年「ディープテック」と呼ばれるように、実用化に長い時間や多くの費用がかかってもひとたび実用化されれば社会に大きな影響を与えるものが多い。こういった科学や技術は、必ずしもシリコンバレーをはじめとする米国のVCが好んで投資する領域とは限らない。しかし、こうした日本の大学の科学や技術をもとに、VCファンドの仕組みを使ってスタートアップを創出して実用化していくことで、日本独自の強みのあるスタートアップ振興のエコシステムを作ることができるのではないか、そのためにはまず東大でこうしたVCファンドを成功させなければならないと思った。

こうして、2004年4月、前月に設立されていた中間法人東京大学産学連携支援基金（2008年より一般社団法人）を100%株主として、現在のUTEC（現在の資本構成については後述）の前身である株式会社東京大学エッジキャピタルが設立されることとなった。ファンドについては、経済産業省を退官したばかりの私を含むパートナーたちで、140社以上の投資家候補に対してファンド出資を依頼してまわった。大半の投資家からは断られたものの、最終的に20社強の金融機関、政府系機関、事業会社などの投資家からの出資約束を得て、同年中に約83億円の規模のVCファンド「ユーテック一号投資事業有限責任組合」を設立し、投資を開始することになった。2006年2月からは私が代表取締役社長マネージングパートナーに就任し、後述する大学発スタートアップへの投資戦略を本格化するようになった。

経済産業省が2022年5月に公表した「2021年度大学発ベンチャー実態等調査」によると、2021年度の日本国内の大学発ベンチャー社数は3306社となっており、過去最高となっているところだが、2004年当時はまだ、大学発スタートアップを興そうという研究者や卒業生は多くはなかった。なお、本調査によると、2021年度の東京大学発ベンチャーの数は過去最多の329社となっているが、京都大学、筑波大学、慶應義塾大学等の伸びも

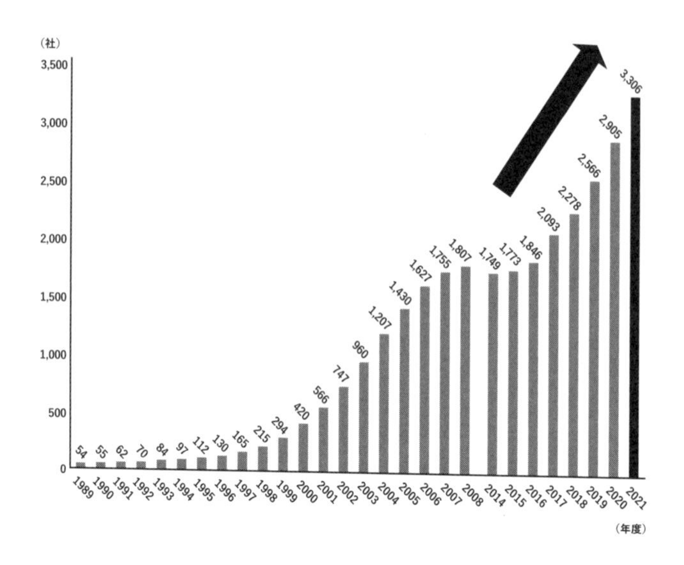

順位（前年度）	大学名	2019年度	2020年度	2021年度
1（1）	東京大学	268	323	329
2（2）	京都大学	191	222	242
3（3）	大阪大学	141	168	180
4（4）	筑波大学	114	146	178
5（10）	慶應義塾大学	85	90	175
6（5）	東北大学	121	145	157
7（7）	東京理科大学	30	111	126
8（6）	九州大学	117	124	120
9（8）	名古屋大学	94	109	116
10（9）	東京工業大学	75	98	108

出所：経済産業省「2021年度大学発ベンチャー実態等調査」

目立ち、今日では全国の大学においてスタートアップの創出が盛んになってきていることがうかがえる。

UTECの活動

(1)理念・投資手法

UTECでは、「Science/Technologyを軸に、資本・人材・英知を還流させ、世界・人類の課題を解決するための新産業を創造する」ことを理念として掲げ、投資戦略として大きく「すぐれたサイエンスとテクノロジー」「強力なチーム」「グローバルな市場や人類の課題」の三つを掲げている。投資手法としては、投資先スタートアップの設立段階（シードステージ）や創業初期段階（アーリーステージ）から深くコミットしてハンズオン支援を行う

【図3】UTEC のシード／アーリー段階からの総合的な投資支援活動

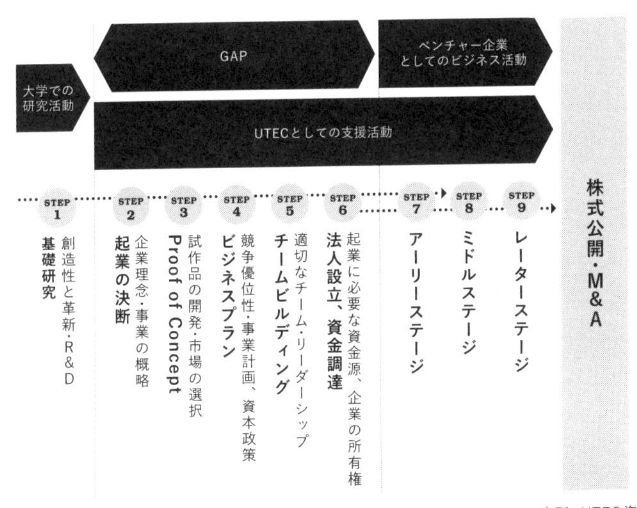

出所：UTEC資料

ことを特徴としており、具体的には経営陣をはじめとするチームビルディング、事業計画の策定、知的財産の整備、ガバナンスなどに積極的にかかわっている。

(2)運営ファンドと運営会社

UTECでは、2004年から2022年までに、全部で5本、総額約850億円の出資約束規模となるVCファンドを投資事業有限責任組合の形で設立し運営してきている。その運営体制については、2004年の設立当時は、中間法人東京大学産学連携支援基金(2008年より一般社団法人)を100%株主とする株式会社東京大学エッジキャピタルを運営会社としていたが、その後の組織再編を経て、現在では、代表をはじめとするパートナーらのプロフェッショナルを構成員とする有限責任事業組合が主要株主となっている株式会社東京大学エッジキャピタルパートナーズ(東京大学も10%弱の株主)を運営会社としている。

(3)主な実績

投資活動については、2004年以来2022年までに、5本のVCファンドから140社強に投資を行ってきている。VCの世界では、投資した株式を売却する出口のことを「エグジット」と呼ぶが、それらのエグジットとしては、18社がIPO(新規株式上場)、20社がM&A(企業の買収・合併)や企業との資本提携を果たしているところである。株式上場の例としては、特殊ペプチド創出技術を応用した医薬品開発に取り組むペプチドリーム株式会社(東京大学発。2015年12月東証一部上場)、非可食バイオマス原料を用いたバイオファウンドリー事業に取り組むGreen Earth Institute株式会社(一般社団法人地球環境産業技術研究機構[RITE]発。創業者・経営者が東京大学卒業生。

2021年12月東証マザーズ上場）、エッジAIによる画像解析技術等をライフスタイルに活用するニューラルポケット株式会社（創業者・経営者が東京大学卒業生。2020年8月東証マザーズ上場）、産業用ドローン及び自律制御技術を用いたソリューションサービスを提供する株式会社ACSL（千葉大学発・東京大学関連。2018年12月東証マザーズ上場）、マイクロ波化学プロセスを用いた化成品の製造・販売を行うマイクロ波化学株式会社（大阪大学発。2022年6月東証グロース上場）などがある。

【図4】UTEC のファンドから株式上場を果たした主な大学発スタートアップ

ACSLの国産産業用ドローン

インフラ点検、災害、測量、物流、警備など、あらゆる場面で実績をもつ産業用ドローンを開発

マイクロ波化学の化学品生産設備

「マイクロ波」を活用した独自の化学製造プロセスを開発。テーラーメードの化学反応設備を提供

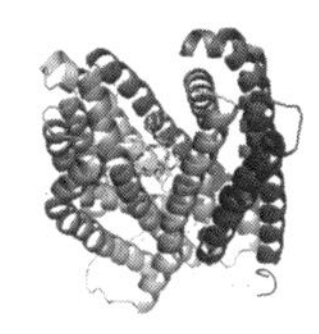

ペプチドリームの特殊ペプチド

薬品の品質管理や製造コストの面で高い優位性と安全性を誇る独自のペプチド治療薬を開発

次世代バッテリーマネジメントシステム（BMS）を開発・製造・販売するNExT-e Solutions 株式会社（2022年10月東京電力ホールディングス株式会社による株式取得）のように、国内外の大企業により株式取得やM&A（買収・合併）がなされる例も数々出てきているところである。

（4）投資戦略

UTECの第一の投資戦略である「すぐれたScience/Technology」

としては、東京大学や株式会社東京大学TLOとの覚書に基づき、東京大学から開示される発明を閲覧したり、東京大学TLOとの定期的な会議を通じて早期に東京大学内のシーズ情報に接触したりと、その起業の支援を検討することができる仕組みを整えている。近年では、さまざまな大学や研究機関のすぐれた技術を組み合わせるテクノロジーロールアップの考え方から、アカデミア間の連携や、アカデミアと民間企業の連携のなかから生まれるスタートアップへの投資も増えてきているところである。

第二の投資戦略である「強力なチーム」については、UTEC内に専属のヒューマンリソースチームを擁し、積極的に投資先の経営陣の組成に関与している。昨今は、ディープテックスタートアップの増加や多様化により、スタートアップへ参画する経営人材についても一層の高度化と多様化が進展しているが、2018年以降で100名を超えるCEO、COOなどの経営幹部を投資先につなぎ採用に至ってきたところである。将来のスタートアップ経営幹部候補者に対して、スタートアップの創業やスタートアップへの参画の機会を提供するUTEC Startup Opportunity Clubというコミュニティも運営している。

第三の投資戦略である「グローバルな市場や人類の課題」は、UTECの強みである日本での研究機関ネットワーク、産業界とのネットワーク、政府とのネットワークをテコに、国際市場展開を行いうるスタートアップへの海外投資を行う、というものである。UTECではESG (Environmental, Social, and Governance)関連など、世界・人類の課題解決を目的とする投資に積極的に取り組んでいるところだが、近年ではこうした日本と世界のサイエンスとテクノロジーを結びつける活動がますます増えており、2021年設立のUTEC5号ファンドでは、件数にして約3分の1が海外投資となっている。具体例としては、東京大学で創始された超電導方式を発展させて量子コンピュータを開発している英国オックスフォード大発スタートアップであるOQC(Oxford Quantum Circuits)社への投資はその一例である。こうした潮流は、投資だけでなくエグジットにおいても見られる。たとえば、免疫多様性解析を用いて検査・創薬基盤サービスを提供するRepertoire Genesis株式会社(日本の塩野義製薬出身者たちが創業。2022年5月に欧州ユーロフィン社が買収)、小型携帯質量分析計を開発・製造する908 Devices社(東大招聘講師を務めた米国人研究者が創業科学者。2020年12月米国NASDAQ株式市場上場)といった例が出てきている。

アカデミアとスタートアップの間の好循環づくり

昨今の日本の産学連携では、大学で研究された技術シーズの実用化・商業化まではよく語られてきたところである。しかし、その持続的な発展のためには、大学で継続的にすぐれた基礎研究が行われ、シーズを生み出し続けられるかが鍵となる。大学が育てた研究成果をただただスタートアップにして実用化や商用化のために刈り取っていくだけの発想では、大学が痩(や)せてしまう。大学発のスタートアップが成功することによって、その成果として生まれたお金や知見が大学に還流し、さらに新しい研究がなされ、人材が育ち、新しいシーズが生まれ続けていくような「産学協創」を作っていかなければならない。

日本政府は、2004年の国立大学法人化以来長らく、国立大学の基礎研究費を減らし続けてきたが、大学のシーズからスタートアップを通じて革新的な事業が生まれ育ち続けるためには、源となる基礎研究の研究シーズが生まれ続ける必要がある。スタンフォードなどの米国の大学でも、基礎研究と人材育成とが持続しているからこそスタートアップが継続的に生まれ続けているわけで、そのような環境を作るためには、事業や投資に成功した起業家や投資家が、その利益の一部をふたたび大学に還元することを積極的に行っていくようにする必要がある。

この点においても、スタンフォード大学の取り組みは大変参考になる。スタンフォードでは2022年9月、気候変動を専門的に扱う「Stanford Doerr School of Sustainability」という大学院が開設された。この大学院は、冒頭に紹介したGoogleに投資を行うなどして非常に成功したクライナー・パーキンスの伝説的パートナーであるジョン・ドーア氏夫妻の寄附により設立されたもので、私もちょうど同月に見学してきたが、その立派さに驚嘆したところである。ドーア氏夫妻からの寄附金額は11億ドルにも上り、これは、スタンフォードが受領した寄附金額として過去最高であるだけでなく、世界の学術機関への寄附金としても史上2番目に高い金額だそうである。スタートアップ投資の成果を、寄附を通じて大学に還元し、今後の社会課題を解決する研究や人材育成に役立てようという取り組みの代表的事例の一つといえよう。

UTECでも、クライナー・パーキンスのドーア氏には遠く及ばないものの、運営ファンドの投資成果を原資とする寄附によってアカデミアの研究や人材育成を支援する活動を長年行ってきている。具体的には、東京大学、京都大学、大阪大学、名古屋大学、千葉大学など、連携してスタートアップを育んでくださった大学に対して、寄附を行うプロジェクトを実施してきた。なかでも東京大学には25以上の寄附プログラムを実施してきたところである。UTEC創業の経緯でも触れたが、UTECは、アカデミアとスタートアップの間の好循環を生み出し、スタートアップへの投資成果をもとにアカデミアにおける研究や人材育成をさらに活性化させることも設立趣旨の一つに据えている。一例を挙げれば、2020年以来寄附を行っている若手研究者向け助成プログラム「UTEC-UTokyo FSI Research Grant Program」では、東京大学の若手研究者が基礎研究に専念して論文執筆に取り組みやすくするための支援を行っている。本プログラムは、①研究に専念できるよう助成金受領後の報告書の作成は不要とする、

【図5】UTEC-UTokyo FSI Research Grant Programを紹介する東京大学ウェブサイト

出所：https://www.u-tokyo.ac.jp/ja/research/systems-data/utec-utokyo_fsiresearchgrant.html

②求める成果をすぐれた学術誌への論文投稿とする、③基礎研究を重視し短期的な実用化や商用化の可能性は求めない、の三つを特徴としており、これが優秀な若手研究者たちの支持を得て、多くの申込をいただいてきた。2022年までに31名の研究者が採択されており、助成を受けた研究者のなかからは

『Science』や『Cell』といった世界的学術誌に掲載される論文も出てきているところである。

研究者のStartup Readinessを科学的に評価するための手法

私は、UTECの代表を続けながらではあるが、2016年9月から2019年8月まで東京大学大学院工学系研究科技術経営戦略学専攻の博士課程に学生として在籍し、研究者が科学に立脚したスタートアップの起業やエグジット（株式売却）にどれくらい適した状態にあるかを、データサイエンスを用いて評価する手法を研究していたこともある。仕事をしながらなぜこのような研究を行ったかというと、従来の大学発スタートアップとVCの関係は多くの場合、研究者の側が起業したいと思った案件をVCに持ち込み、VCはあくまでも受動的にかかわってはじまる、という形であったが、それでは不十分ではないかという問題意識をもっていたからである。むしろ、研究者は研究に専念して学界で高い評価を得られるほど科学を掘り下げ、そのうえで、起業前の段階からVCや起業家が評価して起業にふさわしい態勢（Startup Readiness）が整っているかどうかを判断して、資本とマネジメント能力を提供して起業するべきと考えていた。また、その手法についても、人的に個別に手作業で主観的に行うのではなく、データを用いて大規模にできるだけ自動的、科学的・客観的にできないか、と考えていた。Google創業前のラリー・ペイジが、各ウェブサイトの重要性を客観的に評価するためにスタンフォード大学博士課程で研究したページランクの考え方からも着想の一部を得ている。

本研究では、すぐれた科学や技術に立脚するスタートアップの領域において、起業前の段階から、データサイエンスを活用していかに起業に有望な研究者を科学的に評価するか、また、いかにしてその有望さを高められるかを提案する手法を提案している。この研究内容は、2020年1月に博士論文（An Assessment Method of Academic Researchers' "Startup Readiness" : Case Studies in the Biopharmaceutical Domain／大学研究者の起業態勢の評価手法に関する研究：バイオ医薬分野をケーススタディとして）として学位を認められ、2022年6月に公表されたので、ここにその概要を紹介しよう。

まず、Startup Readinessという概念を定義し、それを、スタートアップを起業しようと準備している状態、及び、成功する期待をもって意欲的に起業しようとしている状態、との独自の定義を置いた。科学との関係が高い領域では、研究トピックと研究者にStartup Readinessが備われば、投資対象技術の技術成熟度が高まる以前から、ベンチャーキャピタリストにとっては投資機会として、起業家にとってはキャリア上の機会としてとらえることができ、科学的強みを生かした大学スタートアップを創出しうると考えられるためである。そのうえで、大学研究者のStartup Readinessを定量的に評価するための手法を提案し、多様な実データを用いた実験を通して、その有効性、有用性を検証したものである。具体的には、バイオ医薬分野における大学研究者のStartup Readinessを計算し、評価するための枠組みとして、論文関連特徴量（Paper-related Features）と特許関連特徴量（Patent-related Features）から構成される個人的因子、ホットトピック特徴量、学術機関特徴量（Academic Organization-related Features）と国家特徴量（Nation-related Features）から構成されるエコシステム因子及びそれらの交互作用項を説明変数として使用し、スタートアップへの参画の有無及びIPO

【図6】研究者のStartup Readinessを評価するための概念フレームワーク

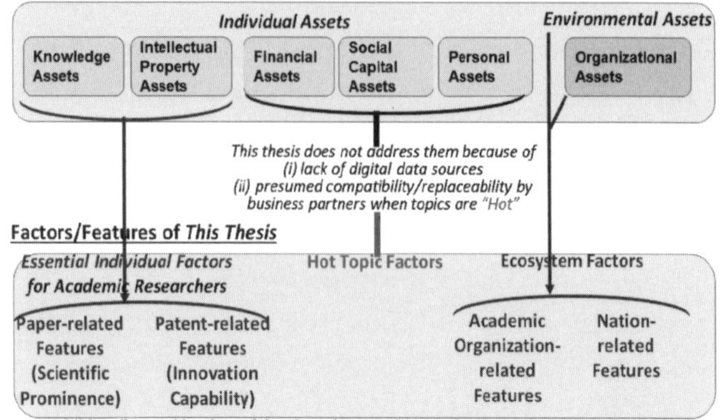

出所：著者博士論文（前掲）

（新規株式上場）やM&A（企業の合併・買収）といったエグジット（株式売却）の達成の有無を被説明変数として用いて、テスト可能で実用性のあるモデルを構築した。なお、この論文関連特徴量の算出に当たっては、さきほどのページランクを含め、どれだけ多くの他の論文からの引用を集めているかというネットワーク中心性を算出する指標を用いているところである。

提案手法の適用対象としては、バイオ医薬分野におけるファイナンス活動の活発度、研究トピックに寄せられる学術界や産業界の関心の伸びなどを基準に、Cas9、CRISPR、CAR-T、Exosome、Microbiomeの5領域を抽出し、複数の個別領域と、それらの全体の統合領域とを設定した。実験の結果、本提案手法が、全般的にStartup Readinessに関する良好な推測及び分類性能を発揮することが明らかとなった。

個別の特徴量に関しては、個人的因子に属する論文関連特徴量と特許関連特徴量は、ともに、スタートアップ参画又はエグジットに成功した研究者グループと非参画又はエグジットに至っていない研究者グループとの間で大きく異なることがわかった。なかでも特に重要な知見として、論文関連特徴量は、大学研究者が参加するスタートアップがエグジットに至る潜在力を見積もる際のStartup Readinessの評価において、もっとも重要な役割を果たすことが示された。言い換えると、研究者のStartup Readinessを向上させるためには、論文関連特徴量を高めることがもっとも効果的、すなわち、すぐれた学術誌に出版されて数多くの他の研究者からの注目を集められるほどの研究成果を生み出すことがもっとも重要、ということである。

研究者にとっては、スタートアップに興味があるからといって研究の手を緩めるのではなく、研究者としての本領である論文出版をしっかり行って学界でその業績が認められることが、なによりもスタートアップへの近道なのである。193ページで紹介したUTEC-UTokyo FSI Research Grant Programが、求める成果をすぐれた学術誌への論文投稿としていて、助成金受領後の報告書の作成や短期的な実用化や商用化は求めないこととしているのも、こうした考えに基づいているのである。

日本のベンチャーキャピタル業界とディープテックスタートアップの発展に向けて

日本のベンチャーキャピタルの業界団体として、2002年に設立された一般社団法人日本ベンチャーキャピタル協会（JVCA）という、ベンチャーキャピタルやコーポレートベンチャーキャピタルを会員とする団体がある。ベンチャーキャピタル事業の質的向上ならびに業界の社会的地位の向上を目指し、研究活動を積極的に行って業界全体の健全な発展に資することを目的としている。協会活動は多岐にわたっており、VC業務知識や経験の共有、VC業界トピックの広報、政策提言、機関投資家との連携、

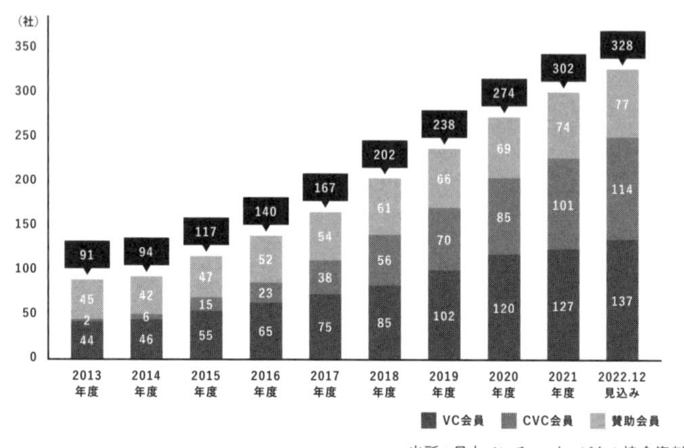

出所：日本ベンチャーキャピタル協会資料

大企業との連携、産学連携、グローバル活動、地方創成などの幅広いテーマに取り組んできている。私は2014年に同協会の理事に就任し政策提言などを担ってきており、2022年からは副会長を務めているが、その間に、会員数は3倍以上となり2022年12月現在では328社にも上っている。

国内のVCファンドの規模については、震災後の2012年には375億円まで落ち込んだ新規ファンドの設立金額も、その後は順調に拡大し、2020年には5500億円を上回る過去最高の規模に

まで拡大し、2021年以降も高水準を続けている。また、国内VCによるスタートアップへの投資活動の規模についても、リーマンショック直後の2009年には年間1000億円を下回る水準にまで落ち込んだものの、2021年には7800億円を上回る過去最高水準まで拡大している。(ともにINITIAL調べ)

このように発展を遂げる日本のベンチャーキャピタル業界のスタートアップ投資であるが、私としては今後ともますます、スタンフォードで培ってUTECで発展させてきた知見と課題意識をもとに、日本のVC業界全体へ貢献していきたい。また、JVCAでの活動を通じ、日本の科学や技術をもとに世界で活躍できるスタートアップをもっと数多く生み出せるようにしていきたいと考えている。そのためには、日本のVCがディープテックスタートアップにもっと投資を行っていくことも重要だが、大学で持続的にすぐれた研究がなされるように大学を寄附などで財政的に支援することや、研究者が研究に専念してすぐれた研究成果を発表しやすくするように制度的に支援することも大切になってくるだろう。また、日本のディープテックスタートアップを世界に進出させるための国際的な支援を行うことや、さらには、世界の優秀な人材を日本の大学やスタートアップに引きつけて世界レベルで戦えるディープテックスタートアップを創り育てていこうとする試みもより重要になってくるであろう。

シリコンバレーのメドテックイノベーションで、超高齢社会日本の医療を変革する

#11

池野文昭

IKENO ***Fumiaki***

自治医科大学卒業。2001年から スタンフォード大学循環器科での研究を開始し、米国医療機器ベンチャーの研究開発、動物実験、臨床試験等に関与する。医療機器分野での豊富なアドバイザー経験を有し、日米の医療事情に精通。医療機器における日米規制当局のプロジェクトにも参画し、国境を越えた医療機器エコシステムの確立に尽力している。スタンフォード大学では研究と並行し、2014年からStanford Biodesign Advisory Facultyとして、医療機器分野の起業家養成講座で教鞭を執っており、日本版Biodesignの設立にも深く関与。日本にもシリコンバレー型の医療機器エコシステムを確立すべく、精力的に活動している。

僻地医療をしていた田舎医師が、突然スタンフォードで豚の実験？

2001年4月に渡米するまで、私は日本の山間僻地で臨床医をしていた。いわゆる地域の人々の日々の生活を支える町医者だ。研究もしたこともなければ、英語論文も読んだことがない町医者が、なぜスタンフォード大学で20年以上もサバイバルできているのか？と皆不思議がるが、その秘密を少しだけお話しする。

2000年暮れ、私のいた僻地診療所から患者さんをよく紹介していた豊橋市内の心臓専門病院を訪問する機会があった。そこで突然、院長先生からスタンフォード大学留学を勧められた。なぜ白羽の矢が立ったかというと、私は自治医科大学卒業なので大学医局には所属せず、県庁の人事にしたがって9年間地域医療をする義務があった。私は、まさにその9年の義務年限が終わろうとしていたので、大学医局人事にしたがう必要がなく、進路に制約がまったくなかったのだ。そのため、スタンフォードに送り込むには都合がよかったというのが院長先生の本音だと思う。しかし、話を聞くとだれでもいいかというとそういうわけでもなかった。派遣先がスタンフォード大学医学部循環器科の大動物実験施設で、豚を使ったカテーテルデバイスの実験を、ひたすらシリコンバレーの医療機器ベンチャーとともにするという、泥臭い仕事だったのだ。医師であり、カテーテル治療の経験があり、人事に縛られていないフリーでハングリーな若手医師を探していたらしく、私はまさにうってつけの人材だったのだ。医師の留学といえば、その多くがマウス、または細胞、そして遺伝子など、小さなものを対象とする学術的研究がほとんどで、たいていは立派な論文を出版し日本に戻り出世していくものである。しかし、私の場合は、大きな動物、それも豚。研究ではなく、あくまでも医療機器の開発のお手伝いというだれもやりたがらない仕事だったので、まさに、送り込む医師を探すのに苦労していた院長先生にとっては、渡りに船だったのかもしれない。

2001年3月30日、静岡県庁にて9年間の任務を完了し、退職辞令を受けとり、そのまま家族で成田空港に行きサンフランシスコに到着した。今思えば、英語もろくに話せないのによく決断したと思うが、当時33歳の田舎出身の私には、とにかく世界に飛び出してみたいという好奇心しかなかった。スタンフォードではポスドク（博士研究員）としての身分で、ひたすらシリコンバレーの医療機器ベンチャー企業と一緒に豚を使った実験を朝から晩までマシーンのように行った。今まで臨床医として患者さんの生死に向き合ってきた私としては、なにか物足りないものがあったのも事実だが、連日やってくるさまざまな医療機器を開発しているスタートアップの人たちと一緒に仕事をしていると、次第にスタートアップという企業体に興味がわいてきた。また、そのスタートアップの多くがものにならず倒産するという現実にも愕然とした。しかし、一番驚いたのは、倒産したらまた新しいスタートアップを立ち上げ、挑戦してくる起業家たちのハングリーさである。そして、時として今までにないような医療機器を開発し、上市し、多くの患者さんを救うことができるだけでなく、大金を手にすることができるスタートアップと起業家たちに次第に魅了されていった。

渡米してしばらくしてから気がついたことであるが、私が渡米した2001年はちょうどドットコムバブルが崩壊し、9月には世界同時多発テロが起こり、米国は非常に混乱していた。しかし、そんななか、投

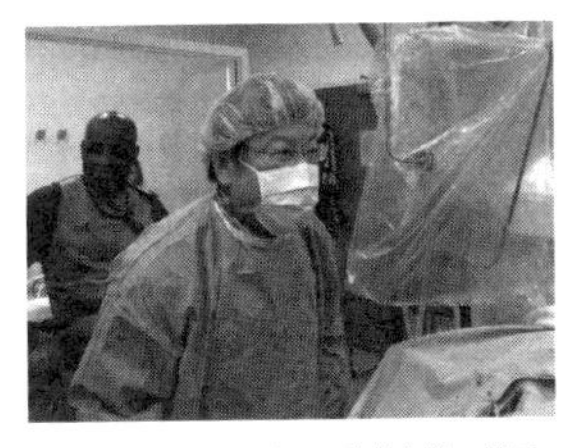
筆者のスタンフォードでの動物実験の様子

資家・起業家たちはイノベーションの次なるターゲットを医療関連産業に合わせ、まさに医療機器スタートアップへの投資が増加していた。そんなときに私はシリコンバレーに留学をしたのであり、非常に幸運だったと思う。私が関与した医療機器も数多くが世に出て、現在も世界中で毎日のように使用され人命を救っている。このようにシリコンバレーは、対象領域を時代とともに変えながらいつも世界をリードする新しいイノベーションが生まれる場所であり、その中心にスタンフォード大学が存在し、イノベーションエコシステムに重要な「人財」と「技術」を提供しているのである。

Necessity is a mother of invention!

渡米して間もない2000年代前半のある晴れの日（シリコンバレーは、雨が降ることが少ないが）、キャンパスを歩いていたら工学部の学生たちが自動車を使ってなにか妙な実験をしていた。話を聞くと自動運転の自動車の実験をしているという。老婆心ながら、私はそんなものを開発する意味がわからない、交通事故が増える危険があるのでは？と素直な感想を述べたら、彼らから予期せぬ返事が返ってきた。「交通事故は、人的ミスで起こることが多い。だれも事故を起こしたくて自動車を運転しているわけではない。その社会問題を解決するためにやっている」。これを聞いて、渡米直前まで勤務していた山間僻地の問題を思い出した。当時、その町はまさに限界集落へ一直線の状況で、人口減少、特に若い世代の流出が顕著であり65歳以上が人口の40%を占める超高齢社会であった。当時の日本の高齢化率が15%前後だったことを考えると、日本平均をはるかに超える驚異的な率であると想像できるであろう。実際、その町では高齢者の交通事故がよく起こっていた。高齢化率40%とは、2040〜50年に訪れる日本全体の平均高齢化率である。ある意味、1990年代後半に私は未来の日本で医療をしていたといえるかもしれない。そして、そのとき経験した僻地での社会課題を解決しようとしている学生たちが目の前にいる。つまり、未来の社会課題を解決しようとしているともいえる。このように、現在の社会課題だけでなく、未来予想をして、未来の課題を解決しようと研究しているスタンフォード大学に感動を覚えた。

この事例のように、社会課題を見つけ出し、それを解決する課題解決型のプロジェクトは、日本でも数人のチームを組んで、課題に取り組むアクティブラーニングとして行われている。さらに、ユーザーたちがまだ気がついていない、または表現できないニーズを開発者自らが発見し、そしてその解決策を考えていく、一歩進んだ課題発見型のプロジェクトがスタンフォード発のデ

【図1】スタンフォード大学 d.Schoolデザイン思考プロセス

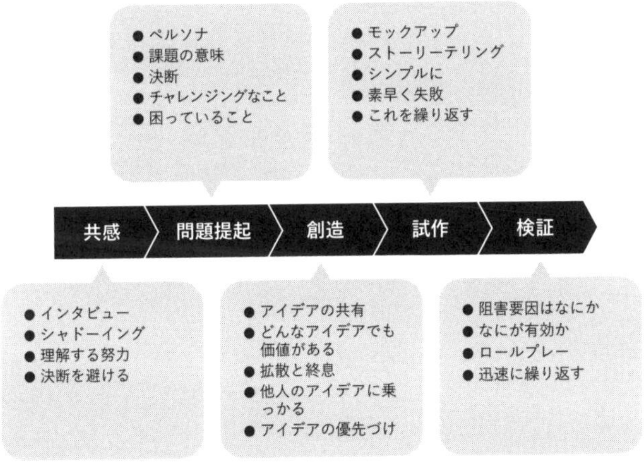

出所：http://dschool.stanford.edu

ザイン思考である。現在、日本でもデザイン思考が盛んに取り入れられているが、デザイン思考は民俗学の研究手法からヒントを得た方法で、開発者自らがユーザーのなかに入り込み、観察・体験することにより、ユーザーがまだ気がついていないニーズを見つけ出すところからはじめ、それを解決していく手法である。いわゆるマーケットインの開発手法であり、大学研究室の技術、企業のコア技術を用い、それが適用されるニーズを見つけ、開発していくテックプッシュの方法の真逆の開発手法である。

超高齢社会は、日本の最重要課題

先ほど、必要性は発明の母、つまり課題があればその解決策が求められているのであり、それがイノベーションにつながっていくことを述べたが、それでは日本の社会課題はなにがあるか？課題山積みという返答が戻ってきそうであるが、私は超高齢社会を近未来の早急な課題として挙げたい。特に、2001年の渡米直前まで高齢化率40%の土地で医療をしていた私は、それを肌で感じている。たとえば、若い人が少ないため地域のお祭りが盛り上がらない、消防団に加入する人が少ない、深刻な事例では老老介護、寝たきり老人の増加、認知症、そして、介護する人材の決定的な不足などである。現実問題、日本の将来試算でいくと間違いなく介護人材の絶対的不足が予想される。OECD（経済協力開発機構）加盟国のなかでも出生率が極端に低く、かつ移民も数えるほどしか来ないわが国の超高齢社会をどのように解決していくのか？　社会保障費の急速な増大は、世界に誇るわが国の国民皆保険の維持にも影響を及ぼすであろうし、労働生産人口の低下は経済成長の低下にもなりかねない。

少子高齢化の原因は明確で、出生数の低下、移民が少ない、長寿化などが理由である。出生数の低下の原因は、経済的理由も含め社会構造に由来するものも多い。移民が少ない理由は、言語の違い、民族の多様性がほとんどない国家であるなど、こちらもなかなか解決策が出せない。長寿化の理由は、医学・医療保険体制の進化など、人間の英知の結晶である。当然ではあるが、それは決して悪いことではなく、むしろ喜ばしいことであり、今から医療を100年前に戻し、あえて短命にすることなどあり得ない。いずれも、日本の高速で進行している少子高齢社会を緩める秘策が浮かばないし、むしろ現実を受けとめ、進行する少子高齢化を受け入れ、そのなかで社会課題を解決する方法を考えるほうが実現可能性が高い。

私は医師であるため、医学的な見地で将来の超高齢社会の課題を考えてみると、一番は社会保障費の高騰であろう。社会保障費とは、年金・医療費・介護福祉費の三つで大きく構成される。それが今後、高齢化の進展とともに急速に増大していくのであるが、それにあてる財源をどのように確保するのか？　特に、疾患の増加にともなう医療費の急増、老齢化により心身の低下にともない増加する介護福祉費、そしてそれらの理由により労働ができず経済的にも自立した生活が困難になり、年金だけでは生活が営めなくなった場合の経済的補助の確保など、財政的に支出が急増し、国としてそれをどのように賄うのかが、問題になってくる。また、収入としての税収も少子化により労働人口が急減することで急減し、国として収入が減り、支出が増加するため収支が赤字化する。国債発行だけでは対応できなくなる可能性が高い。また、労働人口の減少は、お金の問題だけでなく、実際に介護などに従事する人材をどのようにあてるのかが大きな課題になる。

健康寿命の延伸が一つの解

非常に喜ばしいことではあるが、試算※1によると、今後、日本人の寿命は2060年には、女性90歳、男性84歳に到達し、男女ともに世界一の長寿国になるといわれている。しかし、ここで重要になってくるのは、はたしてそれは健康で長生きなのか、という点である。これを客観的に示す指標として健康寿命という数字が存在する。健康寿命とは、自立して生活できる年齢を指し、けして一つも病気をもっていないという意味ではない。逆に、平均寿命と健康寿命の差の年月は、介護などが必要な自立できない期間を意味し、それをいかに短くするかが今後、少子高齢社会の日本では特に重要になってくる。現状では、健康寿命は男性が約72歳、女性が約75歳であり、平均寿命である男性81歳、女性87歳から引くと、男性約9年、女性約12年が、なんらかの生活に支障をきたし介助が必要な期間になる※2。平均寿命を短くせず、いかに健康寿命を長くし、この自立不可能な期間を短くしていくかが日本にとって重要である。そうすることにより、少しでも介護人材の不足を少なくし、かつ労働できる人には労働していただき、経済的に少しでも自立できる期間を延ばすことにより、少子高齢社会に対抗していくのである。

ちなみに、WHOによると、健康には、身体的健康、精神的健康、社会的健康の三つがあり、どれもおたがいに密接に関係しており、一つでも欠けてしまうと、他の健康も低下していくといわれている。身体的健康を脅かすのは、ガン、心臓疾患、脳疾患、整形外科的疾患等などであり、精神的健康を脅かすのは、認知症や精神疾患であり、社会的健康を脅かすのは、孤立、ひきこもりなどである。これらを解決するのは、疾患の早期発見・早期治療は当然ではあるが、できれば疾患にならない予防医療が重要である。特に若いころからの日頃の生活習慣の蓄積が原因となる生活習慣病が、これらの健康に障害を与える疾患の原因になる場合が多く、若いときからの生活習慣改善が重要になってくる。つまり、将来の超高齢社会の健康にともなう社会課題の増加を防ぐには、現在働き盛りの中年、または若い世代の生活習慣の適正化が重要であり、高齢者だけでなく、全世代の問題でもある。また、社会的健康を保つには、地域コミュニティーの存在が重要であり、地域で特に独居の高齢者を孤立させない社会的仕組みも重要になってくるであろう。いずれにせよ、健康な状態であれば、退職後もなんらかの仕事を継続するなど、社会に貢献することが可能になり、社会保障のみに頼る生活から脱却できる可能性がある。

米国の社会課題と医療におけるデジタル化

それでは、私が住んでいる米国の最大の社会課題はなんなのか？　驚くべき事実ではあるが、米国の個人破産の理由の第一位が、医療費が支払えないことである。それも、医療保険に加入していても、医療費が支払えないということである。米国は日本と違い、民間保険会社が保険を担っているが、その保険料はけして安くない。ゆえに、無保険者も人口の約１割存在するといわれており、社会問題にもなっている。月々の保険料だけではなく、そもそもの医療費が高額なため自己負担額も安くない。また、医学の進歩とともに高騰する医療費は、保険会社、そして連邦政府にとっても大きな課題であり、歴代大統領も頭を抱えている。一つの解決策であるが、そもそも病気にならないようにする、つまり予防医療が重要になってきている。いかに、病気にさせないか、また、いったん病気になったらいかに悪化させないか、つまり早期発見・早期治療である。

このように、日米、理由は異なるが、共通の解決策として、予防医療というキーワードが挙がってくるところが非常に興味深い。そして、米国のこの深刻な問題は以前から顕在化しているだれもが体感している社会問題であり、日本が抱えている社会課題が近い将来の課題であるのとは決定的に異なる。つまり、米国はすでにこの医療費高騰に対する予防医療というアプローチで具体的な解決策が試されてきた。予防医療に関しては日本の先輩である。しかし、依然、米国では疾患罹患率は高く、医療費も下がるどころか年々増加している。そして、2020年、コロナ禍に突入することになる。

実は、米国もコロナ禍前までは、医療領域におけるデジタル化は決して進んでいたわけではない。しかし、2020年3月からはじまったロックダウンにより、全米において外出を控えることを強制化され、慢性疾患を抱える患者たち、そして医療機関が混乱に陥ったのは記憶に新しい。繰り返しになるが、深刻な問題が出てくるとイノベーターたちがここぞとばかりにその問題を解決する手段を考え、ビジネス化するために行動を起こすのが、アメリカのいいところである。GAFAM（Google、Amazon、Facebook、Apple、Microsoft）などの大企業だけでなく、スタートアップもこの突然出現した世界規模の社会問題に取り組んだ。そして、周知の通り過去に経験がないmRNA（メッセンジャーRNA）を用いたワクチンを数カ月で開発し世界を救ったのが、ドイツ・ビオンテック社とファイザー社の混成チーム、そして米国のスタートアップであるモデルナ社である。このように技術を用い、果敢に挑戦し、世界を変えていくのが、米国の底力である。

同様に、在宅しながらいかに患者が医師の診察を受けるか？というニーズに対して遠隔診療が一気に進展し、それに対して保険償還もしっかりつき、コロナ前は数％以下であった遠隔診療普及率が7割以上に浸透した。有望なスタートアップはデジタル技術を駆使し遠隔診療をスムーズにするシステムを開発したり、遠隔において血圧、心電図、血糖値などのバイタルサインやバイオマーカーを医師が正確に知ることができるデジタルと医療機器の複合デバイスを開発したりした。また、点滴、採血が必要な患者に対しては、非番のナースが点滴、採血をする在宅サービス、たとえるならばUberの医療版のようなサービスが展開するなど、コロナ禍により医療のパラダイムシフトが米国で起こった。そして、それを実現可能にした技術は間違いなくデジタル技術であり、デジタル技術が進歩する前にコロナ禍が起こっていたら、これらの医療現場の改革は不可能であったに違いない。

このようになにかを可能にすることができる技術をEnable Technology（実現可能技術）という。パンデミックのロックダウンにより日常生活すべてにおいて非接触が余儀なくされた米国は、デジタル技術により不便を解消しただけでなく合理的に日常生活を変革していった。それだけでなく、デジタル化で新たな付加価値が生まれたことも多い。たとえば、医療における血圧測定などは、従来の対面診療ではクリニックにおける血圧のみを信じ、薬の処方を変える場合が多かったが、遠隔診療とそれを可能にするデジタルデバイスにより、日常生活における患者の血圧を継続的に測定でき、かつそのデータがクラウドに記録され保存されることで、その正確性も担保でき、医師が診療時間外でも患者の状況を知ることができるようになった。それによって、より正確で個人に見合った薬剤投与、生活指導などが可能となり、副作用が減り、血圧コントロールが良好になり、長期的には生命予後にも影響する結果になることが予想される。この事例は、単なるデジタルを用いた遠隔診療という合理化だけでなく、新たな付加価値を生み出している。このように、単なるアナログのデジタル化だけのDigitization（デジタル化）から、在宅での血圧が継続的に測定できるDigitalizationが現実化し、そして医師の患者への薬剤処方の個別化とより患者の疾患コントロールが可能になり、将来の疾患発症を予防する可能性が増え、医療費の削減につながる付加価値を生むDigital Transformationが可能になったのである。

スタンフォード大学における医療デジタルイノベーション創出

スタンフォード大学には、医療関連、特にメドテック（メディカルとテクノロジーを組み合わせた造語）関連の起業家育成講座である、スタンフォードバイオデザインプログラムがある。2001年にポール・ヨック医師によって設立されたプログラムで、医師でありながら多くのメドテックイノベーションにかかわってきた彼の経験から導き出されたイノベーションのプロセスを、次世代の若きイノベーターに教えるために設立された。基本、開発者自らが現場（メドテックの場合は在宅を含む医療現場など）に赴き、ユーザーたちを観察することにより、ユーザーたちがまだ気がついていない潜在的なニーズを見つけ出し、それを満たす商品を開発していく手法である。これは前に述べたスタンフォード発のデザイン思考のプロセスと非常に類似しており、民俗学の手法を基本としている点は同じである。ただし、一般消費財と医療関連商品では以下の通り決定的な違いがある。

(1)時として規制当局の許可がないと販売できない

(2)値段設定も政府が決定する
(3)開発者が医療資格をもたないと、試作品を患者に試すことができない
(4)医療現場などは許可なく現場観察ができない
(5)購買責任者と対象者が違う場合が多い(医師と患者など)
(6)ステークホルダーが多い(医師、患者、看護師、技師、保険者、国、家族など)
(7)一歩間違えたら人命を侵す可能性がある手術器具など気軽にプロトタイプを試すことができない
(8)開発期間が10年以上に及ぶなど、上市までに時間がかかる

つまり、これらの違いを理解せずに開発をすると、失敗する確率が高くなる。このようにイノベーションのプロセスもバイオデザインとデザイン思考とでは違う点も多々ある。2022年現在で21年の歴史があるスタンフォードバイオデザインプログラムであるが、年月の移り変わりとともに、医療にまつわる社会課題も変化し、それにともない対象とする疾患が変化してきている。同時に、それを解決するための技術なども進歩し変わってきているために、以前では解決不可能であったニーズが解決できるようになってきている。特に、ここ数年はデジタル技術の進化にともない、それらを用いた解決策が提案されることが多い。しかし、解決すべき課題は異なるが、それを解決するためのイノベーションを起こすプロセス・法則は共通しており、開設以来、あくまでも患者のためになるべきものを開発するということは一貫して変化はない。

このスタンフォードバイオデザインプログラムの具体的な商品とアウトプットは、ウェブサイト※3を参照いただきたいが、もっとも重要なアウトプットは、イノベーションを起こすことができる人財である。残念ながら、医療関連商品の商品寿命は、その技術の進歩のスピードから決して長くはない。しかし、次々に新しいイノベーションを起こすことができる人を育てることで、その人の命が続く限りイノベーションが継続され、また、人が人を育てるロールモデルとして影響を与えることにより、「ハロー効果」として社会全体に医療イノベーションの人財連鎖を起こすことができる。つまり、スタンフォードバイオデザインプログラムは、教育機関として、イノベーションを起こすことができる人間を作っているのである。

メドテックのエコシステムを日本で形成

スタンフォードに留学して10年ほど経ったころ、なにか日本のために私自身が役に立てることはないかと、悶々とすることが多くなっていた。そんな2011年3月11日、東日本大震災が起こり、私はその惨事をシリコンバレーの自宅で観ていた。すぐさま日本人としてなにかできないかと思い、母校である自治医科大学が募集していた福島県の被災地への医師派遣ボランティアに応募した。しかし、日本出発の前々日にスタンフォード大学から連絡があり、オバマ大統領が福島原発から半径80km以内にいる米国国民とその関係者に退避命令をくだしたことを知り、残念ながら私は日本に行くことができなかった。もちろん、大学の指示を無視して日本に行くこともできたが、情けないことに4人の子どもを養う身としては、生活の基盤を失うかもしれないリスクを取れなかったというのが本音である。

その後、しばらくの期間、自分の無力さ、やるせなさに心を病んだが、ある人の助言で立ち直ることができた。当時、44歳の私へ向けたその方からのアドバイスとは、「向こう10年間、日本の医療機器産業貢献のために全力を尽くせ」というものであっ

NPO法人US-Japan MedTech Frontierのフォーラム風景（2019年）

た。私の話を1時間以上聞いていただきなにかを感じ取ってくれたからだと思うが、とにかくそのときは藁をもつかむ思いでそのアドバイスに飛びついた。そして、熟考の末、三つのプロジェクトに関して実際に行動に移した。その一つが、2015年からスタンフォードバイオデザインプログラム、文部科学省、東京大学、大阪大学、東北大学、一般社団法人日本医療機器産業連合会とではじまったプロジェクト、ジャパンバイオデザインである。これはメドテックベンチャーの起業、医療機器業界への就職、または、医師起業家など、メドテックエコシステムに必須の人財育成をしていて、2022年現在、8期生が学んでおり、これまでに100名を超える卒業生を輩出している。残る二つもこのメドテックエコシステム形成には必須のものであり、一つが、2013年当時、日本には存在しなかったメドテックに特化したベンチャーキャピタルの起業（MedVenture Partners株式会社）である。最後の一つは、当時の日本におけるメドテックスタートアップのメンターの決定的な不足を補うためシリコンバレーと日本でメンターをシェアする人財交流を促し、人財ネットワークを形成する目的で米国NPO法人（US-Japan MedTech Frontier）を2014年に設立した（2022年に1905年設立の米国NPO法人Japan Society of Northern Californiaと合併）。

このように、スタンフォード大学の力、シリコンバレーの人脈を駆使し、日本にメドテックのエコシステムを形成することに、今現在も力を注いでいるが、その真の目的は、日本の来るべき少子高齢社会の深刻な医療社会課題に対応するためであり、また、少ない労働人口でも頭脳を駆使し、付加価値の非常に高いメドテックなどの医療産業を強化することにより、少しでも日本経済に貢献できればと考えたからである。そして、その問題意識は、1990年代に、日本の僻地で地域医療をしていたときの強烈な体験に基づいている。

バイオデザイン手法と日本の医療社会課題

このように社会課題、そしてそこから再定義されたアンメット・メディカルニーズ（治療法が見つかっていない疾患に対する医療需要）を満たす解決策を発想し、商業化に向けて、起業などを視野に進んでいく、Project Based Learningであるバイオデザイン手法を日本の超高齢社会の課題解決、特に医療領域の社会課題解決に応用していくのは、日本の将来を考えるうえで大切だと考える。実際に、高齢者の定義である65歳を超えると、ガン、心疾患、脳疾患などの発症率が急激に上がってくる。また、同様に上昇する認知症、フレイルなどの老化にともなう各臓器の衰弱は、健康寿命を阻害する要因として非常にクリティカルなものである。それを予防するためのアプローチ、早期診断するアプローチ、治療するアプローチ、そして、社会復帰させるアプローチは、非常に重要であり、わが国だけでなく、世界各国でも重要なことである。特に、コロナの影響で、米国で一気に進化したデジタル技術を医療に応用していく社会変化は、目を見張るものがあり、わが国においてもデジタル技術が日本の課題を解決する一助になるものと考える。特に予防医療において行動変容をもたらす可能性が高いゲーミフィケーション※4などは、まさにデジタル技術が進歩することにより身近になった技術であり、それを予防医療に応用するのは理にかなっている。また、デジタル技術だけでなく、ロボット技術もここ数年で一気に医療分野に応用されてきている技術である。デジタル技術同様にEnable technology（実現可能性技術）とよばれ、さまざまなニーズを解決することができ、その技術を生かせる適格なニーズを見つ

【図2】バイオデザインプロセスの3つのフェーズ

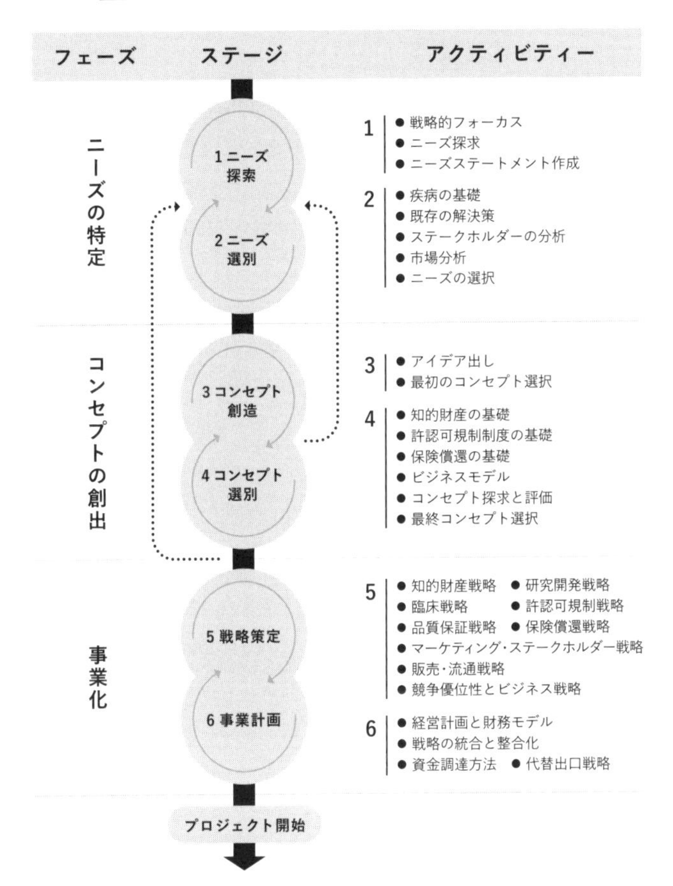

出所：https://www.sciencedirect.com/science/article/pii/S2452302X16301139

【図3】65歳以上の人口(2021年)

順位	国名	65歳以上の人口
1	中国	1億7531万9000
2	インド	9441万3000
3	米国	5654万6000
4	日本	3606万8000

出所：https://www.globalnote.jp/post-12685.html

けることができれば、これらの技術は非常に有力な武器になる。しかし、逆に、しっかりとしたニーズを見つけることができなければ、単なる自己満足になってしまう。その意味で、ニーズをイノベーター自らが見つけ出し、しっかり吟味することに全精力を注入することを特徴とするバイオデザイン手法は、非常に重要なイノベーションのプロセスとなるであろう。

少子高齢社会は、世界共通の課題

高齢化は、世界192カ国中で、日本がダントツに進んでいる。しかし、近い将来、日本だけでなく、世界中の多くの国々が、日本同様に少子高齢化に進んでいく。特に、お隣の中国はその進行スピードが著しく、このままいけば将来日本を追い抜くことになる。また、欧米の国々も同様に高齢化が進行していく。現時点でも、たとえば、米国における高齢者の絶対数は、日本よりも多く（日本は、中国、インド、米国に次ぎ世界第4位の高齢者人口※5を誇る）、すでに高齢者というキーワードでは日本よりも課題は先進している。高齢化で意気消沈している余裕は日本にはない。

この先進している社会課題を逆手に取れば、世界全体の未来を先取りしている日本において、いち早く有効に解決策を考え出せるアドバンテージを有していることを意味し、本邦の高齢社会における解決策をビジネス展開し、将来、高齢化を迎える世界に輸出することにより、外貨が稼げる産業に発展していくことができるかもしれない。

また、日本国内でも都市部より、むしろ、地方において、少子高齢化はすでに深刻な問題になっており、私の僻地医療の経験から、日本の地方は世界の未来をいち早く先取りしているともいえる。残念ながら、地方には、若者の流出などが顕著であり、新しいイノベーションを起こす活力が不足しているかもしれない。そこで、たとえば、都市部に集中している若き活気あるイノベーターたちに地方で地方の社会課題を解決してもらったり、その門戸を閉ざすだけでなく世界の若き熱意あるイノベーターたちに日本の地域に来てもらい、デザイン思考、バイオデザイン的アプローチなどを駆使したさまざまなアイデアを出してもらったりと、日本の地方における地域社会課題を解決してもらうのも一つの方法と考える。実際に、2022年夏、米国のカリフォルニア大学ロサンジェルス校の大学生とスタンフォード大学の大学生、計10名がスタンフォードバイオデザインプログラムにおいて研修を積んだ後来日した。彼らには日本の高齢医療の現場に入り込みニーズを探し出し、吟味し、アイデアを出してもらうプロジェクトを試しに施行してみた。このように、よそ者の目で日本の地域課題を見ていただくことにより、日本人では気がつかない視点でニーズをとらえ、解決策を生み出す可能性も十分ある。そして、「日本の地方から世界へ」を合言葉に国境を越えたイノベーターたちのコラボレーションにも期待したい。

壮年よ、大志を抱け！

僻地医療を中心に、日本で地域医療に従事していた医師が、33歳、突然、予期せぬ出会いによりスタンフォード大学に留学しもう20年を超えた。日本を離れてからは患者さんを直接診ることはなくなってしまったが、これを執筆している現在もスタンフォード大学にいながら、イノベーションというキーワードで医療にかかわらせていただいている。高校生のとき、医師になると決意した自分にとっては、この上ない感謝で一杯である。渡米する前までは、まさか、自分がこんな人生を歩むなど夢にも思わなかった。しかし、スタンフォードに世界中から集まっている人たちに囲まれていると、渡米直後の気持ちとなんの変わりもなく、今まさに壮年期の私もまだまだなにか新しいことに挑戦できると普通に、自然に、思ってしまうのである。次の20年は人生の終盤戦である。しかし、心と体が続く限り、年齢に関係なく新しいことに挑戦する人生を歩んでいこうと今、思っている。このように完全に、体に染みついてしまったスタンフォード魂は、もう一生私の体から抜けることはないであろう。壮年よ、大志を抱け！

※1／内閣府平成28年度版高齢社会白書

※2／厚生労働科学研究費補助金「健康寿命における将来予測と生活習慣病対策の費用対効果に関する研究」

※3／https://biodesign.stanford.edu/our-impact/technologies.html

※4／Johnson D, Deterding S, Kuhn KA, Staneva A, Stoyanov S, Hides L. Gamification for health and wellbeing: A systematic review of the literature. Internet Interv. 2016 Nov 2;6:89-106. doi: 10.1016/j.invent.2016.10.002. PMID: 30135818; PMCID: PMC6096297.

※5／https://www.globalnote.jp/post-12685.html

▶ 日本から世界を変えるバイオテックベンチャーを生み出すために。シリコンバレー流・バイオテックベンチャーの創り方

#12

陸（榊原）翔

RIKU SAKAKIBARA, ***Shan***

中国・上海生まれ。8歳で渡日し、小・中・高を日本で過ごす。大学からはマサチューセッツ工科大学に進学し、化学を専攻。マッキンゼー社東京支社勤務を経て、ハーバード大学ケネディ政策大学院にてMPA/ID、スタンフォードビジネススクールにてMBAを取得。クックパッド社米国新規事業立ち上げ責任者を経て、2015年より米国バイオテックベンチャーに身を置く。2019年よりBillionToOne社（遺伝子検査のバイオベンチャー）にてチーフ・プロダクト・オフィサー（CPO）としてプロダクト、マーケティング、メディカル、クリニカル・アフェアーズ（治験）の事業責任者を務める。

スタンフォードで学んだゼロ→イチの醍醐味

2010年2月28日、私ははじめてスタンフォード大学を訪れた。ビジネススクール（スタンフォード大学経営大学院、GSB）の入学予定者を集めて学校を紹介するAdmit Weekendに参加するためだ。当時ハーバードケネディ政策大学院で国際開発を学んでいた私は、ビジネススクールにもあわせて行くべきか大いに悩んでいた※1。大学卒業後、ビジネスコンサルティングの会社に勤め、国連開発計画でのプロジェクトも経験していた私は、漠然と地球規模の社会問題を解決する仕事に就きたいと思っていた。ケネディスクールではじめて学んだ開発経済の授業は大変刺激的で、このままケネディでの修士号を終え、国際機関に就職し、途上国での仕事経験を積みはじめるほうがいいのではないかと心が揺れていたのだ。そんなわけで、GSBでの模擬授業（模擬にもかかわらず宿題が出ていた！）の準備もまったくせず、サンフランシスコに降り立ったのだった。

斜にかまえて聴きはじめた模擬授業は衝撃的だった。ウィリアム・バーネット教授がネットアップ社のケーススタディをカバーする授業だったのだが、私がビジネスコンサルティングで慣れ親しんでいた「ビジネスの常識」とは180度異なる常識がそこでは教えられていたのだ。授業では、ネットアップ社が中小企業向けに出した製品が鳴かず飛ばずだったケースを扱っていた。しかし、想定外にも大企業が関心を示している。「さあ、そんなとき君はどうする？　中小企業向けに売るために雇った人材・組織をキープして、プロダクトを作り替えるか、現行プロダクトをキープして、大企業向け営業を行える組織・人材に変えるか？」

今ある組織をキープしてプロダクトを作り直すだろう、と私は思っていたのだが、ネットアップ社は後者を選んだ。組織の半分以上をリストラし、大企業向けの戦略に舵を切り、大成功を収めたのだ。創業期の企業の場合、もっているコアテクノロジーがすべての財産なのだ、「カスタマーイン」(顧客がほしいものを作る)のアプローチでは勝てない、「プロダクトアウト」(もっている技術資産を世に出し、それをほしがっている顧客・市場を探す)で勝つのだ。組織や人を全取り換えするほうが、プロダクトを作り直すよりも正しい場面があるというのが当時の私にはたいへんな衝撃だった。

同時に、「プロダクトマーケットフィット」(自社の製品が提供する価値と、ユーザーが喉から手が出るほどほしがっているニーズが合致し、売る努力をせずとも製品が売れるようになっている状態)を達成した新興企業がいかに早く大きくなるのかという事実にも衝撃を受けた。2010年当時でもGoogleの年間売上は$29 Billion(約4.3兆円)、時価総額は$300 Billion(約44兆円)を超えていた。2010年当時のギリシャのGDPは$297 Billion、エジプトのGDPは$230 Billionだ。2010年の夏、私はヨルダンで夏のインターンシップをしたのだが、ヨルダンの2010年のGDP は$27 Billion、Googleの売上以下だ。Googleは1998年創業。たった12年で小国のGDPを超える額を売上げ、中産国のGDPをゆうに超える時価総額の企業が創られている。また、たった12年で世界の隅々の人々の生活を変える製品が生み出され、広がっている。そういった企業がスタンフォード大学を中心とするシリコンバレーで次から次へと生み出されている。そして、どうやらこの地では、東京とも(ケネディスクールがある)ボストンとも違う常識で物事が行われているらしい。社会問題を解決する仕事をするにしてもこのスピードでゼロから地球規模のインパクトを与える企業を多数生み出しているこの地で人生の何年間を過ごすことはビジネススクールでの学びをすべて抜きにしてもとても価値のあることなのではないか。そんなことを考え、私はスタンフォードビジネススクールに入学することを決めた。そして、その決断は私の人生を大きく変え、2022年の今日に至るまで、私はシリコンバレーで働くことになったのだ。

バイオテックベンチャーの「テック」化

スタンフォード卒業から10年、私はインターネット事業会社での新規事業立ち上げの経験を経て、バイオテックのベンチャーに身を置いている。なぜ途上国で社会問題を解決するソーシャルビジネスをやりたいと思っていた私がシリコンバレーに残ってしまったのか、いまだに当時の決断に首をかしげるのだが、それほどにもシリコンバレーの地がもつ「アントレプレナーシップ熱」の感染力が強かったのだと思う。ビジネススクールにいたころ、よく同級生と「アントレプレナーシップ」はウイルスのようなものだ、と話していた。毎週のようにYouTubeやらCiscoやら名だたるサービス・企業を作った創業者がキャンパスを訪れ、自分たちがどのように倒産の危機を乗り越え世界を変える事業を創り上げたかを話し、まわりの同級生たちの多くが起業準備をしている環境に身を置いていると、スタートアップの創業以上に社会にインパクトを与えられる道はないのではないかという気分になってくるのだ。たとえ失敗しても新しい事業をゼロから生み出すことが一番かっこいいという社会的価値観は当時シリコンバレー特有の空気感だった。その空気感に感染し、スタートアップの世界に飛び込んだ人は、一般的な環境でもベンチャーを志した人数に比べたら10倍以上はいたのではないかと思う。私もその一人だ。2022年の今はその空気感が東京を含めた他の地でも広がっていて、個人的には非常に喜ばしいことだと思う。

さて、バイオテックベンチャー※2とそれを取り囲む事業環境はこの20年で目覚ましい進化を遂げている。第一にバイオテクノロジーの学術分野そのものがおそろしいペースで進化している。1990年から13年がかりでヒトゲノムの全遺伝子配列のマッピングが終了したのが2003年。そこから10年(2003〜2013年)で、遺伝支配列のシークエンスコストは1万分の1※3となり、CRISPR(クリスパー)法を使ったゲノム編集技術、新型コロナウイルスワクチン開発の基幹となるmRNA(メッセンジャーRNA)の修飾技術などが開発された。これにコンピューターの演算能力の劇的な向上、機械学習、特に深層学習の劇的な進化が加わり、分子生物学の研究・開発のパラダイムは何層にも何次元にも変化した。

加えて、産業を取り囲むエコシステムも劇的に進化した。たとえば、2023年現在、抽出したDNAの遺伝子配列を知りたいと思った場合、遺伝子シークエンスサービスを提供している受託会社にサンプルを出せば1〜2日でシークエンス結果を返してくれる。それがヒトの全ゲノム配列※4であってもだ。今、米国の最先端の小児病院では先天異常が見つかった新生児の全エクソーム解析(通常、父親・母親・子どもの3人分の全エクソーム解析を行って差分を見つけるので膨大な解析量となる)を生まれたその日のうちに行い、病気を特定し、生後24時間以内に治療を開始するといったことが行われはじめている。学会でケースが発表されはじめている段階なので、一般化しているとはいえないが、20年前までは解析に何年もかかっていたことが24時間以内に医療現場で利用可能なレベルの解析ができるところまできているのだ。DNAの合成も外注で簡単にできる。たとえば、今

「DNA oligo synthesis」とGoogleで検索すると「DNA synthesis from $0.07/bp」といった広告が出てくる。1塩基配列あたり7セント(約10円)でDNA合成ができる時代なのだ。タンパク質の合成、細胞株の作製などはもう少し制約も出てくるが一般化したものであれば外注できる。半導体産業ではファブレスと呼ばれるビジネス形態が一般化している。具体的には半導体製品の企画・設計・開発は行うが、自社工場は所有せず製造自体は外部に委託し、製品はOEM (Original equipment manufacturer) 供給を受けるモデルだ。バイオテクノロジーでも今や「ファブレス」でかなりのことができる。創薬の世界では、以前からCRO (Contract research organization、医薬品開発受託機関) に前臨床から臨床試験 (治験) までほぼすべての工程を「外注」できた。ただ、一件一件の外注案件は最低数億円からときには数百億円までにも及び、何カ月にもわたる要件定義と契約交渉を経てはじめて外注が成立する世界だった。それが、バイオベンチャーの裾野が広がったことで、徐々に小規模の案件でも外注できるようになり、最近では、ECサイトで買い物をす

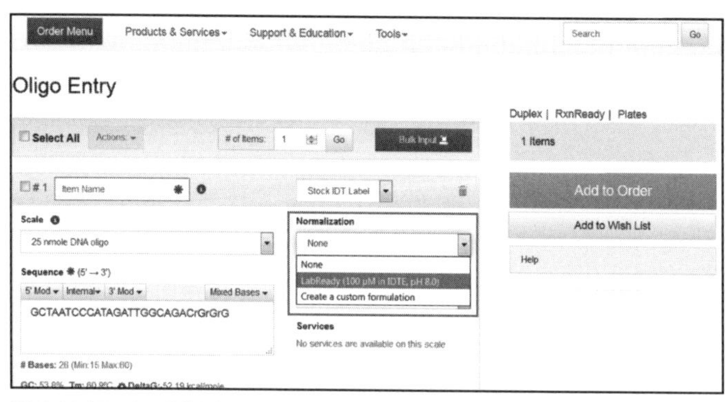

【図1】オリゴDNA(200塩基程度までの短いDNA配列)合成の注文サイトの例(IDTのウェブサイトより)。オンラインで注文が完結する

るような手軽さで1サンプル単位でも外注できるようになっている【図1】。

コンシューマーテクノロジー（コンシューマーインターネット）の世界では、もともと銀行の勘定系システムなど、ごく一部の大企業とシステムベンダーにしか構築することができなかったオンラインシステムが、インターネットの登場によって一般に民主化された。さらにここ10年で、自分でプログラミングできなくてもオンラインサービスを利用することで、ECサイトを開設したり（Shopifyなど）、データベースを作成したり（Airtableなど）す

【図2】コンシューマーテック（コンシューマーインターネット）業界とバイオテック業界の「外注」の歴史の比較

案件1件あたりの額	かかる時間	コンシューマーテック	バイオテック
数億円	数年	1960年代〜 システムベンダーにシステムを外注する	1950年代〜 CROに臨床前試験を外注する
↓	↓	↓	↓
数百万円	数ヵ月	2000年代〜 中小企業がIT会社にシステム・ウェブサイト作成を外注する	2010年代〜 バイオテックベンチャーが他のバイオテックベンチャーに案件を外注する
↓	↓	↓	↓
数万円	数日	2010年代〜 オンラインサービスを利用してITニーズが満たせる（ECサイト開設等）	2020年代〜 オンラインで注文が完結する

ることができるようになってきている。バイオテクノロジーの世界でも、さまざまなサブ領域で、同じレベルでの民主化が進んでいる【図2】。

より具体的にバイオテックの「テック」化の例を見てみよう。

Software-as-a-service（SaaS）という言葉をご存じだろうか。従来はソフトウェアパッケージを買ってPCにインストールして使っていたものから、インターネット経由でクラウドにあるソフトウェアにアクセスして月額利用料金を払って（もしくは無料で）利用できる仕組みのことで、今やほとんどのソフトウェアがSaaSに移行している[※5]。同じコンセプトでLab-as-a-service（LaaS）を提供しようとしているスタートアップがある。Emerald Cloud Lab（ECL）社だ。バイオテックのR&D（Research & Development）開発の現場は今も昔もラボ（実験室）だ。ほとんどの大学の研究室と企業のR＆Dラボでは、実験規模が小さいため、手動で実験を行っている。実験ボリュームが上がれば【図3】左側の写真にあるようなピペット作業を自動化する機械（リキッドハンドラー）から試薬のプレートを移動する機械まで全工程の自動化が可能だ。もちろん大学研究室では（そしてほとんどの企業の研究室でも）そんなボリュームは出ないので手動で実験している。しかし、ECL社はそんな実験工程を研究者が実験プロトコルのコマンドラインを書くことで、ECLの自動ラボが動いて実験を済ませ、結果を返してくれるサービスを提供している【図4】。実験プロトコルを書けばロボットが実験をやってくれて結果を返してくれる夢のような世界が、それが大学の研究者にもアクセスできる時代がやってきているのだ。もちろん現実的には、ここに外注できないタイプの実験もたくさんあるし、いまだに研究者の「職人技」が差分となる研究分野も多々あるので、LaaSが一般化するのかはまだわからない。日々仕事で自動化ロボットのメンテナンスがいかに大変かを知っている身としては夢の世界はそうスムーズにいかないだろうという予想もつく。が、確実な流れとしてすぐれた実験プロトコルをデザインすればだれかが実験をやってくれる世

【図3】一般的な実験室での実験の様子とEmerald Cloud Lab社のラボの比較

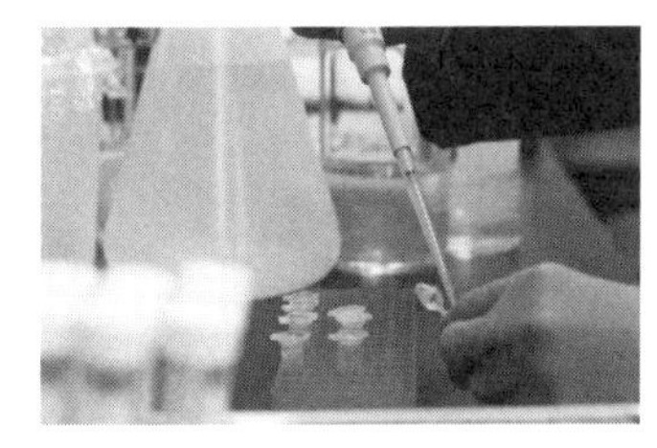

一般的な実験の様子

Emerald Cloud Lab社の自動ラボの様子

【図4】ECL社の工程フロー

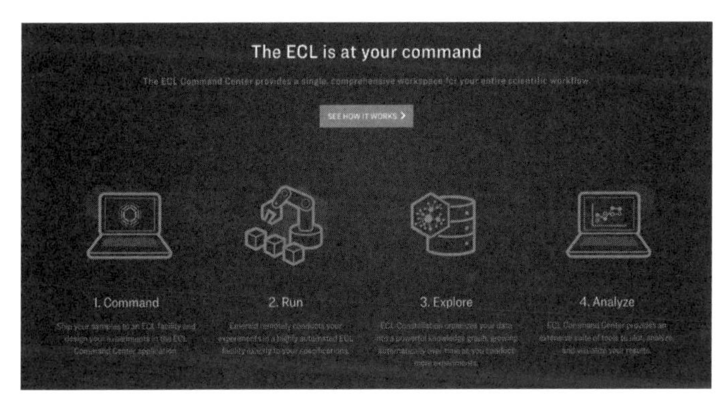

出所：ECL社ウェブサイトより

界はどんどん近づいてきている。

ロボットがやってくれるわけではないが、「だれか」がやってくれる世界を提供してくれるサービスとしてScience Exchange社が

ある。タグラインは“#1 Marketplace for R&D Outsourcing”。マーケットプレイスという名の通り、実験サービスの「売ります買います」の仲介をしてくれるサービスだ。最近はサービスのフォーカスが大企業向けに移行してユーザーインターフェースが変わってしまったが、2〜3年前までは、フリマアプリや楽天市場のウェブサイトのごとく、大学の一研究室から中小企業・大企業に至るまで、さまざまなプレイヤーがバイオのサービスをこの値段で売りますよと掲載し、売り手に連絡を取ってサービスを買うことができるサイトだった。バイオ系の実験装置は大変高価なものが多いが、大学で導入しても稼働率が100%でないことが多い。高価な装置と専属テクニシャンの時間を持て余すくらいなら、ほかの大学機関・民間企業から実験を請け負ったほうが割に合うし、もちろん装置をもってない研究者は一回あたり高い単価を払っても使わせてほしい。以前から研究者同士でこのような融通は行われていたが、Science Exchange社はその仲介サービスを作ったことで、マッチングの効率を劇的に上げた。

私が所属するBillionToOne社では、コロナパンデミックがはじまったとき、6週間でコロナ検査のサービスをローンチした。そのローンチは上述のDNAシークエンシング、オリゴDNA合成サービス、Science Exchangeの仲介サービスなしにはとても成し遂げられなかった。弊社だけでなく、数多あるバイオテック企業がコロナ検査サービスを数カ月のうちにローンチできたのは、こうしたエコシステムのおかげと言っても過言ではない。こうした流れは創薬の世界にも広がっている。たとえば、2018年創業のAzora Therapeuticsは創薬ベンチャーにもかかわらず、実験室をもたず、すべての実験を外注している。ファブレスバイオテックのベンチャーは確実に増えている。加えて、このパンデミックで従来10年以上かかるワクチンの開発・治験・認可・製造が2年以下で成し遂げられたことは、バイオテックの技術がどれだけ進歩したか、またそれを取り囲むエコシステムがどれだけ進化したかを如実に物語っている。

バイオテックを取り巻くVCの「テック」化

バイオテックを取り囲むエコシステムの進化にともない、ベンチャーキャピタル（VC）の形態も変化してきている。特にここ数年は従来テック企業の投資を得意としてきたVCのバイオテックの進出が加速している。

大学の研究室で開発された知財にベンチャーキャピタリストが資金をつけ、バイオテクノロジーのベンチャーを興す流れは何十年も前からあった。たとえば、バイオテックの祖ともいえるジェネンテック社は1976年、カリフォルニア大学サンフランシスコ校の助教授で組み換えDNAをプラスミドに組み込んで発現させる技術を開発したハーバート・ボイヤーとベンチャーキャピタリストのロバート・スワントンが共同創業した。遺伝子シークエンサー市場を寡占しているイルミナ社はベンチャーキャピタリストのラリー・ボック、ジョン・シュテゥルプルナーゲルが、サイエンティストの共同創業者を集め、タフツ大学から知財をライセンスして1998年に会社を興した。

2000年初頭まで、バイオテクノロジーの会社創業には、アイデアの実現可能性をたしかめるのに10億～20億円を超える初期投資が必要になることが多かった※6。自社でラボスペースを借り、人を雇い、何年もの実験を通じてはじめて、構想したアイデアが現実のものとなるのかがたしかめられるのだ。この初期ステージでの失敗率は高く、ハイリスクローリターンな投資になることも多かった。

そこから、上述の通り研究開発のさまざまなステップをアウトソースできるオプションが広がり、コアとなる技術の実現可能性の見極めまでを1億〜数億円でできるようになってきた※7。そして、ベンチャーキャピタルがさまざまな技術シーズと医療現場でのアンメットニーズを目利きして選定し、ベンチャー内で同時に数十のアイデアをインキュベートしながら、技術ハードルをクリアしたアイデアにCEOをはじめとする経営人材と資金をつけて大きな会社にする「ベンチャークリエーションモデル」が台頭してきた※8。

2006年創業の癌領域の診断薬を開発・販売するバイオテックベンチャーVeracyte社の例を見てみよう。KPCB、Versant Ventures、TPGのベンチャーキャピタル3社が、診断のアンメットニーズが高い医療領域を洗い出し、そのエリアでの問題解決が得意そうな幹部を集めて会社を興した。2006年創業時のシリーズAのファンディング総額は30万ドル（約4000万円）※9。2010年に2800万ドル（約38億円）のシリーズBファンディングを得るまではチームも最小限で技術検証を行っていたのではないかと思う。Veracyteは2013年にナスダックに上場し、2022年の今は売上2.5億ドル（約330億円）を超える規模に成長している。

ベンチャークリエーションモデルで近頃もっとも有名な例はFlagship Pioneering社がインキュベートしたモデルナ社だろう。Flagship Pioneering社は1999年に創業されたベンチャーキャピタルで、バイオテックのベンチャークリエーションモデルに特化している。これまで創業した会社は100社以上※10。毎年50〜100のアイデアを検討し※11、6〜8社を法人化してインキュベートしている※12。モデルナ社は、mRNAの装飾編集技術を開発した分子生物学者のデリック・ロッシがFlagship Pioneering社と大御所研究者数名※13から投資を受けて2010年に共同創業した。創業時からFlagshipが最大株主。会社を2年のうちにユニコーン(時価総額が10億ドルを超える会社)に育て、2018年にバイオテックで過去最大の上場調達額を記録して上場させた。その後、モデルナ社はCOVID-19ワクチンを記録的スピードで開発し上市させ、世界で最も知名度の高いバイオテック企業の一つとなっている。

そんなベンチャークリエーションモデルには欠点もある。起業家にとっておそらく一番の留意点は株式構成だ。IT系ベンチャーは創業者が会社のコントロール権をもち、資金調達ラウンドごとに2〜3割の株式をVCに「売って」資金調達をしていくケースが多い。結果、うまくいっているベンチャーは株式公開時点でも、創業チームが数割を超える株式をもっているケースがままある(たとえば、Facebookの株式公開後、マーク・ザッカーバーグは全体株式の22%、議決権のある株式では57%の株をもっていた)。バイオテックでは、そういったケースはきわめて稀だ。ベンチャークリエーションモデルの場合、上述のモデルナがそうだったように、創業時点でVCが共同創業者に名を連ね、株式の過半数(つまり会社のコントロール権)をもっていることが多い。つまり、自分のアイデアで起業したとしても、最初から自分の会社からクビにされるリスクがあるのだ。また、ベンチャーがもつネットワーク内で技術の目利きをし、創業時の幹部を集めて会社を興す形を取るため、そのネットワーク内に入っていないと資金調達が受けづらいという話も聞く。主に白人の男性によってのみ構成される人間関係が存在し、非公式な集まり(ゴルフ、バーなど)で重要事項の決定が行われ、それ以外の人が入り込む余地が少ないさまを、英語でBoys' Club(ボーイズクラブ)という。バイオテックはジュニア・ミドル層では女性・非白人が多く活躍しているが、いまだに会社のトップ層はボーイズクラブであることが多い。ベンチャークリエーションモデルはこのボーイズクラブ内で資金と人材がまわることも多く、多様性を阻害しているともいわれる。

そんななか、2010年代後半から、「古い」ベンチャークリエーションモデルに風穴を開けるべく、テック系VCが参入しはじめた。たとえばシリコンバレーにあるトップVCであるアンドリーセン・ホロウィッツ（A16z）社はテック系の投資に加えて、2016年にバイオに特化したバイオファンドを創設し、バイオテック投資で急速にプレゼンスを増している。テック企業のシードアクセラレーターとして知られるYコンビネータ（YC）社は2014年にはじめてバイオテックベンチャーへの投資を行ったが、今やどの投資家・VCよりも多くのバイオテックスタートアップに毎年出資を行っている[※14]。A16zやYCの投資仮説はざっくりいえばこうだ。バイオテックを取り囲むエコシステムの劇的な進歩によって、創業期の仮説検証コストが大幅に下がっている。テック企業がVC主導のベンチャークリエーションモデルから起業家主導のリーンスタートアップモデルにシフトしていったように、バイオテックもリーンスタートアップモデルで創業・拡大できる時代になった。つまりテックの方程式がバイオテックにも当てはまるようになったのだ、と。

たとえば、YCの2019年のブログ[※15]では、バイオテックを取り囲むアウトソース環境がいかに充実してきているかを、具体的なYC企業の事例を交えて説明している。YCの3カ月のアクセラレーター期間中にYCから提供されるシードマネーの15万ドル（約2000万円）を使って新しい化学療法のメカニズムの優位性を乳がんのマウスモデルで示したShasqi社、大学在学中に自宅でできる血液検査装置を4万ドル（約550万円）で作ってしまったAthelas社（その後FDAの医療機器承認が下りている）など、目を見張るような事例が紹介されている。A16zのジェネラルパートナーのジョージ・カンディも、2019年のテッククランチへの寄稿※16で、バイオテック創業がVC主導で創られる時代（“Born and bred in captivity”——囚われの身として生まれ育つ）から、サイエンティスト主導の創業（Born in the wild——野生生まれ）に変わりつつある様子を説明している。

このあたりのトレンドは、私自身の肌感覚とも一致している。もちろんまだまだ資金・人的ネットワーク豊富なVC主導でクリエイトしたほうがうまくいくバイオテック領域もあるが、若手研究者・大学院生・大学生が実験ベンチの一角から世界を変えるバイオテックベンチャーを創り上げられる可能性はどんどん広がってきている。

バイオテックベンチャー経営の「テック」化——BillionToOne社での事例

私が働いているBillionToOne社はまさに若手研究者がベンチの一角から立ち上げたバイオテックベンチャーだ。2016年、まだPhD在籍中だった創業メンバーたち（大学学部の同級生同士）はバイオテックベンチャーを立ち上げようと決める。創業の際、遺伝子業界のトレンドを徹底的に調べ、どの領域だったら自分たちでも技術的イノベーションを起こせるかを必死に考えたそうだ。そして、近所のハッカーラボの一角を借り、最初の実験をはじめた（Biocuriousというガレージ工作並みの簡単な実験ができるスペースを提供しているNPO団体で、創業者いわく、高校の実験室のようなところにちょっとあやしげなオタクが集うような場所だったそうだ)。そうまでして大学外に場所が必要だったのは知財の関係からだ。大学の設備を少しでも使うと大学側に知財権が発生してしまう。

Biocuriousで超初期的な実験をする傍ら、創業メンバーたちは前述のYコンビネータ(YC)主催の起業スクール(Startup School)に参加。そして翌年、YCのインキュベーションプログラムに選ばれる。YCのプログラムでは、3カ月でリーンスタートアップの手法・価値観を叩き込まれる。シードステージのベンチャーの場合、会社のプロダクトが本当に顧客が欲してやまないものなのかどうか(プロダクト・マーケット・フィット=PMFが達成されているかどうか)は、まだ確証が得られていない場合がほとんどだ。このフェーズ(PMF前のフェーズ)の場合、プロダクトの完成度が低くても、なるべく早くリリースしてとにかくユーザーに使ってもらい、試行錯誤を繰り返しながら何度もプロダクトを作り直してPMFにもっていくのが会社の唯一無二のフォーカスとなる。YCでは、毎週のメンタリングセッションで、先週と比べて新しく仮説検証できたことはなにか、なにもなかったらなぜなのかを徹底的に詰められる。バイオテックの場合、ユーザーのニーズ以前に「そのプロダクトは技術的に作れるのか」が検証できていないこともままあるため、その場合は技術的な一番のリスクはなにか、どうやったらそのリスクを潰せるのか、どうやったら1週間でその検証ができるかを聞かれ、やはり毎週のように詰められる。

YCに参加すると15万ドル(約2000万円)のシードマネーも出資してもらえる(2017年当時※17)。その資金で創業メンバーはスタンフォード関連のStartXというやはりスタートアップのインキュベーションを行う団体が提供するバイオテックベンチャー向

BillionToOne社の今の検査ラボの風景

けのラボスペース※18を借りた。StartXにベンチをもっていると、スタンフォード大学・UCSF（カリフォルニア大学サンフランシスコ校）がもつ大型装置の設備も（知財の弊害なく）借りられるようになる。YCのプレッシャーと、こういったベンチャー向けのインキュベーション施設の充実に助けられて、創業メンバーは期間中の3カ月で患者から血液サンプルを集めユーザー検証と実験を繰り返し、遺伝子検査薬の対象マーケットを決め、コア技術開発を行い、シード資金の調達を行ったのだ。

YC参加から5年を経た今、弊社は数百人規模の会社に成長したが、その間もテック企業のように事業運営をし、資金調達を行ってきている。弊社は遺伝子検査ベースの対外診断薬を開発し医師向けに提供している。もともと製品開発サイクルの早い業界ではあるが、プロダクト開発の際には今一番のリスクがなにで、どうしたらそれを最短期間で検証しリスクを潰せるかを意識して開発を行い、なるべく早く顧客に出してニーズ検証ができるように尽力している（著者はBillionToOne社でプロダクト開発・マーケティング・メディカル部門を率いている）。新しい顧客マーケットでのプロダクト開発の際には、特に顧客ニーズ・

マーケット側のリスクが高いため、意図的にコアチームの人数を絞り、すばやくPMFの検証サイクルがまわせるように気を配っている。

またビジネスモデルの側面からは、なるべく早く上市できる（＝医師に使ってもらえる）ルートを選ぶ※19だけでなく、なるべく早く健康保険適用の認可が下りるプロダクト領域を選び、上市から保険償還が下りはじめ、売上が立ちはじめるまでの期間が最小になるように考えてプロダクト要件を決めている（この辺りの工夫はYCのブログでも紹介されている※20）。売上ゼロが何年も続く（ときには上場後も何年も続く）ことが当たり前にあるバイオテックの世界では、実は弊社のように創業数年で売上が立っている会社は比較的めずらしい。これも、事業価値の検証はユーザーからお金を取ってはじめてわかるという、YCの強い価値観から影響を受けている。

資金調達についてもテック系企業のお作法にのっとり、マイルストーンを達成するごとに資金調達を行い、会社の経営権を維持できる形での拡大を行ってきている。たとえば、シード資金を調達した後は、製品の上市準備ができるまでは採用を最低限に抑え、資金調達も行わなかった（私が入社したのはシリーズA直前だが、その時点で社員は創業メンバーを除くとR＆D部門の3人のみだった）。オフィスも当時はStartXのコワーキングスペース（実験ベンチ付き）に入居し、コストを抑えていた。その後上市直前にシリーズAの資金調査を行い、上市後に売上の数字が立ちはじめてから、自社検査ラボの拡大を行うためにシリーズB調達を行った。こうした資金調達のやり方は従来のバイオテックでは難しかった。売上が立つまでに必要な年数と資金が格段にかかっていたからだ。それがエコシステムの大幅な充実によって、よりリーンな態勢（少ない人員と資金）でマイルストーンを達成できるようになってきている。前述のテックVCの見立て通り、テック企業のリーンスタートアップ的手法でバイオテックが経営できる時代になってきているのだ。

日本でバイオベンチャーエコシステムを作るために

弊社の例を紹介したのは、日本の大学・大学院に通う若手研究者からもこのようなバイオテックベンチャーが十分生まれうるのではないかと思っているからだ。そして、ぜひとも生まれてきてほしいと切に願っている。

弊社の成長がシリコンバレーにあるバイオテックベンチャーを取り囲むエコシステムに大いに助けられたのは間違いない。StartXのような研究設備を併設したインキュベーションハブ、技術はあってもビジネスを運営したことがない創業者を育てるYCのようなインキュベーション環境、あらゆる実験工程をアウトソースできるエコシステムの環境。このどれが欠けても弊社の成長はあり得なかった。

日本は、バイオテクノロジーの領域でも米国に水をあけられてしまったと批判されているが、私はまだ十分に勝負できると思っている。YCが誕生したのは2005年、StartXは2011年。今や世界的に有名なインキュベーターも誕生したのは十数年前だ。米国で一番のバイオテックベンチャーのハブだといわれるボストンも、2000年初頭に私が大学生として滞在していたころは、まだまだバイオテックベンチャーの数が少なかった。まだシリコンバレーに比べて、ハードな環境（インキュベーター・施設・関連アウトソース先の産業クラスターの存在など）も、ソフトな環境（ベンチャーを後押しする空気・文化のようなもの）も見劣りしていた。今やボストンには大小のバイオテック企業が立ち並び、街並みも様変わりした。たった15年でシリコンバレーを超えてNo.1のバイオテックのハブになった。一度好循環がまわりはじめると、成長は文字通り加速度的に進むのだ。

そして、日本でそんなバイオテックベンチャーのエコシステムを作るのに、上述のさまざまな「テック」化のトレンドが参考になるのではないかと思っている。テック系VCのもう一つの特徴には、会社のCEOは外部からではなく創業陣を経営者として育て、サポートしつづけるというものがある※21。会社創業期から経験あるCEOを連れてきて経営をさせることが多いベンチャークリエーションモデルと違い、技術者・サイエンティストの創業メンバーにリーンスタートアップ的手法を教え、経営者に育てるのだ。リーンスタートアップ・YCの登場によって、スタートアップ経営はある程度体系だって学べるものになった。実際、弊社のCEOは大学院生からひとっ飛びにCEOになったけれど、類稀なる名経営者だと思う。日本の大学で切磋琢磨する大学院生が米国の大学院生に比べて著しく経営者ポテンシャルが低いとは私には思えない（強いていうなら、英語ができないのはたいへんに不利なので英語はぜひがんばってほしい）。日本でも、才能と野心あふれる若者がゼロからバイオテックベンチャーをはじめられるようなハード面（実験設備、インキュベーション施設、資金調達環境など）、ソフト面（一介の大学生・大学院生でもバイオテックのベンチャーがはじめられるのだという気運とスキル面でのサポート）の環境が整ってくることを切に願ってやまない。

バイオテックベンチャーを興すのに、そもそも構造的に若者は有利なのだ。BillionToOne社の創業メンバーが大学院に入学したのは2011年。イルミナ社の小型シークエンサーMiSeqが発売された年だ。MiSeqはエントリーモデルのシークエンサーで、1回に解析できる塩基配列数は少ないが、機械の導入コストが他のモデルに比べて安い（1台十数万ドル）。Miseq発売後から大学の研究室でも遺伝子シークエンサーを自分のラボでもてるようになった。創業メンバーはそんなラボで一番雑用をやる大学院生として、一番身近にシークエンサーに触れ、遺伝子検査の最先端のノウハウを習得したのだ。バイオテクノロジーのように技術が日々進歩している領域でイノベーションを起こすには、実際に機械に触れ、実験している若者が有利なのである。

2022年の大学研究室では、遺伝子シークエンスはもちろんのこと、CRISPRの遺伝子編集技術も当たり前に使われている。その最先端に毎日触れている大学生・大学院生だけが知っているバイオテックの応用領域はますます広がっている。この本を読んでいるあなたが、研究室のベンチの一角から世界を変える次のバイオテックベンチャーを創ってくれますように。そんな願いを込めて本章の終わりにしたいと思う。

※ 1 ／スタンフォードビジネススクールはいくつかの大学院プログラムとジョイントで学位が取れるプログラムをオファーしている。スタンフォード大学内では、ロースクール、メディカルスクール、公共政策、教育大学院、コンピューターサイエンス、電子工学、環境工学（E-IPER）とのジョイント学位が取得できる。また他大学とのジョイント学位も提供しており、ハーバードケネディ政策大学院との提携がその一例だ。ジョイントプログラムの場合、二つの修士号を別々に取得するよりも1年短縮して双方の学位を取得できる。たとえば、ビジネススクール（MBA）と政策大学院（MPA）の場合、2年＋2年＝4年かかるところを3年で両学位を取得できるというわけだ。私が在籍していたころ、約1割の学生が何らかのジョイント学位を取得していた。

※ 2 ／バイオテックベンチャーと一口に言っても、そこには創薬、新素材開発から大学研究室向けの実験装置に至るまでさまざまなビジネスが含まれる。それぞれのビジネスセグメントによってコアの事業リスクは異なるし、スケールの仕方もまったく異なる。ここでは分子生物学にまつわるテクノロジーを利用した事業全般をバイオテクノロジーと定義する。そこにはコンピューターモデル・AIのみに特化した創薬ベンチャーなども含まれる。ただAIで創薬ターゲットのスクリーニングをする会社と実際の創薬を行う会社ではまったく事業形態が異なるし、必要とされる資金の桁が違うことは留意しておきたい。

※ 3 ／https://www.genome.gov/about-genomics/fact-sheets/DNA-Sequencing-Costs-Data

※ 4 ／ヒトの全塩基配列は約32億塩基（重複した染色体を除いた場合）。ヒトゲノムプロジェクトでは全解析に13年かかった。

※ 5 ／マイクロソフトオフィスに代表される文章作成・表計算ソフトウェア、アドビに代表されるクリエイティブソフトウェア、会計ソフトウェアなど、どれをとっても今はオンラインで月額料金を払って（もしくはグーグルスプレッドシートなど無料サービスとして）アクセスしているケースがほとんどだ。

※ 6 ／https://lifescivc.com/2019/08/the-creation-of-biotech-startups-evolution-not-revolution/

※ 7 ／https://lifescivc.com/2019/08/the-creation-of-biotech-startups-evolution-not-revolution/

※ 8 ／https://rapport.bio/all-stories/venture-capital-evolved-to-venture-creation-stay-that-way

※ 9 ／crunchbase.com

※ 10 ／https://www.flagshippioneering.com/about

※11／https://rapport.bio/all-stories/venture-capital-evolved-to-venture-creation-stay-that-way

※12／https://www.flagshippioneering.com/about

※13／モデルナ社の共同創業者兼投資メンバーは、ハーバード大学のティモシー・シュプリンガー教授、ボブ・ランガー教授、Harvard Stem Cell Institute のディレクターだった ケネス・チエン教授と名だたる顔ぶれだ

※14／https://www.ycombinator.com/biotech/

※15／https://www.ycombinator.com/blog/how-biotech-startup-funding-will-change-in-the-next-10-years/

※16／https://techcrunch.com/2019/08/09/biotech-researchers-venture-into-the-wild-to-start-their-own-business/

※17／YC は 2022 年 1 月に上限 50 万ドルまでの出資をする新しいディールストラクチャーを発表した。

※18／https://startx.com/Lab/details

※19／たとえばアメリカの場合、自前で CLIA ライセンスをもつ検査ラボを所有し検査薬を提供する場合、FDA の認可を取ることなく上市でき、上市までの期間を年単位で縮めることができる

※20／https://www.ycombinator.com/blog/how-to-start-a-biotech-company-on-a-budget

※21／2010 年ごろまではテック VC も早い段階から経験ある CEO を外部から連れてくることが多かったが、YC・リーンスタートアップが台頭し、スタートアップ経営のスキルがある程度体系だって習得できるようになったのと、CEO がそのまま経営した会社のほうが結果として巨大テック企業に成長することが多かったことからトレンドが変わった

社会変革に取り組むリーダー育成の最前線

#13

松田悠介

MATSUDA *Yusuke*

大学を卒業後、体育教師として中学校に勤務。その後、千葉県市川市教育委員会 教育政策課分析官を経て、ハーバード教育大学院へ進学し、修士号を取得。卒業後、PwC Japanを経て、2010年に日本国内の教育格差解決に取り組むLearning For AllやTeach For Japan を立ち上げ、2016年6月にCEOを退任。2018年6月にはスタンフォードビジネススクールで修士号を取得。2018年7月にスタンフォード大学の客員研究員に着任し、海外進学塾のCrimson Educationやインターナショナルスクールのcrimson Global Academyの日本代表に就任する。文部科学省の中央教育審議会や内閣府の総合科学技術イノベーション会議のWG委員を務める。日経ビジネス「今年の主役100人」(2014)に選出。著書に『グーグル、ディズニーよりも働きたい「教室」』(ダイヤモンド社・2013年)。

2016年、スタンフォード大学のキャンパスにはじめて足を踏み入れた瞬間、この大学に惚れ込んだ。気候や環境はもちろんのことながら、キャンパスで学んでいる学生のエネルギーに圧倒された。これまでに感じたことのないエネルギーを感じたのだ。キャンパス訪問2日目、キャンパス内のカフェで少し休憩していたら、聞こえてくる会話に驚いた。

A「すんげーこと考えちゃった!!」
B「何よ?」
A「やっぱ、味覚って遺伝子解析によってある程度把握できると思うんだよね。その遺伝子データを基に、味覚に合うワインのサブスクリプション(定期購買)サービスを作ったらおもしろいと思うんだ」
B「いいね! いいね! お前ワイン好きだもんな!」

その後、すぐにビジネスプランを描きはじめた2人を見ながら、この躍動感を羨ましく感じたことを覚えている。「スタンフォードって、きっとこういう場所なんだろうな」と思った。Feasibility(実現可能性)やどれくらいビジネスになるかはわからない。それでも、ちょっとした発想や夢を語り、それを応援してくれる仲間がいる。すぐに実行に移し、その結果、失敗もすれば成功もする。失敗してもその過程で成長があり、また次のチャレンジに挑む。新しいアイデアを発想し、それを応援し、チャレンジする環境がここにあるのだと知った。とはいえ、その1年後に入学が決まっていた私は、新しいチャレンジをするため渡米しようと考えていたわけではなかった。今回の留学は、自分のこれまでの人生やリーダーシップ体験を棚卸しして、立ち止まって内省し、前にまた一歩踏み出せるようにする機会にしたかったのである。本気でチャレンジしている人たちが集まるこの場所だからこそ、深いレベルで内省ができると思っていたのだ。

私はこれまで三度の海外進学を実現している。1回目がハーバード教育大学院、2回目がスタンフォードビジネススクール、そして3回目がコロンビア大学院である。この3回の留学のなかではスタンフォードでの留学体験が一番私の人生にインパクトがあったと断言できる。無論、一度目のハーバードの留学は自分の人生のステージを変えるきっかけとなったことを考えればインパクトはとても大きかったが、私の人間的な成長を促したのはスタンフォードでの留学体験だったといえる。本章では、私がなぜスタンフォードを留学先として選んだのか、そして2年間を通して得た学びについて紹介したい。

社会起業家としての挑戦と限界

私は現在、Crimson Education Japanという海外進学塾の日本代表を務めており、Crimson Global Academyというオンラインのインターナショナルスクールも運営している。ほかにも文部科学省中央教育審議会の教員養成部会委員や、一般社団法人「教師の日」普及委員会代表理事、Water Dragon財団の日本代表なども兼任していて、六つのNPO法人の理事も務めている。一貫しているのは、教育と、その変革に携わってきたこと。現在の日本の教育にはたくさんの課題があり、私はそれを少しでも良い方向へ変えていきたいと考えている。

教育に対する思いが芽生えたのは中高生のころからだ。中学校のとき、壮絶ないじめを経験した私は当時自殺まで考えたこともある。そのとき、救ってくれたのが恩師の松野先生だ。松野先生に恩返しがしたいという思いで大学卒業後に体育教師としてのキャリアを歩みはじめる。自分でいうのもなんだが、生徒に人気があり、生徒との信頼関係を築くことを強みにしていた。激務ではあったものの、やりがいがあって、「ぼくはこの仕事を一生続けられる」と思っていた。ただそんな教師としてのキャリアも2年で一区切りすることとなった。ある日、たまたま日本史の授業をのぞいてみると、学級崩壊した授業を目にすることとなる。授業中だというのに勝手に歩きまわる者、弁当を食べている者、携帯電話で会話している者がいるなか、教師は生徒に背を向けて淡々と板書をするだけで気にしていない様子だった。こういった授業をする先生に限って学級崩壊の責任が生徒にあると考えているが、私はそうは思わない。学級崩壊を引き起こしているのは、退屈な授業をしている先生に原因があるわけで、生徒に責任を押しつける前に自分自身の指導の質を改善するべきなのだ。強烈な違和感を覚えた私は、先生の採用や育成を担っている教育委員会の事務局に入って課題解決に取り組もうと考えた。その後、千葉県市川市の教育委員会に転職したものの、想像以上に変化のスピードが遅く、このままだと自分が理想とする社会にたどりつけないかもしれないという危機感をもち、そこで「学校を創ろう」と考えるようになり、理想の教育を自分が創る学校で実現することを決意する。

しかし、マネジメント経験もなく、リーダーシップもない自分が、いきなり学校運営をするのは無理だ。リーダーシップや経営について学び、経験を積む必要があることは明白だった。そう考えて、まず国内の大学院をいろいろと調べたが、わくわくするプログラムが見つからなかった。マネジメントや経営学を教えている教授が経営をしたことがなかったり、リーダーシップを教えている教授が授業ではリーダーシップを発揮していなかったりした。一方で、大学院リサーチの範囲を海外に広げてみると、英国や米国には非常に魅力的なプログラムがそろっていたのだ。教えている教授が大学教授の他に企業経営をしていたり、ブッシュ政権に入って要職に就いていたりと、民間とアカデミアを行き来しているのがとても魅力的だった。魅力的な大学がたくさんあるなかで、一番自分の学びたい内容や環境に魅力を感じたハーバード大学に目標を設定し、厳しい受験勉強の結果、合格し、進学することとなる。

ハーバード教育大学院での留学の一番の収穫は、米NPO法人のTeach For America (TFA) との出会いだ。TFAは、ハーバード卒やスタンフォード卒の優秀な人材を採用・育成し、貧困地区や教育困難校に2年間教師として派遣しているプログラムで、米国でもっとも有名なNPOの一つだった。やる気にあふれた教師が教えることで、それまで字の読めなかった生徒が高校や大学に進学するなど、めざましい教育成果を上げ続けていた。さらにTFAで教えたというキャリアは、ビジネス界から非常に高く評価され、2年間のプログラム修了後は投資銀行やコンサルティングファームといった人気企業からも引く手あまただった。そのため、TFAはGoogleやディズニーなどの名だたる企業を押さえて2010年の全米文系学生就職先ランキングで1位となり、当時のハーバード大学の卒業生の12%がTFAに応募していた。TFAの人気の秘密は、大学卒業したての人材が社会課題を解決するチャンスを手にするだけでなく、困難校で支援をすることで徹底的にリーダーシップが磨かれるところにもある。一見、2年間のプログラム修了後に他の業界に転職する人が多そうだが、実は2年間が過ぎても、そのまま教育業界に残る人が全体の7割を占めるのだ。これまで教育をキャリアとして考えなかったであろう優秀な人材を「社会課題の解決」と「リーダーシップ開発」

で引きつけ、教育業界に巻き込み、中長期的な課題解決を可能とする登竜門となっている。私はTFAのモデルと出会い、すぐに創業者のウェンディ・コップ氏と連絡を取って、「TFAの日本版は可能か」を修士論文のテーマにすると決め、卒業後はTFAの日本版、すなわちTeach For Japan（TFJ）を立ち上げることとなった。

Teach For Americaの創業者Wendy Koppとはハーバード大学の講演会で出会う。こういった世界的な起業家やリーダーと出会えるのも留学の醍醐味

閉鎖的な日本国内の教育委員会に2年間教師を派遣するハードルは高かったが、最初はプロトタイプとしての短期間の学習支援事業からはじまり、実証実験を繰り返し、2012年にいよいよ正規の教員派遣が可能となった。中間支援団体にご協力いただきつつ、企業に寄付をお願いしてまわるうちに、TFJは徐々に軌道に乗っていった。しかし、実際にTFJがどれくらい日本の教育における課題を解決したかというと、ほんのわずかでしかない。当時私たちが派遣できた教員は20人か30人。今でこそ派遣規模は毎年100人くらいに増えているが、一方日本にいる生徒の数は1000万人で教員は100万人である。「自分が生きている間に、課題は根本的に解決するのだろうか」と思うと、エンドゲームが見えない無力感が襲ってきた。しかも私の経営者としての力不足のせいで、メンバーの間には不満がたまっていた。私は自分の役割は外に出てより多くの人に活動内容に共感してもらい、多くのリソースを集めてくることだと思っていたが、それが内部の人からすると「私たちは放っておかれている」「松田さんはトップなのに全然、内部のことに関心がない」と映っ

てしまう。それだけでなく、当たり前のように、さまざまなステークホルダーからいろいろな要望も突きつけられる。目指したいビジョン（エンドゲーム）と現在地のギャップ、そしてさまざまなプレッシャーや批判と向き合い続けた結果、私は自律神経失調症になってしまった。通勤のために電車に乗ろうとすると胃が痙攣（けいれん）し、吐いてしまう。まさにうつ病一歩手前の状態だった。そしてついに医師からのドクターストップを言い渡され、TFJの代表を退任することとなる。

途方に暮れていたなか、携帯の電波も通じないような山奥に逃げるように籠った。社会起業家として歩んできた7年間はあまりにも多くのことがあり、消化不良が続いていた。消化不良に悶々としながら、これからなにをしたいのかも考える必要があった。ノートと向き合い、筆を走らせ、思考を整理するなかでたどりついたのが「次世代の社会起業家を生み出すエコシステムを構築しよう」だった。一人の社会起業家や一つのNPOで根本的に社会課題を解決することはできないが、その課題に向かって思いをもって解決に取り組む人が100人、1000人になれば可能かもしれない。社会起業家がたくさん輩出しているエコシステムがあるスタンフォードビジネススクールへの受験を決意した瞬間だった。

What matters most to you and why?

前置きが長くなったが、実はスタンフォード大学では長い前置きがとても大事なのだ。スタンフォードビジネススクールには「What matters most to you and why?（あなたの人生にとってなにがいちばん大切で、それはなぜか？）」という有名な入学選考のエッセイ題目がある。ビジネススクールの入学選考では学力試験（TOEFLやGMAT）は全体の一部でしかない。満点を取得しても合格できないし、テストスコアが低くてもユニークなバックグラウンドやストーリーをもっていれば合格することだってある。自分がどういう人間なのか、なにがユニークなのか、そして同級生にどういった学びや価値を提供できるのかを入学審査官に知ってもらうためにこのエッセイがある。これはちょっと考えて書けるような内容ではなく、自分の人生の棚卸しや自分の価値観、強みや弱みとも向き合い、徹底した内省が必要なのだ。徹底して自分と向き合うことはとても勇気のいることでもあり、時間がかかる面倒なプロセスでもある。そして苦痛をともなうこともある。ただ、このプロセスと向き合い、本質的な価値を見出せた人にこそリーダーとして活躍していく素質とポテンシャルがあると、スタンフォードは考えているのだ。

入学後にプログラムディレクターのマイクとの雑談で入学選考基準についての話になったことがあった。どういう人材を求めているのかについて聞いてみたが、マイクからは「特段厳格な基準を用意しているわけではない。そのときのコーホート（同期）の全体のバランスを見て、最高のチームを創るつもりで入学選考を行っている」と、一見曖昧だが本質的な回答をもらった。学びというのは、だれが教えるかではなく、だれと一緒に学ぶかがとても大事だ。テクノロジーが発展すると、最高の学びや最先端の理論は必ずしも対面講義でなくてもネットや動画を通してアクセスできる。ビジネススクールの教授も書籍や論文を出しているので、理論を学びたいのであればネットにアクセスできれば済む話でもある。しかしおもしろいことに、同じ内容を学習していても、これまでしてきている経験やバックグラウンドが異なれば、その内容の捉え方や生み出される発想が異なるのだ。このように一人で学習していては到達できない学びを提供するために、この入学選考基準を設けているのだと合点がいった。

自分と徹底的に向き合う2年間

さて、ビジネススクールに入学してからも内省の旅は続く。入学する前に最初に課された宿題が、これまで一緒に働いた人たちからの360°評価をもらい、学校に提出するというものだった。「ビジョナリーなリーダーである」「教育に対する情熱がすごい」「人が不可能だと思っているようなことも成し遂げるためにコミットする」「人の好き嫌いがはっきりしている」「自分の意見をもちすぎていて聞く耳をもっていない」「忙しすぎて簡単にアプローチできないし、相談もできない」と自分の強みのみならず自分の弱さについてまとめた分析レポートが入学後、最初のギフトとして届いた。レポートが届くと、プロフェッショナルコーチがアサインされ、そこから1年間、分析結果をベースに「自分がどうしたいのか」を定め、強みを伸ばしたり弱みを克服したりするための計画を一緒に作る。どの授業を履修すべきなのかについても適切なアドバイスをもらいながら、毎月の面談で学びの内省を促し、「理想の自分」に向かって伴走してくれたのだ。このプロセスで私は「7年間、NPOの経営者として、私はほとんど自分と向き合うことはなかった」ということに気がつくことになる。すでにTFJでの7年間の経験の清算は入学前に済ませているつもりだったが、ビジネススクールで

授業の一環で実施した360°評価のレポート。これまでの自分の行動に対する客観的な事実を用いてリーダーシップ開発を行うので、納得感も増した

はさらにまわりの力を借りながら内省を深めていくこととなった。

360°評価レポートに書かれていた私の強みは、外に向けてビジョンを発信することだった。私は周囲が「無理だよ」といってきても、ビジョンを強く信じ、力強く発信し、一人でも多くの人を巻き込みながら、なにかをはじめることを強みとしてきた。その結果、最初は経営資源がないなかでも優秀な人材を巻き込み、難易度が高い社会課題でも立ち向かっていけるチームを創ることができた。最初に立ち上げた学習支援を行うプロトタイプにも本当に優秀な学生が都内全域から集まってきた。今から考えても、「よく集まったな」と思えるくらいの超優秀な学生が集まり、彼ら／彼女らがビジネスコンテストに向けて汗と涙を流すのではなく、子どもたちの教育に情熱を注いでくれていたのだ。社会人プロボノ（専門家によるボランティア活動）は一時期200名を超え、毎週末の全社会議は会議室が満席になるくらいの熱気だった。

ビジョナリーな発信が功を奏し、テレビ・新聞・雑誌メディアにも300本以上出て、講演も年間100本を超える状態だった。連携が難しいといわれていた教育委員会とも着実にパートナーシップを結んでいったし、ありがたいことに貴重な寄付も集まるようになっていった。そのような熱狂のなか、当時は1日の睡眠時間が4時間、16時間は働いていたが、苦じゃなかった。しかし、事業はある一定のところまで成長するものの、少しずつ歪みが生まれるようになる。TFJも事業規模が1億円を超えるくらいになったころから、組織課題がどんどん積み上がっていくようになった。人が辞めるようになり、経営会議もたがいに批判的になるようになっていった。そして、徐々にTFJは新陳代謝が激しい組織になっていった。

「ビジョンを信じられなくなった」「このままだと生活が厳しい」と当時は人が辞める理由はそれぞれだと思っていた。「私は私で、ビジョンを信じ続ける。信じられないのであればおたがいの道を歩んだほうが良い」と、人が辞めるのは仕方がないことだと考えていた。私は人が辞めること自体は今でも問題だとは思っていない。自分の進みたい道より良い道が見つかったのであれば絶対にチャレンジしたほうが良いと思っている。しかし、ある授業を受けることで、これはとてつもなく間違っていることに気づく。ビジネススクールの授業で、100億円をシリーズA（投資フェーズの種類）で調達し、資金を完全に焦がして、倒産したとある起業家の話を聞く機会があった。授業で話された内容にオフレコ制約がかかっている授業なので、詳しいことはここでは書けないが、授業終了後の立ち話の内容が印象的だったので共有したい。

「私は、人の問題を真剣に考えない傲慢な経営をしてしまっていた。良いサービスと資金力があれば、優秀な人は集まるだろう、と思っていた。しかしそうではない。人は辞めていくし、さらに良い人が入らなくなる。そして、負の循環に至る。人が辞める理由はいろいろだが、本当の理由はリーダーについていこうと思わなくなったからだ。ビジョンを信じられなくなるのではない。ビジョンを掲げているリーダーそのものを信じられなくなるのだ。もう一度やり直せるのであれば、人との向き合い方や信頼関係の構築のあり方を絶対に変える」

　私は深く反省した。これまで携わってきた人たちはビジョンを信じられなくなったわけではない。そのビジョンを掲げているリーダーの私を信じられなくなっていったのである。私は意識が外に向きっぱなしだった。それが経営者の仕事だと思っていた。組織内になにかマネジメントの課題があれば、優秀なCOOがなんとかしてくれるだろうと思っていた。役割分担だと思っていた。もちろん、外的経営資源を確保するのが経営者の仕事であることは間違いないと思うが、仲間と向き合うことに対してもバランスよくやらなければいけない。組織内の心理的安全・安心を創るのがリーダーの仕事であり、私はそれを完全に怠っていたのである。本当にインパクトがある事業を創りたいのであれば、仲間がいないと無理なことだ。

シリコンバレーには大成功している経営者も、大失敗を経て次のチャレンジに挑んでいる経営者もいる。そして、チャレンジする人のエコシステムであるシリコンバレーの中心にスタンフォード大学がある。ビジネススクールの魅力はなんといっても、このように大成功も大失敗も経験している経営者の生の声を聞けるということだ。ケーススタディや自叙伝では感じとれない生々しい失敗談や葛藤を本人の言葉で聞けることには圧倒的な価値がある。そして、そのストーリーを聞きながら自分のこれまでのジャーニーと照らし合わせて学びを深めていくのだ。

スタンフォード流、感情を取り扱うリーダーシップ

ビジネススクールといえば、当然のことながらリーダーシップ・マネジメント・ファイナンス・マーケティング・デザイン思考・投資などなど……ビジネスに関する授業が多い。ただ、私はスタンフォードに来て、一つ驚いたことがある。ビジネススクールでの名物授業、Interpersonal Dynamics（通称：Touchy Feely）に代表されるように、フィードバックや内省を促す授業が多かったことだ。Touchy Feelyを受講していた仲間の話を聞くと、相当えぐられる体験をするそうだ。対人関係を学ぶこの授業では学

生12名とファシリテーター2名が円形に座り、おたがいにひたすらフィードバックをしながら自分がなにを感じているのか、自分の言動が相手にどういうインパクトを与えるのかといったことを学んでいく。途中で泣き出したり、熱く口論になったり、生まれる感情を大切にしながら人間関係を築いていく。私には私なりの考えがあって、Touchy Feelyは受講していないが、他の授業でも内省や感情を取り扱う授業が多く、私の状況に合うと感じたものを受講している。私は10年前にハーバードでリーダーシップを学んでいるが、スタンフォードで学ぶリーダーシップは当時学んだ内容とは全然違うように感じた。ハーバードはどちらかというとリーダー育成の士官学校のイメージがあり、左脳型のリーダーシップが軸になっているように感じたが、スタンフォードは相当右脳型だと感じた。春先に、長年Googleのトップを務めていてスタンフォードで教鞭も執っていたエリック・シュミットとのランチ会があったので、彼に上記の違いについての考えをたずねてみた。そこで彼はこう答えた。

「これまでのリーダーの役割は未来に向けた意思決定をすることだった。しかし、人工知能（AI）のほうが膨大なデータに基づいた良質なビジネスの意思決定ができるようになると、リーダーは役割を変えていかないといけない。（中略）社会課題を解決したり、価値を生み出したりするチームは多様性に富んでなければいけない。エンジニア・クリエイター・マーケター・営業・財務……と各々の専門領域に特化した人材でチームを編成し、各々の専門性が生きるチームカルチャーを創る必要がある。ただ、気をつけないといけない。これら一つひとつの専門領域でプロフェッショナルとしてやってきている人材の“特性”が各々違うのだ。これまでの経験・考え方・価値観、これらがときには水と油のような状況になりうる。普通に左脳的にロジックでチームをリードしようとすると、議論が平行線のまま、チームは崩壊する危険性がある。このときに水と油を中和させるのが、ビジョンであり、感情的なつながりである」

目的・ビジョンにアライン（合致）しているからこそ多様性は生かされるし、その多様な価値観を融合させるのが感情だということを学ぶ、私がまさしくTFJの経営で怠っていたことだった。もっと仲間のことを知るべきだったし、もっと感情を共有するべきだった。深く反省した。

この旗のみならず、壁や地面などのありとあらゆるところに「変化」を促すメッセージがモニュメントやアートとして展示されている

Change Lives, Change Organizations, Change the World.

ビジネススクールのキャンパスにはそこら中にモットーでもある“Change Lives, Change Organizations, Change the World.”と書かれた旗が掲げられている。自分や個人を変革できない人間に組織の変革ができるはずもないし、その先にある社会の変革も無理であろう、ということだ。

考えてみれば、私の場合はこの順番が前後していたような気がする。もしかしたらChange the Worldにしか意識が向いていなかったかもしれない。これは、社会起業家に限ったことなのかもしれないが、社会起業家は一般的に同じような傾向があるようにも感じる。

「社会を変革する」「社会課題を解決する」ことを掲げている社会起業家はどうしてもセルフケアがないがしろになってしまう。特に、日本では寄付文化が根づいているとはいえない状況があり、限られた資源でインパクトを最大化しなければいけないからこそ、外的経営資源をどんどん確保する必要があるし、自己犠牲をともないながらビジョンを叫び続ける。そのビジョンが社会と呼応し、協力者が現れるし、その社会課題を解決してほしいという期待が集まる。周囲の協力者や寄付者からの期待がさらに自分が掲げているビジョンを強化する一連の流れは、一見とても良いサイクルなのだが、私はこの循環が社会起業家が自分の内面に向き合えなくしている要因の一つだと思っている。いつの間にか、掲げているビジョンも心の底から信じているものではなく、「思い込み」になっていることにも気づかないこともあろうかと思う。私もその一人だったかもしれない。いつの間にか自分が本当に解決したい課題や実現したいビジョンではなく、周囲のそれになってしまっているのだ。

私は、コーチングセッションや同級生との対話を通して、私自身がなにに当事者意識をもっているのかを改めて考えることができた。私は、自分の原体験から子どもたちが抱えている困難を一つでも多く解消していくのが社会の責任だと思っているし、教育の可能性を心から信じている。教育がライフワークであることは間違いないと思っている。ただ、子どもの貧困問題だけに焦点をあててしまうと自分の中で少し文脈がおかしくなってしまうのである。実際、いじめという困難は経験しているものの、貧困という困難を経験しておらず、子どもの貧困問題への当事者性が低いのである。当然のことながら深刻な問題だし、解決しないといけない問題だと思っている。ただ、子どもの貧困問題を心底から解決したいという情熱があったというよりは、子どもたちが直面している困難を解決したいのであって、貧困はその一つの要素でしかなかった。それでも支援者や仲間には子どもの貧困問題を解決してほしい人が多く、いつの間にか他人のビジョンの達成のために奔走している状態となっていた。私は、社会に意識を向け続けていたがために、いつの間にか自分の心と身体を消費し続けていたのだ。

Change the Worldをする前に自分のことを大切にしなければいけない。単純に聞こえるかもしれないが、一生懸命取り組んでいるからこそ陥ってしまうトラップだと思う。

"Change Lives"――自分と向き合えるリーダーになる

TFJの晩年の経営で、消耗しきった結果、自律神経失調症になり、電車に乗るのですら胃の痙攣(けいれん)が起こり、吐き気が止まらなかった。最終的には医者にかかることになり、医者には「あなたはとてもエネルギー値が強い人。これまではプラスにそのエネルギーを使ってきたが、一気にネガティブに振り切ると、自分のことを傷つける危険性がある」といわれ、ドクターストップがかかった。このようなドクターストップが出ないと私は立ち止まれない、ということではないと思う。勇気が必要ではあるが、自分から主体的にところどころで立ち止まり、自分の心と身体に耳を傾け、メンテナンスすることの大切さをスタンフォードでは学んだ。スタンフォードのおもしろいところは、ビジネススクールでも経営に限った学びではないところだと思う。「人生」「家族愛」「健康」「食事」「睡眠」「栄養」を研究している先生がいるのだ。ジェニファ・エーカー教授のRethinking Purposeという授業では、仕事ではなく人生のビジョン達成に向けてどういう生活リズムやマインドをもつべきなのかを深いレベルで考えることができた。4名ぐらいのグループになって、たがいにシェアしたり、フィードバックや問いをもらったりする。自分のグループメンバーが本当にすばらしい人たちで、彼らのストーリーに触れるだけで、自分のストーリーをより深いレベルで考えることができた。さらにマインドフルネスを実践的に学んだり、睡眠・運動・栄養がパフォーマンスにどういった影響があったりするのかも専門家を招いて学んだ。

ジョエル・ピーターソン教授の授業では「家族の大切さ」を学ぶ。自分の人生のパーパス（目的）を考えたときに、それは必ずしも仕事の話だけではない。家族と向き合い、公私ともに一貫したリーダーシップを発揮していくことも大切なのだ。ジョエルは自分が企業経営に活用している人間関係の構築やマネジメント手法を家庭でも実践しているのだ。ここまで徹底して、一貫性のある生き方をしている彼から多くのことを学んだ。彼は家庭内で大切にしたいビジョンや行動規範、ウィッシュリストを何枚ものドキュメントにまとめて大切に取り扱っているようだ。特別にピーターソン家で活用しているドキュメントの中身を見せてもらい、私の作ったものにもフィードバックをもらった。今までの私は、「仕事」か「プライベート」どちらかを犠牲にしないといけないものだと思っていたが、そんなことはないのだ。両方しっかりと向き合うからこそシナジーが生まれ、より人生が豊かになる

ピーターソン教授とのツーショット。授業だけが学びの場ではなく、授業外で教授の生き様や経験、そして人間性から学ぶことが多かった

ことを知った。

ロブ・シーガル教授からは「キャリアポートフォリオ」という考えを学んだ。彼の授業は最高に刺激的で楽しかったが、彼のすごさは授業の外にもあると感じた。彼は心から学生の成功を願い、そのために自分の経験や知識を存分に使いながらサポートするのだ。キャリアの相談に乗ってもらったときに、「一つの仕事ですべてを満たすことは難しい。投資ポートフォリオを作るようにキャリアポートフォリオを作ることにチャレンジしてみたらどうだ。もちろんベストは一つのことにすべてを投下できることだ。でもそれが見つかるのは人によってタイミングがマチマチだ。今は多様な機会を生かしながら目的を達成していったらどうだ」とアドバイスをもらった。これまでキャリアは一つにコミットすることが大事だと思い込んでいて、自分を追い込んで苦しんでいたこともあったので、良いタイミングで適切なアドバイスをもらうことができた。

このように、スタンフォードでの留学は、経営のノウハウやリーダーシップのみならず、自分の考え方・価値観・感情を内省する機会となった。私にとっては文字通り「人生が変わるほどの留学」だった。

アップル創業者のスティーブ・ジョブズが生前よく通っていたといわれるお寿司屋さん 陣匠／JINSHOでのジェイミーとのツーショット

人生が変わる留学の機会を一人でも多くの次世代に

ある日、授業で隣の席に座ってきたクラスメートのジェイミー・ビートンが話しかけてきた。私がTeach For Japan

の代表をやっていたことをどこかで聞いてきたのか、「きみ、教育が専門なんだって?」と話しかけてきた。彼は当時20歳でハーバード大学の学部と応用数学の修士を卒業し、歴代最年少でスタンフォード大学のビジネススクールのMBAプログラムと教育学修士のダブル修士プログラムに入学してきた。驚いたことに大学院の2年目にはこれらの二つの学位と並列して、オックスフォード大学で博士課程もはじめつつ、学部時代に起業した海外進学塾のCrimson Educationの世界展開を進めていた。ちなみに、彼は授業もあまり真剣には聞いておらず、「遊戯王」のカードゲームをしていたりするのだけれど、指されるとパッと明瞭に答える(こういう天才と出会えるのもスタンフォードの魅力の一つといえるだろう)。

彼とは教育論をよく語り合い、特に社会課題解決に取り組む次世代リーダーの育成については熱くなった。そして「海外留学の体験は社会起業家としてのアイデンティティを育む絶好の機会になる」という共通の見解に至った。海外留学をすると、世界中から集まる優秀な人材とビジョンを語り合う機会が増える。そして、海外のさまざまな社会課題に触れるのみならず、先進的なソリューションから学ぶこともできる。さらに、日本国外に出ることで日本の課題に気がつくこともあれば、逆に日本のすばらしさや可能性にも目がいくようになる。2人でこれらの要素が社会起業家としてのベースを築くのではないかという仮説に行きついた。たしかに私の周囲で活躍している社会起業家は留学体験をしている人が多い。国際協力NGOピースウィンズ・ジャパンの大西健丞さんは大学院が海外、認定NPO法人フローレンスの駒崎弘樹さんは高校のときに米国に留学、READYFOR社の米良はるかさんはスタンフォードに短期留学している。まさに海外に出ることで社会問題に対する課題意識をもつようになったり、留学中に出会った先進的なビジネスモデルを日本国内の社会課題解決に生かしたりしているのだ。考えてみれば、私自身もハーバードに行き、TFJの原型となるTeach For Americaと出会っている。ジェイミーとスティーブ・ジョブズがよく利用したという日本料理屋で食事をして、最終的には「Crimson Educationの日本展開をお願いしたい」と声をかけてもらっていた。

私はスタンフォードを卒業して、海外進学塾のCrimson Educationで海外進学を考える人たちの支援とオンラインのインターナショナルスクールのCrimson Global Academy (CGA)を通してグローバル人材の育成に取り組んでいる。Crimson Education Japanは、米国や英国にある世界トップレベルの大学への進学をサポートする、ニュージーランド発祥のオンラインの進学塾だ。出願戦略の構築、学力の個別指導、テスト対策、課外活動の支援、エッセイ指導をグローバルで活躍しているコンサルタントが提供し、アイビーリーグ、オックスフォード、ケンブリッジなど難関大学への合格率を一般平均の4倍以上にまで高めることができる。

Crimson Education Japanで海外留学のサポートをしていると、日本の学校教育が海外留学に適していないことが見えてくる。それどころか子どもたちの可能性に蓋をしてしまっていることに気がつく。たとえば、4月生まれと3月生まれでは脳の発育が約1年違うのに、同じ授業を受けなければならないとか、考えてみれば効率の悪いやり方がまかり通っている。そしてこのように子どもたちの可能性に蓋をしてしまうことが海外進学においては最大のハードルとなってしまっているのだ。これらの課題を解決するために作ったのがオンラインのインターナショナルスクールのCrimson Global Academyだ。年齢ではなく、習熟度別にクラスが決まるし、指導する先生たちも世界トップクラス。学校に通いながらパートタイムで追加の学びを積み上げることで他の受験生と学力面で差別化ができるし、もちろんフルタイムとして通い、国際的なカリキュラムを履修して世界中の大学への進学も可能である。テクノロジーを活用して効率的に運営されているので、空いた時間で子どもたちは学びたいことを主体的に設計することができる。新たな学びの方法によって、子どもたちの可能性はもっともっと広げることができるのだ。世界レベルのカリキュラムを学習し、海外進学や留学を実現する戦略支援や実行支援を行う。海外大学の進学は、どこの大学もスタンフォードビジネススクールのように、質問は違えど「What matters most to you and why?」の趣旨と同じことが問われる。いきなり解決したい課題やビジョンが明確な高校生なんていないが、課外活動にチャレンジしていくなかで少しずつ見出していく。私たちは海外進学受験準備を通して、次世代の社会起業家を育てていきたいと考えている。

一人でできることはたかが知れている。大事なのは、主体性、当事者意識、思い切って立ち上がる行動力をもった集団を作ること。そうしたリーダーが100人、1000人、1万人と出てくれば、日本のさまざまな課題が解決されると私は信じている。課題先進国である日本だからこそ、日本で生み出したソリューションを世界に広げていくこともできるはずだ。グローバルな経験を経たリーダーたちであれば、世界のソリューションを日本にもってくるのみならず、そうした日本のソリューションを世界へと輸出できるはずである。そうしたサイクルが10年後、20年後に生まれていることを強く願っている。その夢を実現するためにも、私は社会を変えるリーダーを一人でも多く育てていく。そうすれば、日本の未来に希望をもたらせると私は信じている。

▶ テクノロジー社会の本格的な到来を受けて、金融から日本を変える

#14

瀧　俊雄

TAKI ***Toshio***

2004年慶應義塾大学経済学部卒、野村證券に入社。野村資本市場研究所において、家計資産、年金制度、金融機関ビジネスモデル、インフラ民営化等の研究に従事後、2011年にスタンフォードMBA取得。野村ホールディングスCEOオフィスを経て、2012年にマネーフォワード社設立に参画。2015年よりFintech研究所長、2021年よりChief of Public Affairs。電子決済等代行事業者協会代表理事、金融庁「フィンテック・ベンチャーに関する有識者会議」、内閣府規制改革推進会議共通課題対策WG、総務省「デジタル時代の放送制度の在り方に関する検討会」等のメンバー、東京都国際金融フェローを兼任。

筆者は現在、2012年に創業したマネーフォワード社で、金融や情報産業に向けた研究と政策提言をしている。もともと金融関連の研究者であり、将来もその領域での研究をしていくと決めていた筆者に、スタンフォードの環境が「襲いかかった」。結果、帰国するころには本人もまったく想像していなかった起業家の卵となっていた。本稿ではそこで起きた「魔法」をできるだけ言語化しつつ、学んだことが今の仕事にどのように生かされているかを述べることとしたい。

スタンフォードに行ったきっかけ

筆者はもともと、金融というジャンルが大好きである。幼少期を海外で過ごした後、日本経済の停滞に対して、帰国子女の目で危機感を抱き、「金融制度を変えることで日本を変える」ことを、キャリアを通してやっていこうと決めていた。もう少し解像度を上げると、日本にはありあまる「貯蓄」という世界に誇れる資産があるにもかかわらず、その資産が未来に向けた投資に向かっていないことが、平成という間の経済停滞の主因であると考えていた。そして、新卒で入社したのは野村證券の系列である野村資本市場研究所。政策やビジネスモデルの研究職という、最初のキャリアとしては願ってもない、おそらく世界でいちばんやりたいことができる職業に就くことができていた。

そのため、仮に海外留学の機会があったとしても、それは人生を変えるものというよりは、すでに決めたキャリアの専門性を高めるため、という確固たるイメージがあり、当初は経済学の修士号を取るイメージをもっていた。だが、所属企業の方針もありビジネススクールを受験することとなり、結果的にスタンフォードにご縁をいただいた。

おりしも同校を受験したのは2009年入学の年、出願エッセイを書いていた前後でリーマンショックが発生した。世界経済を混乱に陥れた金融産業に向けて厳しい視線が注がれるなか、筆者はそれでも金融産業の力と変化に期待していた。スタンフォードMBAの名物エッセイとしてしられる「What matters most to you and why?（あなたの人生にとってなにがいちばん大切で、それはなぜか？）」というお題に対して「資本市場をより理解したい」という、東海岸向きにも見える志望動機をあえて書き、それでも合格したときに感じた奇妙な感覚は今でも記憶に新しい。

前述のとおり、入学時点では起業する意識など毛頭なかった。恥ずかしながら筆者の起業家を見る目は、2004年に発生したライブドア事件の余韻に類するものであり、どこか反社会的なニュアンスをともなうものであった。ゆえに留学前の送別会でも「起業みたいなチャラチャラしたことはしませんよ」と臆面もなく話していた自分を今でも思い出す。

内なる起業家に気づいた瞬間

ビジネススクールの授業は2009年入学当時、1年次の大半は集中的にハードスキル（会計、ファイナンス等の確立された専門知識分野）を含むコースで占められ、2年次は相当に自由度が高いという形態であった。すでにビジネススクールの多くが、ハードスキル自体はコアな差別化要素ではないと割り切りつつ、いかにソフトスキルを高めるか、あるいは正解のない時代の事業判断を可能とするかというアジェンダに切り替えつつあった。

そのような1年次の途中で出会ったのが、ハイム・メンデルソン教授のElectronic Businessという授業である。2009年当時、インターネットや電子化はすでに重要なテーマであったが、クラシックなシリコンバレーらしさを学ぶ意図で受講した同授業は、イーコマースやデータサービスといった、いかにもテクノロジーといえる領域だけでなく、金融についても対象としていた。

その過程で衝撃的なケーススタディに出会う。題材であるFinancial Enginesという会社は、米国において今でいうところのロボアドバイザー、つまり、お客さんの資産運用判断を自動化するサービスを提供していた。その技術を、もっとも重要な資産形成チャネルの一つである確定拠出型年金（DC）に適用し、従来であれば人手を必要とする金融アドバイスをアルゴリズムで提供。リーマンショックの最中も投資家のポートフォリオを守ることができ、結果として上場までこぎつけたという傑物的存在である。同社の創業者がウィリアム・シャープ、GSB（スタンフォード大学経営大学院）に所属するノーベル経済学賞受賞者であったのも驚きの一つであった。バイオなどの領域とは異なり、経済学の分野で専門性を直接生かして拡大的なビジネスを構築できたのは、ヘッジファンドを除いてほぼ存在しないなか、筆者が日本で課題を感じ研究をしていた領域が、米国では資本主義のルールですでに解決されていることに気づかされた。

その授業では後半に、シャープ氏に何年も経営を任されていたGSB卒業生の社長がゲストとして登場した。気になることを質問するも、淡々と経営の足跡と苦労を語る彼の話を聞くと、「企業による社会課題の解決」は、気合と根性で成し遂げられたわけではなく、顧客像を、サービスを通じて理解し、より効率的な拡大を志向するという、ベンチャー経営の定石に沿って行われているということを理解した。

これは当時の筆者にとっては衝撃であった。それまで、どこか「属人的な奇跡」でも起きなければ成立しないだろうと思っていたことが、もちろん当事者の情熱あってこそではあるのだが、仕組みによって解決されているのである。この日以来、その仕組みを理解したい、さらにはその仕組みの当事者になりたい、つまり起業家として自分の思う社会課題を解決してみたい、という想いが頭から離れなくなった。

とはいえ、自分事ながらもおもしろいのは、GSBでの2年間を通じて「起業してみよう」「起業の科学」といった類の授業は一つも履修しなかった点である。これは所属企業への仁義を感じていたところもあったし、思いはあっても自分はそうはならないのではないか、というある種の諦観があった。これが変容したきっかけは大きく二つある。

なんで、私が起業家に!?

当時、ある学習塾のキャッチコピーに「なんで、私が東大に!?」というものがあった。その内容として、特待生枠を設けない塾にもかかわらず、つまり、本人たちも予想しえなかったアチーブメント（偉業）を起こしうる、という状況を表している。

これと同じような状況がまわりで起きていた。厳密には、飲み仲間であった日本人の複数の知人たちが現地で起業し、それぞれに大型の資金調達や起業家養成スクールであるYコンビネーターへの採択などを実現していたのである。それぞれに起業経験がなく、また、いわゆる「ガツガツした」人というわけでもない。彼らが難度の高い就職活動を進めるような感覚で、数百万ドルもの投資家資金を得て、米国人らを採用し、うまくいったり失敗したり、という世界を2年次のときに見ていた。このような仕事面での変化を遂げると、「あいつ、変わったな」という人間的な変化を見ることもあるのだが、当人たちがあたかも単に転職をしただけのような感覚で話してきたときに、ひょっとしてこれは日本の大企業で新規事業を提案するよりも（精神的に）ハードルの低い行為なのではないか、と感じるようなところがあった。このことは、筆者のなかの内なる起業家精神に、「実はイントラプレナー（社内起業家）だけでなく、通常のアントレプレナーとなる道ももっているのでは」と窺わせるには十分な体験であった。

2年次の中ごろに、自分はアントレプレナーとなるべきか、という自問に向き合うためにさまざまな人たちに人生相談をもちかけていた。その過程で人生においてもっとも重要な出会いが訪れる。のちにマネーフォワードを主軸となって創業する辻庸介との出会いである。共通の知人を介して知り合った辻は、当時東海岸のペンシルベニア大学に留学しており、彼とはSkypeを使って相談をしていた。そして、日本人の資産を未来に向けていくべきだという共通の問題意識を育んだり、のちに家計簿サービスの基礎となるデータ集約エンジンの構想であったり、日本でFinancial Enginesと同様のロボアドバイザーを起業することについての難しさなどの議論をしていた。

目の前にピーター・ティールがいる

GSBに限らずだが、スタンフォードにはアクロス・ザ・ストリートと呼ばれる、他学部の授業を一定程度、卒業認定に使うことができる制度がある。そのなかでも筆者は、好奇心が起因してロースクールの授業を複数履修するに至っていた。

そこで次なる衝撃に出会う。当時はまだ今ほど著名ではなかったが、PayPalの共同創業者であり、Facebookの初期投資家として大成功していたピーター・ティールが実験的に「国家とはなにか」（英語題はSovereignty）というコマを教えていたのである。

ティール氏は、その経済的な大成功とは別に、本人が同校在学時にもリベラルなスタンフォードの主流派とは真逆の思想をもっていたり、最高裁での仕事を求めていたような思想家の顔ももっていたりした。この授業では、米国が成立する過程で生まれた資料であったり、物理的な制約から解き放たれたSFの世界の人類であったり、永遠の命を手に入れた人類がどのような民主主義や社会規範を展開するのか、についてのディベートが行われていたのである。

今思い返しても、スタンフォード・ロースクールの生徒たちとディベートで張り合えたとは思わないのだが、筆者にとっては夢のように感じる授業であった。法律や制度、政治が可変的なだけでなく、オーナーシップをもって見るべきものであるというマインドチェンジをもたらしてくれた。ティール氏の無限にも思える思想基盤は、もはや教養という言葉に閉じ込めておけるものではなく、その薫陶を受けた面々が「ペイパル・マフィア」と呼ばれるように、さまざまに世界を変えていく状況を作っていくことにも深い納得があったのである。

正直なところ、ティールに憧れた。筆者はそれまで「このような人物になってみたい」という感覚を覚えたことがなかったのだが、当時は素直に「この人と同じ世界を見てみたい」と思った。そして、それは研究者という立場を離れて、実業に身を置かないと得られないのだろうな、という直感もあった。

そのような思いをもって臨んでいた授業で、チャンスが訪れる。唐突だったのだが、ティール氏が「しばらく時間が取れそうなのでオフィスアワーを開く。授業で質問があったら来てね」というアナウンスがあり、TA（ティーチング・アシスタント）に頼んで30

分の枠を取ってもらった。そして研究室に向かうと、当たり前のことなのだが、目の前にピーター・ティールが一人でいるのである。まず、「すみません、質問もあったんだけど、ピッチ（短いプレゼン）をしたいです」と謝る。そして、辻と相談していたビジネスモデルや、日本の資金循環を変えるための事業を作りたいということ、また、そのためには、彼もベンチャーキャピタルのファウンダーズファンドを通じて投資していたMint.comのようなデータ集約エンジンを作る必要があることなどを相談した。

ティール氏はその際に、二つのアドバイスをくれた。一つ目は「日本は米国にとって最大のパートナーであり、そこでの経済成長を担保する事業には賭けるべき価値がある」ということである。彼は2020年代の米中対立を予見するようなテーマを授業で取り上げていたが、端的には日本経済の活力は自国を守るための最大の武器であるということ。そして、二つ目は「データ集約エンジンは、他社から借りる選択肢もあるが、独立性をもつためにも事業への思いがあるのなら自作するべきである」ということを伝えてくれた。そして、ミーティングの終わりに「You Should Do It」といってくれた。シリコンバレーには、あまりに楽観的に「いいアイデアだね、ぜひやったほうがいいよ」といってくれる人たちは大勢いる。だが、ここまで思想的・経験的に裏打ちのある一言はなく、その後も起業で当然のように経験することになるたくさんの「否定」を一刀両断することができるような意思決定のよりどころになった。

耳を離れないティールの言葉

このような経緯を経て、あっという間に2011年6月に卒業を迎えることになる。帰国時の筆者のマインドは、分裂していた。

帰国直前に東日本大震災が発生し、起業などを言い出せる雰囲気は周囲にも所属会社にもなかった。なにより政治的・経済的に日本経済が混乱するなか、所属会社でも不祥事に起因するトップの交代があったり、会社の財務状況にたいへん厳しい目が注がれたりしていた時期であった。このような時期に、期待をもって送り出してくれた会社に後ろ足で砂をかけるようなこともできない。一方で、ティール氏の「You Should Do It」が耳から離れず、自分が日本経済にできることはなんだろうか、という課題意識は日増しに大きくなっていく。

この二つに折り合いをつけられたきっかけが、帰国後もなんとかプロジェクトを作れないかと、毎週末のようにともに過ごし議論していた辻との時間であった。彼は旧知のエンジニアたちを集めながら、データ集約エンジンを開発したり、共有型の家計簿を作るという構想でマネーフォワード社の礎となるような週末起業チームを組成したりしていった。そして1年ほどが経ち、「いい加減に会社としての体を作らないとスケールはしない!」という確信をもったタイミングで、チームはマネーフォワード社を設立し、初期メンバーがフルタイムでの事業コミットへ向かうことになる(※この一連以降の経緯は辻庸介著『失敗を語ろう。「わからないことだらけ」を突き進んだ僕らが学んだこと』[日経BP社・2021年]を参照されたい)。

このような会社設立の瞬間というのは、多少のイベント感はあれど、感慨があるものでもない。どちらかというと、やるべきと思っていることを優先しているとはいえ、家族や周辺が感じるリスクや不安と折り合いをつけていけるのだろうか、という懸念ばかりが先だっていた部分もある。だが、徐々にサービスが形成されていくと「ものづくりをしている」「ものづくりを通して、社会は変えられるのではないか」という期待が、不安を打ち消していった。

フィンテックの勃興

マネーフォワード社は、利用者の金融データの「見える化」を行い、それをもとに、利用者の意思決定や行動をしやすくするサービスを提供する会社である。創業時から自動型の家計簿を提供し、それと同じ技術基盤を用いて企業向けにサービスを提供する、クラウド型会計ソフトが徐々に事業の中心となっていった。これらのサービスは、利用者の同意を得て銀行やクレジットカード口座に代理でログインし、そこで得られた情報をベースに自動で帳簿や資産の状況を把握できるというものである。その裏側で、在学中に見たデータ集約エンジンを開発し、スマホアプリやウェブ上の会計ソフト・給与計算ソフトなどを開発してきた。

創業後の3年間、筆者にとっては不得意なことしかない領域において、とにかくなんでもやっていた、というのが実情である。COO (Chief Operating Officer) という立場には就いていたが、オペレーションが成立していない会社におけるこの役職というのは、変化のスピードと組織化の間で板挟みとなる仕事でもあった。初期的には売上を立てられるプロダクトがなく、Product Market Fitを実感できたのはおそらく2014年後半のころのことであり、それまではスピード感ある開発と、さまざまな朝令暮改、資金調達、対外的な広報とリスク管理、お客様の期待値コントロール、なにより重要なフィードバック改善ループなど、すべてにおいて初心者でありながらも対応していたようなところがある。MBAで学んだことがそこで生かされたか、と問われても答えに窮する。ハードスキル的には生かされたこともあるが、こんなにたいへんならやるべきじゃなかった、と日々思うこともあった。

だが、それと並行して大きなトレンドが訪れる。フィンテック

(Fintech) に関する世界的な潮流である。フィンテックとは、FinanceとTechnologyを合わせた造語であるが、米国や中国で強大なテクノロジー企業が成立し、生活や事業のプラットフォーム性を増すなかで、いずれ伝統的な金融チャネルが不要化されるのではないか、という危惧からはじまったトレンドである。だが、その大きなうねりを止められるわけもないため、まずは伝統的な金融業におけるデジタル化を進めよう、という初手が認識されているタイミングでもあった。このトピックが2015年ごろから世界中の金融当局において意識されることになる。

当社にも、2015年の中ごろに金融庁から一通のメールが届く。筆者は創業以来、若干の現実逃避も兼ねてテクノロジー企業の目から見た金融の変化について、会社のブログに書いていたのだが、それを取りまとめた専門誌への寄稿が省庁の目に留まったのである。

2015年当時の日本の金融界におけるフィンテックへの対応は、まさに文字通り「銀行や証券会社のアプリをどうするか」のようなところからはじまっていた実態がある。だが、徐々にそこから本来的な役割である、テクノロジー社会が到来するなかで、どのように金融機能を維持し、また、利用者に便利な世界を創出するか、という問題意識が広がっていった。さまざまな海外企業調査だけでなく、日本へのインプリケーション（含意）をあわせて公表すると、それまでのマネーフォワード社には見られなかったような、社会的期待への声が寄せられるようになった。そこで、社内にFintech研究所という組織を立ち上げ、筆者はそれまでの社内向けの仕事から、もっぱら社外向けに働きかけを行う仕事を担当することとなった。

ほどなくして、金融庁や経済産業省においてもフィンテックの研究会が立ち上げられ、2016年には日本の成長戦略にも成長産業として記載されるようになる。筆者も経済団体や官庁、政治家に向けた講演や調整などの業務に追われるようになり、マネーフォワード社の社会における位置づけを象徴することになる活動が生まれはじめた。

銀行API

前述のとおり、当社のサービスは利用者の代理としてさまざまな金融機関にログインし、情報を集めることがその代表的な利便性であり、機能である。代理でログインを行う場合には、事業者は安全を確保した形で利用者からパスワードを預かったり、取得した情報をセキュアに保存したりすることが必要となる。このようなソフトウェアは、厳密には法律上の問題がないとはいえ、通常の情報保護以上の規制の対象とはなっていなかった。そのため、利用者ベースの拡大にともなってリテラシーの高くない利用

【図1】銀行APIの概要

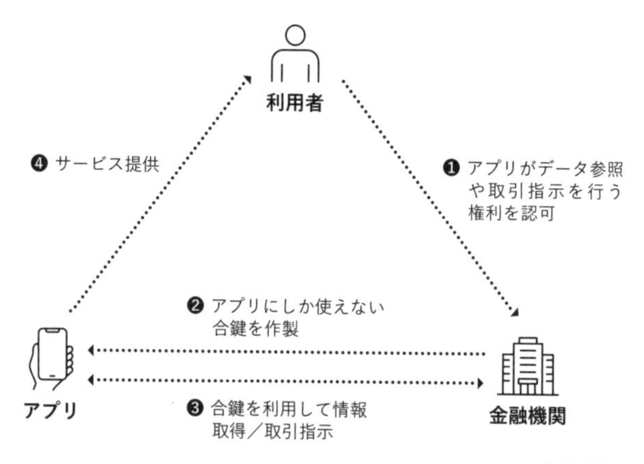

出所：筆者作成

者が増えたり、「悪いマネーフォワード」が生まれてきた場合に、金融サービスの観点で消費者を保護し、事業者を取り締まる方法が不在という側面があった。

これらを解消する方法が、金融機関のAPI(アプリケーション・プログラミング・インターフェース)化である。API化とは、利用者がアプリ会社にパスワード等を預ける代わりに、事前に金融機関との間でアプリ会社に電子的な「合鍵」をわたすことに同意し、事前に合意された範囲で情報を取得したり、取引を指示したりすることを可能とするものである。このような方式が可能となれば、利用者は明確な同意を行った状態で、銀行やクレジットカード会社自らが提供するサービス以外でも、保護の利いたデータ活用サービスや電子マネーサービスなどを利用することが可能となる。

この仕組みを応用すると、アプリ会社と金融機関の間での提携内容次第では、金融機関が免許や保護の必要なインフラを提供する一方で、利用者と接することになるアプリについては多産多死のチャレンジが可能となったり、すでに使われているデジタルサービスのうえで金融サービスを利用したりすることも可能となる。いわば、金融のサービス体験自体をこれまでとは異なる形で加速させることができるものであり、大局的には巨大テクノロジーが覇権を握らず、伝統的金融機関がATM等の次のサービス経験を作るうえでも重要である。

金融の歴史は機能分化の歴史でもある。古くは一つの金融機関やブランドがすべてのサービスを担っていたような状況から、サービス開発の巧拙や顧客理解の深さ、リスク許容度の違いなどによって、異なるプレーヤーが連携して同じサービスを提供するようになっている。ある意味、このAPI化はその歴史の針をすばやくまわしていく機能があり、今後の日本の金融機能を高度化するものと筆者は期待している。

この一連の仕組みを日本の銀行界で2018年より導入することとなった。そのためには、銀行法自体を改正することや、アプリ会社と銀行との間でどのような契約をすることになるのか、ほぼすべての銀行を巻き込むためにはなにをすればよいか、アプリ事業者が悪さをしたときにどのような対応が図られるべきか、そもそもどのようなアプリ業者が生まれてくるのか、といった数多の疑問に答える必要があった。

そして、提言主体でもあった筆者は業界を代表するような形でその問いに答え、自主規制機関を設立したり、アプリ事業者・銀行界双方の調整を行ったりすることとなる。しかも、そこには2年以内に契約を締結するという法律上の期限が設定されていた。

正直者戦略

アプリ事業者が会計ソフトや家計簿アプリを展開するソフトウェア業界を中心とする一方で、銀行界は数ある規制産業のなかでも長い歴史と組織化された交渉力をもっており、この調整はどのように見ても困難であることはわかっていた。だが、日本の金融を変える重要な機会を前に、会社や個人として自らのキャパシティを超えた動きが求められることは見えていた。

このような業界間の調整では、交渉術を駆使したやりとりが行われるケースもあれば、一部の業界のように政治家による影響力に依拠するものもある。だが従来のやり方にそって2年間の期限を前に、すべてのプレーヤーのコンセンサスを得ることの困難さも自明であった。

そのために取った戦略は、「ない袖」を明確に見せることや、対立でなく協調でしかこの業界は成立しないことを伝えることであった。それまで、アプリ事業者の業態はそもそも金融サービスの一角であるという意識も薄い一方、これからさまざまな自主規制を敷いていくこと、ただ金融界の都合でそのハードルを上げすぎるとこれからのソフトウェア企業の参入が妨げられ便利な未来が生まれないこと、などが重要なメッセージとなった。この過程で自社の利益を顧みる間などまったくなく、業界を守るためにもっぱら正直者であり続けること、くらいしか武器がなく動くこととなったのである。

このような「正直者戦略」には、スタンフォードで学んだ一つの発想があった。スタンフォードGSBは起業以外にも組織行動論（心理学と経営学等の融合分野）が有名であり、筆者も2年次には「権力と演技」「コーチング」「Touchy Feely」といったソフトスキルの授業を受けていた。そこでは、立場や文化の違う相手との間でうまく関係を築く際に、先手を打った自己開示であったり、あきらめずに将来にプラスサムの世界を描けるかというトレーニングを行ったりする。これらの授業は、研究しかしてこなかった自分の新たな側面を発見したい一心で受けていたのだが、結果的には厳しい交渉の場でも、一定の進展を作ることに役立っているような感覚がある。

制度を変えて、世界を変える

2021年2月、筆者は創業来務めてきたマネーフォワード社の取締役という立場を退任し、Chief of Public Affairsという日本では耳慣れない役職に就いた。この肩書きは、従来も担ってきた自社のサービス提供を超えた対外的な活動をよりオフィシャルに推進するものであるが、パブリック・アフェアーズという、企業のロビイングや交渉事とも一線を引いた、公共的価値を唱える役割に未来への希望を感じている。

前述の銀行APIの一件以来、会社としても個人としても、テクノロジー業界が日本社会においてどう貢献するべきか、振る舞うべきかについての意見をさまざまなシーンで議論するようになった。まだ見ぬテクノロジーも含めて、従来日本社会ではデジタルそのものを忌避するような風潮もあったが、コロナ禍を経てさすがにそれも時代遅れな考え方であることは認められつつある。一方で、早すぎる変化はより大きな社会的混乱をもたらすことも、米国や英国における政治的混乱を踏まえずとも明らかである。変化の早い時代や技術の要請に対して、生身の人間の集合体である社会をいかに適合させるかは、想像以上に地道な仕事ではあるが、その一端を担っていければと考えている。

金融を通じて、社会を変える

冒頭に「金融制度を変えることで日本を変える」というキャリアの目的を書いた。家計簿や会計ソフトという「お金の現在地」をとらえるサービスを10年間提供しながら、私のなかでは少しずつ「日本」の定義が、変わってきたような感覚がある。具体的には、社会人になりたてのころは、経済構造上の「既得権益」対「新しい日本を作りたい人たち」という対立軸で物事をとらえるようなところがあった。だが、今は日本をトータルでとらえたときに、対立軸というよりも、なだらかに共有されているあきらめのような空気を変えないといけないと感じている。

日本は残念ながら、将来世代に向けて莫大な政府の借金を積み上げてきた国である。天然資源に乏しく、いち早く少子高齢化社会の到来を迎えたなかで、将来への成長期待の低さが皮肉にもゼロ金利という形で政府の借金を助け、失った経済成長の穴埋めに用いられてきた。普通に考えれば、赤字続きで借金を積み上げるような家計は長続きしない。同様に将来期待もなく赤字の見通ししかない会社には勤めたくないだろう。

政府の収支が破綻し続ければ、どこかで社会とそこに生きる人たちを守ることが難しくなる。財政を国内の経済構造で守れなくなれば、海外に留学するなど、仕事上「努力すること」の期待値が損なわれていく。世界に誇れる社会のあり方や、平和の考え方を希求していくための人材もまた、限られていくことになる。

この不都合な事実と向き合うために、金融制度はとても役に立つ。金融は、将来の経済の価値を現在の価値に換算できるツールであり、集合知を生かした「タイムテレビ」のような存在である。そして、今のタイムテレビには、緩やかに衰退を味わい努力することの期待値が低い、つまらない世界が映っているように感じる。そして、その色合いを変えることができるのは、もっている資源や時間を最大限に活用し、分配できる公共の構造である。

Change Lives, Change Organizations, Change the World. という標語に照らすと、自社のサービスでは一つひとつの人生の見通しを改善する役割を担っている。そしてその延長線には、社会の行く末の見通しを改善する合成された姿があるはずである。この世界像をかなえるためにも、今続けているチャレンジをより強度を高めて実現しないといけないし、より新しいチャレンジもしていかなければいけないと考えている。

▶ サーチファンドを日本へ。アントレプレナーシップに第二の柱を

#15

嶋津紀子

SHIMAZU *Noriko*

東京大学経済学部卒、スタンフォード大学経営学修士課程修了(MBA 2017)。ボストン・コンサルティング・グループにて大企業の経営戦略立案等に従事した後、トヨタ自動車の経営企画に出向。スタンフォード経営大学院にてサーチファンドについて学び、留学中から日本への展開を模索する。2018年に株式会社Japan Search Fund Acceleratorを設立、代表取締役社長に就任。2019年に株式会社山口フィナンシャルグループと日本初のサーチファンドへの投資ファンドとしてYMFG Searchファンド投資事業有限責任組合を立ち上げ、8人のサーチャーに投資。2021年末には野村リサーチ・アンド・アドバイザリー株式会社と、日本最大のサーチファンドへの投資ファンドであるジャパン・サーチファンド・プラットフォーム投資事業有限責任組合を設立、運用中。中小企業庁金融小委員会委員。

人生を変えた出会い：サーチファンドとは

サーチファンドは、1980年代にスタンフォード経営大学院（GSB）のグロースベック教授が編み出した、若者がいきなり中小企業の社長となるためのスキームだ。社長を目指す個人（サーチャー）が投資家から活動資金（サーチ費用）を集め、その資金を使って承継する企業を探し、追加出資を受けて承継企業を買収し、社長となって企業価値向上に励むのだ**【図1】**。欧米では、Entrepreneurship Through Acquisition（買収を通じたアントレプレナーシップ、ETAと略される）とも呼ばれ、起業と並ぶアントレプレナーシップの片翼として注目を集めている。アントレプレナーシップの発揮において、ゼロから会社を作るのか、すでにある会社を土台に積み上げていくのかは、手段の違いにすぎないという認識だ。サーチャーはそれぞれ（ペアで活動する場合にはペアごとに一つ）「サーチファンド」と呼ばれる組織

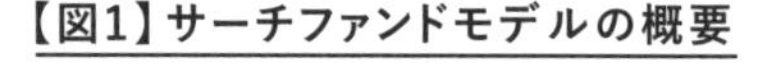

【図1】サーチファンドモデルの概要

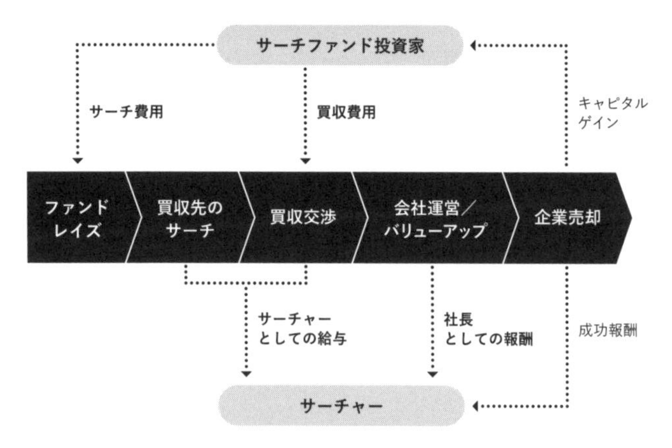

（ファンドと呼ばれるものの、実際には投資事業有限責任組合ではなく合同会社や株式会社の形態を取ることが多い）を興し、その組織を通じて資金を集めたりサーチ活動や事業買収などを行うため、「サーチファンド」を起業しているともいえる。サーチファンドの設立数は毎年伸び続けており、GSBやスペインのIESEビジネススクールのレポートによると、2021年には世界で約100のサーチファンドが設立されている。

私がGSBでサーチファンドのコンセプトを学んだ2016年当時、日本では「サーチファンド」とウェブ検索をしてもほぼなにもヒットしないほど、まだ知られていない概念であった。GSBではじめてサーチファンドを知った私は、在学中からサーチファンドを日本へ持ち込むための活動を開始し、2018年に株式会社Japan Search Fund Accelerator（JaSFA、ジャスファ）という会社を設立した。約6年経ち、現在はありがたいことにサーチファンドへ投資を行う専門ファンドが複数生まれ、二桁のサーチャーが日本で活動し、メディアにもたびたび取り上げていただけるまでになった。留学当初、金融にも興味が薄く、起業など考えたこともなかったところから、本当にたくさんの方々のご協力を得ながら、サーチファンドという一つの金融業界を立ち上げるという貴重な体験をさせていただいた。GSBはまさに私にとってライフチェンジングな時間となった。

心のフラット化

個人的に、GSBへの留学で得た最大の収穫は、新しいことや流行しているものに対する斜に構えた考え方が矯正され、未知のものをフラットに試したり受け入れられたりするようになったことだと思う。一般的に、歳を重ねるごとに新しい物事への耐性は下がり、個人の成功体験や行動パターンに縛られることが増えるように感じるが、Open-minded（オープンで前向きな姿勢）であることは、学びにとってもアントレプレナーシップにとっても基礎となる非常に重要な姿勢だ。GSBではこの「心をフラット化する」仕掛けが幾重にも用意されていた。

入学当初の私がどれだけ凝り固まっていたかというと、「私は起業するキャラじゃないし、スタートアップにも興味がないから、起業系の授業はすべて取らなくていいな。金融も興味ないからいらないな」と決めてかかり、1年目の必修の合間に取った選択授業では、人気の名物授業をほとんど取らなかったほどだ。もともと興味のあったマクロ経済、景気循環論、哲学系などを好んで取り、それはそれでもちろんおもしろかったのだが、大学でもかじったり自分で本を読んだりもしていた分野のため新たな発見は少なかった。また、ネットワーキングの重要性を初日からあらゆる人々に説かれていたにもかかわらず「私はネットワーキングが苦手だし、ネットワーキングが役に立つようなキャリアプランもないしなあ」と尻込みしていた。同級生がしょっちゅう繰り出していたハイキングですら「なにが楽しいんだろう」と思うほどひねくれていた。コンサルタントという仕事柄、業界常識に疑問をもち、表層的なデータ分析の裏に隠れているかもしれないインサイトを引き出すべく、まずは疑ってかかる、自分の目で見てたしかめたことだけを信じる、多数派の意見を鵜呑みにしない、逆に自分が信じていることを疑わない、という姿勢がより強く身についていたのかもしれない。

他人のお勧めを素直に受け取り、アドバイスにはとりあえずしたがってみるようになるまで、1年ほどかかった。変化の契機となる衝撃的な出来事があったというよりは、日々の積み重ねのなかで、ゆっくり心が溶けていくような感覚であった。

では、なにが心のフラット化に寄与したのか。一つ目はなんといってもその立地だ。広い空と良い天気、日中に外に出る自由のおかげでたっぷり太陽を浴びたことは、思考にまで良い影響があったと思う。日照量と自殺率に逆相関があるという話は知っていたが、天気が良いだけで前向きでいられることを実感した。なにかを試すということは、仮に失敗したとしても「一つ経験が増えた」と受け流せる余裕が必要だが、良い天気と緩やかな時間は余裕の源だったと思う。

二つ目には、授業内のゲストスピーカーやケーススタディ、View From The Topと呼ばれる名だたる有名人が来校する講演シリーズなどで頻度高く見聞きする成功者の体験談を挙げたい。GSBには、元Google CEOのエリック・シュミット氏やライス元国務長官、ナイキ創業者のジョン・ドナホー氏や元Facebook COOのシェリル・サンドバーグ氏など、世界のトップがやってくる。どうやって成功をつかんだのか、どんな失敗を乗り越えてきたのかという話ももちろんおもしろいのだが、それぞれの価値観や人生観に触れることで、幸せの定義や人生のあり方に大きく影響を受けたように思う。出産の直前直後も仕事に没頭し、乳児を仕事部屋に連れて行って授乳しながら働いた人もいれば（元Yahoo!社長のマリッサ・メイヤー氏）、早めに大きなリスクを取ってさっさとセミリタイアしてしまい、週3日ほど好きなことをして働きながら、家族との時間を大切にしている人もいる（GSBの講師陣にはこのタイプが何人もいる）。ゼロからなにかを立ち上げることに喜びを感じる人もいれば、大きな組織や長い歴史を背負う責任感に奮い立つ人もいる。文字で書くときわめて当たり前のことになってしまうのだが、人生の満足度や幸福度を上げる要素は多種多様で、それぞれにとって最適なバランスは異なるのだということを、何度も何度も突きつけられる日々であった。

GSBの出願書類に、「What matters most to you, and why?（あなたにとってもっとも大切なことはなにか？　それはなぜか？）」という名物エッセーがあるのだが、重要なのはまさにこの1問なのだと入学してから痛感した。人生とはだれかとの競争ではなく、自分を知り、自分に合わせてカスタムメイドしていくしかないわけで、そこに深く腹落ちすると、いわゆる「キャリア路線」からドロップアウトすることの恐怖や、ついつい他人と比べてしまって焦る気持ちなど、知らないうちに身についていた固定観念や自分にはめていたリミットが消失していった。自分が知っていること、正しいと思っていたこと、こうなるだろうと予想していた未来が、いかに狭い視野にとらわれていたかを知り、知らないことへの謙虚な気持ちと期待感を取り戻した。この境地に至って、はじめてアントレプレナーシップの入り口に立てるのではないかと感じた。

最後に、同級生の存在である。GSBには、代々受け継がれる「TALK」と呼ばれる仕組みがある。週に一度、毎週2名ずつ、志願者のなかから抽選で選ばれた同級生が自分の生い立ちや価値観など、好きなことについて45分間語るのだ。約400名いる同級生のうち、毎週半分弱は集まっていたのではないだろうか。狭いラウンジにぎゅうぎゅうに入って、講演者の話にじっと耳を傾ける。もともとスピーチ上手な同級生も多いのだが、講演者にはコーチまでついて相当な熱量で準備してくるので、どの話も本当に感動的なのだ。「What matters most to you, and why？」を自問する日々のなかで、毎週友人の魂のこもった答えを聞くことになるわけで、心に深く突き刺さる。そんな友人たちの挑戦や葛藤を知ると、自分の悩みやおそれが小さく見えてきて、挑戦のハードルが下がったりする。また、友人への信頼や尊敬が、彼らの評価やおすすめを信頼し試してみることにもつながった。一度、いわれるがままに試してみると、想定外に気にいることや、意見が変わることが多く、発見が増えた。卒業するころにはハイキングが大好きになっていたし、いつの間にか金融業界で起業しているのだから、人生は本当にわからない。

アイデアが動き出すとき

GSBには、2年生がどうしても取りたい人気授業を履修できるようスーパーラウンドと呼ばれる仕組みがあり、1人二つ、通常の履修申し込みの前に授業への優先申し込みができる。一部の人気授業はスーパーラウンドのなかでさえ抽選となるほどで、スーパーラウンドを使わなければ履修できなかったりする。2年生となり「多くの人から人気があるものには、それなりの理由があるに違いない。自分の趣味嗜好は置いておいて、試してみたほうがよい」と思えるようになっていた私は、とりあえず学生からの授業評価の点数が一番高く、人気がある授業にスーパーラウンドを使うことにした。そうして勝ち取ったのが、Entrepreneurial Acquisitionの席だった。

Entrepreneurial Acquisitionは当時のGSBで唯一のサーチファンドに特化した授業だったのだが、金融に興味のなかった当時の私は、授業がはじまるまでそのことを知らなかった。授業ではサーチファンドのモデルについて一から学び、資金集めと投資家の選び方、サーチ中、オーナーとの買収交渉、承継後100日の動き方、イグジットのタイミングなど、フェーズごとに作りこまれたケーススタディを読む。また、現役サーチャーをゲストスピーカーに迎えたりもしながら、ロールプレイも織り交ぜて、サーチファンドへの理解を深めていく。講師は自身も成功した元サーチャーで、現在GSBおよびスペインのIESE経営大学院においてサーチファンド研究の中心となっているピーター・ケリー氏と、サーチファンドの投資家歴の長いデービッド・ドットソン氏で、2人とも他の授業も受けもつ人気講師だった。

サーチファンドに興味がある者にとっては、これ以上ない恵まれた環境なのだが、授業がはじまってすぐに、強く惹かれたというわけではなかった。GSBでは当時から、アントレプレナーシップや中小企業マネジメントなどの授業でもサーチファンドを扱っており、私もFormation of New Venturesという授業を通じてサーチファンドに出会っていたのだが、そのときにもサーチファンドに特別興味をもったわけではなかった。サーチファンドへの興味は、衝撃的な出会い、というより、ゆっくり育つ感覚だった。何度もコンセプトに触れ、ゆっくり理解していくなかで、あるときふと自分の課題意識や目指す社会と、目の前のコンセプトがつながったのだと思う。

週に2回、宿題でケーススタディを読んだりする日を含めると週に4日以上、強制的にサーチファンドについて考えるようになって1カ月ほど経つと、このモデルは日本にもフィットするはずだと思うようになった。自分のような、ゼロイチ（ゼロから立ち上げること、起業）よりも既存ビジネスの課題解決を好むコンサルタントのネクストキャリアにぴったりだということ、中小企業では大企業よりも迅速でダイナミックな改善が可能なのではないかというワクワク感、都市部への人口集中や少子高齢化、中小企業の後継者不足といった社会課題へのアプローチになるのではないかという期待感などがあいまって、考えれば考えるほどうまくいくような気がした。

なんとなくおもしろそうだな、というフェーズから、実際に動いてみよう、というところまで気持ちが高まったのは、一緒に留学していた夫のおかげだ。起業のハードルで一番高いのは、この最初に行動を起こす一歩かもしれない。GSBの同級生は、ほぼ全員が卒業までのどこかのタイミングで起業を検討するといっても過言ではなく、カフェテリアではよくアイデアが議論されていたりもするのだが、実際にプロトタイプを作ってみる、投資家にピッチをしてみる、類似企業を訪問してみる、といったアクションまでつながるアイデアは非常に稀である。

当時私は、夫が通っていたカリフォルニア大学バークレー校の家族寮からスタンフォードまで通学していたのだが、妊娠していたこともあり、夫が車でよく送迎してくれていた。授業に向かう車のなかで、夫にサーチファンドがおもしろいこと、その日読んだケーススタディの話などをしていたのだが、この週2回×往復3時間が、授業の振り返りや日本へサーチファンドを持ち帰るための作戦会議の時間としてとても有意義だった。サーチファンドの社会的インパクトに興味をもっていた私に対して、プライベート・エクイティ・ファンド（未公開企業や不動産に対して投資を行う投資ファンド）で働いていた夫は投資家としてサーチファンドをおもしろがっていた。夫の存在が、サーチファンドをサーチャーとして立ち上げてみる、という可能性以外に、投資家としてプラットフォームを作る、という可能性を拓いてくれた。

余談だが、Formation of New Ventureも非常におもしろい授業だった。その名の通りスタートアップのはじまり方に光をあてていて、ベンチャーキャピタル（VC）をたくさんまわり潤沢に資金調達をして華々しくはじまるスタートアップ以外にも、まずは副業でほそぼそやってみる、サーチファンドを活用する、当初から黒字の見込める事業をスモールスタートではじめるなど、多様な起業の仕方を学んだ。起業する人の性格や状況に応じて最適なはじめ方は異なるのだ、ということを毎回具体的な事例やゲストスピーカーを交えながら体感する、贅沢な時間であった。講師は、なんとサーチファンドでもっとも有名な成功事例であるアシュリオン※1のサーチャーの1人、ジム・エリス氏であった。GSBでは、履修し終わったり卒業したりしてから、いかに貴重な体験であったかを知ることが何度もあった。

GSB流業界のつくりかた：GSBコミュニティ

ネットワーキングの大切さや、GSBの最大の価値は人脈であることは留学当初から聞いていたが、自分に語ることがなかったときにはとても苦労した。ネットワーキングを目的としたネットワーキングは、私の性格上あまりうまくいかなかった。ところが、サーチファンドという「語るもの」が見つかったとたん、おもしろいほどにコミュニティが広がっていって驚いた。

サーチファンドに興味をもった当初、まずはサーチファンドに関連のある講師陣に片っ端からアポイントを取り、日本にサーチファンドモデルを持ち帰るためにはどうすればよいか、相談にのってもらった。GSBでサーチファンドを教えている講師たちは、大半が元サーチャーの現サーチファンド投資家であったから、投資家の目線からも真摯にアドバイスをいただいた。投資家の目線は厳しく、皆一様に日本のマーケットには興味があるという一方で「1984年からモデルが存在しているにもかかわらず、まだ日本にサーチファンドがないということは、なにか日本では機能しない理由があるのではないか」「現在はアメリカ国内にも投資機会が豊富にあるなかで、為替リスクを取りたくない」「サーチファンドは、投資家がサーチや事業承継後の経営にアドバイスをすることで成功確率を上げるものであるが、自分は日本のマーケットや商慣習がわからないのでアドバイスができない」などの理由から、日本のサーチファンドへの投資には消極的であった。

一方で、すぐには投資ができないとしても、なんとかして力になろうとしてくれるのがGSBコミュニティだ。あそこのファンドであれば海外への投資も積極的にしているから聞いてみたらよい、と他の投資家につないでいただいたり、自分たちの投資先のサーチャーに弟子入りしてサーチファンドへの知見を深めたらどうだ、とサーチャーを紹介してくださったり、サーチャーや投資家の集まるパーティーに招いてくださったりした。余談だが、スタンフォードキャンパス内の病院で出産する予定にもかかわらず、渋滞がひどいと2時間以上もかかるバークレーに私が暮らしていることを知ったサーチファンド・パートナーズ（サーチファンド専門の投資会社の一つ）のリッチ・ケリー氏（なんと元NBA選手のGSB卒業生）は、「投資はできないが、家は無料で使ってくれてかまわないよ。キャンパスまですぐだし、庭の離れはキッチンもシャワーもなんでもそろっているから。いつまでいてもらってもかまわないよ」とオファーしてくださった。2人とも私費で留学中だった貧乏学生の私たちは、出産前後の数週間を実際にケリー氏の離れに住まわせていただいた。GSBのコミュニティは本当に温かい。

話をサーチファンドに戻すが、夫とサーチャーの承継先企業を訪問して会議に出させていただいたり、パーティーでいろんなサーチャーからサーチの実情を聞いたりできたことは、日本でのサーチファンド業界立ち上げにおいて非常に有意義であった。今でも、困ったときにすぐにコンタクトを取れる知り合いがたくさんできた。

Family Businessという授業の講師が紹介してくださった縁で、彼の投資先であったSearch Fund Acceleratorにもご紹介いただいた。産後2カ月で娘を夫に預け、西海岸からボストンまで1泊2日で単身訪問するという大冒険をしたのだが、インキュベーションルームを見せていただいたり、日本での活動に向けて背中を押していただいたりして、JaSFAがサーチファンドのアクセラレーターを志すきっかけとなった。

GSBのコミュニティには、帰国後も大きく助けていただいた。業界を立ち上げるにあたり、まずサーチファンドの知名度を上げていかなければならない、という局面で、IGPIグループの会長でありGSBの大先輩である冨山和彦氏に無料でカンファレンスに出ていただいたことは、大きな追い風となった。GSBではないが、スタンフォードで同時期に客員研究員をしていた日本人の友人が帰国後につないでくださったご縁で、金融機関のトップとの面談の機会をいただき、新聞で何度か取り上げていただくこともあった。

GSBの最大の財産はそのコミュニティだが、コミュニティの扉は自分の中にwill（志）をもってこそはじめて開かれるのだ。

GSB流業界のつくりかた：ストーリーテリングの力と社会的価値

日本にサーチファンドを持ち込むにあたり、私の施した最大のローカライズは、欧米ではもっぱらアントレプレナーシップの手段としてとらえられているサーチファンドを、社会課題解決ツールとして定義しなおしたことであると思う。また、国内に実績もないなかで賛同者を集めていく道中では、ストーリーテリングの力も役立った。ビジネスに社会的価値を重ね合わせ、新しい価値に仕立て直していく手法も、ストーリーテリングも、GSBで大切にされているアプローチだ。

少し話がさかのぼるが、留学の準備をしていたころ、私は公共政策大学院を中心に出願していた。もともとマクロ経済や日本全体の経済成長に興味があったなかで、コンサルタントとして大企業の経営戦略に携わらせていただくうちに、民と官の役割分担や連携の仕方、労働人口の減少や地方の過疎化といった社会問題に日本経済としてどのように対応していくのかなど、より大きな枠組みに興味をもつようになったからだ。そんななかでGSBに出願したのは、GSBが「ビジネス」で勝ち上がるためのスクールではなく、本気で社会を変えようとする者が集まる場であると感じたからだった。

GSBは「Change Lives, Change Organizations, Change the World.」を標語として掲げている。また、Stanford GSB中興の祖であるアージェイ・ミラー学長[※2]は、1969年にGSBの学長を引き受ける際に以下の条件を出したといわれている。

the school begin a program that would educate business in the concerns of government and society, and government in the needs of business (GSBがビジネスを政府や社会の視点から導き、政府をビジネスにおける必要性の視点から導くためのプログラムを新設すること)

ビジネスと社会課題、そして政策の交差点に興味があった私は、ミラー学長の考えに強く共感した。

実際に、GSBには社会的価値に対する強い意識が息づいており、Center for Entrepreneurial Studies[※3]と並んでCenter for Social Innovationが研究の拠点となっている。あらゆるビジネス活動が、結果的に社会にどのような価値を生み出しているのかについて常に向き合う姿勢が、GSBの根底に流れている。「Change Lives, Change Organizations, Change the

World.」の標語と向き合う2年間なのだ。

ストーリーテリングについては、ネットワーキングと並んで入学当初からその大切さを何度も説かれることになる。同じ話でも、ストーリーの仕立て方、語り口、表情や姿勢、声の大きさなどによって、伝わり方は大きく異なる。リーダーとして組織を束ねていくうえでももちろん大切な技術だが、スタートアップの資金調達においても重要視されており、GSB内外に多様な授業がそろっている。

スピーチやストーリーテリングは、日本で体系的に学ぶ機会もなかったので、私も意識的に複数の授業を履修した。エンジニアリングスクールのPublic Speakingは、毎回宿題として練習してきたスピーチを授業内で披露することで場数を踏むことができる。GSB仲間と夜の枠で履修したので、ビジネススクールからエンジニアリングスクールまで、スピーチ練習をしながら夜道を歩いたのも良い思い出だ。Acting with Powerという授業では、役者から演劇を学ぶなかで、威厳を出したいときと謙虚さを出したいときの体や声のトーンの使い分け、怒り、悲しみ、喜びなどの表現の幅を習得していく。シリコンバレーのエグゼクティブは、アクティングスクールに通っている人も多いと聞いて、ビジネススキルの奥深さに驚いた。GSBで45年間人気No.1といわれるInterpersonal Dynamics（通称Touchy Feely）の授業では、伝えたい事柄を相手が受け取りやすく伝える方法を学んだ。授業ではないが、前述のTALKも、まさにストーリーテリングを実践する場である。

サーチファンドの活動をはじめてからは、投資家や現サーチャー、講師や教授を相手にピッチを重ねたことで、ビジネスと社会的価値を掛け合わせて語る手法とストーリーテリングの二つの力を実践で磨くことができた。よく出る質問に先回りして回答したり、うまく説明できなかった箇所を強化したり、組み替えたりしたことで、なぜ日本でサーチファンドなのか、なぜ今なのか、なにが違うのか、という分析と、なぜやりたいのか、なぜ私なのか？ What matters most to me? がうまくブレンドされていったのだと思う。

生みの苦しみ：日本でのサーチファンド業界立ち上げ

GSB卒業後に帰国した2017年から、日本でサーチファンド業界を立ち上げようと奔走したのだが、投資家集めはうまく進まなかった。欧米のサーチファンドは個人投資家が中心となり投資が行われていたので、まずは日本でも個人投資家をまわってみたのだが、そもそも事業承継費用を含めると億単位になるかもしれない金額を、経営経験のない個人に対し、またサーチファンドモデルとしても国内に実績がないなかで、心意気を買って出資できるほどの多額の資産をもった個人に出会うことが難しかった。GSBの講師の伝手をたどったり、近所の元起業家を何人かあたっていけば次々と数十億円以上の資産家に出会えたりするシリコンバレーとは、投資環境が根本的に異なる。アクティブに活動していて連絡の取れる個人投資家の多くはアーリーステージのスタートアップ投資を主としており、サーチファンドのモデル自体はおもしろがってくれる人が多かったが「シード期のスタートアップ投資と比べると投資額が大きすぎる※4」「サーチ費用という、サーチャーが承継企業を探すために使い込まれる費用を投資家が負担しなくてはならない意味がわからない。良い会社が見つかったら投資するかもしれないからまた来てよ」などといわれることが多かった。

個人投資家の次は、事業会社や金融機関をまわった。地方創生や中小企業の後継者問題の解決にミッションや興味をもっていそうな企業を中心にまわったところ、コンセプトはおもしろいといっていただくことが多かったのだが、サーチファンドの良さを残したまま、事業会社の本業と協業できるスキームの考案に行き詰まった。若手の研修ツールとしてサーチャーのポジションを活用するのは時間軸やリスクリターンの設計が合わず、本業とシナジーのある業界に絞ってサーチを行い、出口で投資家である事業会社に買い取ってもらう形を取ると、サーチの難易度が上がるうえに、サーチャーと投資家の間にコンフリクトが発生してしまう。

資金、人材（サーチャー）、承継会社のすべてが「ニワトリタマゴ」になっていたことも状況を難しくしていた。投資家からは「サーチャーが務まる人材や、経営未経験者の他人に事業を譲ってくれる中小企業オーナーなんているのだろうか」、中小企業のオーナーからは「こんな地方の、うちみたいな中小企業を継ぎたいなんていう優秀な人材、どこにいるの」、サーチャーに興味をもつ若者からは「自分に出資してくれたり事業を譲ってくれたりする投資家やオーナーなんていないんじゃないか」といった声をよく聞いた。資金がなければサーチャーに投資ができず、サーチャーが活動できなければ承継先が見つからず、サーチャーや承継先の候補がいなければ投資家も資金を出しにくい。なにか一つ決まれば他の二つもまわり出し、一度まわりはじめればどんどん好循環が続きそうに見えるのに、最初の足がかりが見つからない。

そんななかで、地域金融機関に行き着いた。地域の人口減少や法人数の減少に直面し、強い課題意識と危機感をもっていると同時に、中小企業の情報や地域からの信頼、そして資金を保有している。地域金融機関をまわろうと決意し、最初にアポイントが取れたのが山口フィナンシャルグループ（山口県下関市に本社を置く金融持株会社）だった。当時、投資共創部という新しい部署が立ち上げられたばかりで、サーチファンドのコンセプトに強く共感いただいた。日本の税制等を考慮して組合契約書や投資スキームを一から作り上げる苦労はあったものの、山口フィナンシャル・グループとの提携が決まってからは着々と進みはじめ、2019年の2月に、日本ではじめてのサーチファンド専門の投資ファンド（YMFG Searchファンド投資事業有限責任組合。以下、YMFG Searchファンド）を設立することができた。日本に、サーチファンド業界が生まれた瞬間だった。

アントレプレナーシップとしてのサーチファンド：JSFPの誕生

2019年にYMFG Searchファンドが設立されてから3年半の間に、同ファンドから8人のサーチャーに投資をさせていただき、6社の事業承継にいたった。実例が出てくるにともない、サーチファンドの国内認知度も上昇し、サーチファンド専門投資ファンドも複数出てきた。ありがたいことに、自らのキャリアとしてサーチファンドを検討する優秀な若手・中堅人材も増加している。

サーチファンド、という業界は間違いなく日本に根づきつつあり、非常に喜ばしく思っているのだが、JaSFAとして、またサーチファンドを社会的価値と強くひもづけた張本人として、日本のサーチファンドを世界と異質なものにしないよう、危機感も抱いている。

たとえば、サーチファンド、という言葉は本来サーチャー（経営人材）が所属するハコ（株式会社や合同会社の形態を取ることが多い）を指すのだが、サーチファンド（サーチャー）に投資をするファンド部分に誤用されているケースが散見される【図2】。

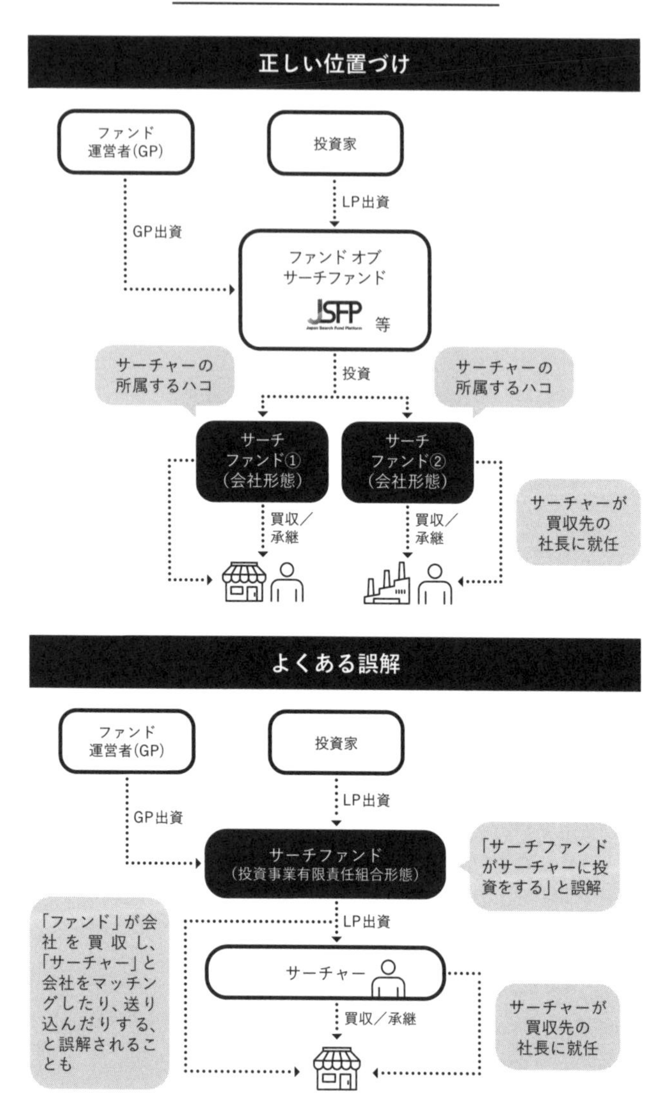
【図2】サーチファンドの位置づけ
正しい位置づけ
ファンド運営者(GP)
投資家
LP出資
GP出資
ファンド オブ サーチファンド
JSFP 等
サーチャーの所属するハコ
投資
サーチャーの所属するハコ
サーチファンド①(会社形態)
サーチファンド②(会社形態)
サーチャーが買収先の社長に就任
買収／承継
買収／承継
よくある誤解
ファンド運営者(GP)
投資家
LP出資
GP出資
サーチファンド(投資事業有限責任組合形態)
「サーチファンドがサーチャーに投資をする」と誤解
LP出資
「ファンド」が会社を買収し、「サーチャー」と会社をマッチングしたり、送り込んだりする、と誤解されることも
サーチャー
買収／承継
サーチャーが買収先の社長に就任

「サーチ」期間のないいわゆる「ターゲットファンド（特定の会社を買収するために資金調達を行う方式）」や「プライベート・エクイティの投資先への人材派遣」も「サーチファンド」と呼ばれていたりもする。

また、サーチファンドの社会課題解決の側面が強調されすぎたことにより、本来のアントレプレナーシップの意味合いが薄れ、地方中小企業の事業継続や救済にフォーカスがあたりすぎ、「サーチャー人材をプールして、ファンド（投資家）が企業と人材をマッチングする」仕組みがサーチファンドであると誤認されているケースもある。存続が危うい会社を存続させるということがアントレプレナーシップの先に立つと、経営状態が悪く、一般的なサーチファンドの対象企業よりはだいぶ小さい会社が承継対象となりやすく、事業成長の成功例が生まれにくくなり、サーチャーのなり手が減って、サーチファンド業界自体が不活性化していくことにもなりかねない。

本来、サーチファンドがすばらしいのは、多様な社会課題を解決するその社会的価値の高さと、純粋に投資手法としてすぐれており資本主義の枠組みのなかできちんと成立するそのバランスの良さだ。ポテンシャルの高いすばらしい会社を、すばらしいサーチャーが、自らの手で選び取ることにより最高のコミットメントとモチベーションで経営していくため、承継企業がより成長する。オーナーも、手塩にかけた自分の会社をすばらしい人材の手でより大きく育ててもらいたいと願うことで、サーチファンドに事業を譲る。サーチャーは成功を収めることで成功報酬により資金的に潤い、次の世代のサーチャーへ投資することができるようになる。サーチャーの成功により初期の投資家が潤えば、他の投資家も業界に参入してくる。サーチャーの成功にあこがれて、より優秀な人材がサーチャーを志す。そうやって、サーチファン

JSFPメンバーと初期サーチャー(2022年当時)

ドはすべてのステークホルダーを潤しながら、自己増殖するコミュニティとなって社会的インパクトを拡大していくのだ【図3】。

アントレプレナーシップ色のしっかり残ったサーチファンドを日本に根づかせるため、JaSFAは野村グループと提携し、2021年末にジャパン・サーチファンド・プラットフォーム投資事業有限責任組合(以後JSFP)を設立した。全国に支店をもつ野村證券株式会社やLP(JSFPに資金提供してくださっている投資家)の金融機関の強いバックアップ体制により、日本最強のサーチャー支援プラットフォームができたと自負している。JSFPでは、できる限り欧米で研究されたサーチファンドの成功例に忠実に、承継企業の成長、投資のリターン、地域への貢献、人材(サーチャー)の成長、サーチファンド業界の拡大のすべてを貪

【図3】サーチファンドがめざす好循環の概要

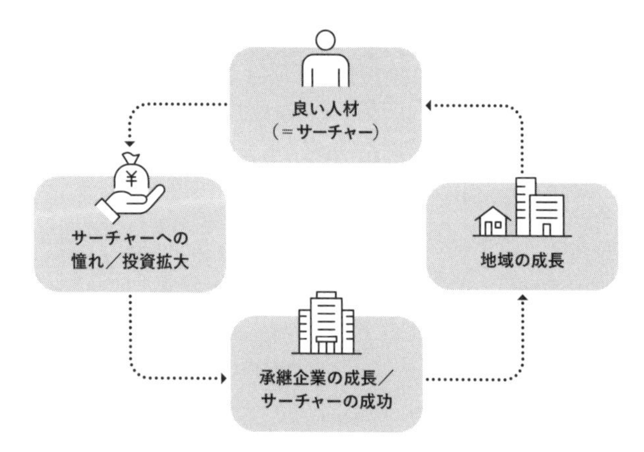

欲に追求している。

2023年1月には、JSFPの最初のサーチャーである松本竜馬氏が株式会社メディプラスの事業承継に至った。メディプラスは、医療依存度の高い利用者や小児・精神にも対応できる、神奈川エリアにおける訪問看護の代表的企業で、「タツミ訪問看護」を17拠点に展開している。看護師やリハスタッフ等200人以上のスタッフを抱える成長企業を、32歳で経営未経験のサーチャーが引き継がせていただくこととなったのだ。承継にいたるまでのサーチ活動も、「投資家主導のマッチング」ではなく、本来のサーチファンドの形である「サーチャー主導の企業選定」のまま、投資家としてサポートすることができた。

株式会社メディプラスの前社長・瀬崎氏(左)とサーチャーの松本氏(右)

松本氏は小学校時代から暮らした地元神奈川への貢献を目指し、地域医療を支える福祉関連事業に興味をもっていたなかでメディプラスを見つけ、オーナーや経営陣と将来の展望等の議論を重ねるなかで熱意と能力を買っていただき、事業を託していただくこととなった。現在松本氏はメディプラスの社長として、メディプラスの成長のみならず、だれもが安心して在宅医療を受けられる社会をつくるため、訪問看護の業界地位向上や業界としての働きやすさや研修教育機能の底上げをめざしている。この案件は、JSFPが目指す、地域密着企業を軸にサーチャーが業界にとらわれない新しい視点や強いコミットメントで非連続的な企業成長を巻き起こす、アントレプレナーシップとしてのサーチファンドの狼煙になると感じている。

アントレプレナーシップという言葉がスタートアップや起業とは

ぼ1対1対応となっている日本において、サーチファンドをアントレプレナーシップの片翼として位置づけていくことは大きなチャレンジではあるが、非常に大切なことだと感じている。古くは中国、その後は欧米の技術に学びながら改善を繰り返し、技術的にも経済的にも発展してきた日本には、ゼロイチ型のアントレプレナーシップよりもサーチファンド型（すでにあるものを磨きながら新たな価値を生み出していく）のアントレプレナーシップのほうが向いている可能性もある。アントレプレナーシップの両輪がまわりはじめたとき、日本の成長は再度加速するのではないだろうか。

サーチファンドの未来と3つの野望

サーチファンドがアントレプレナーシップの片翼として、社会的インパクトを体感できるまでに成長していくために、成し遂げたいことがいくつかある。

一つ目は、サーチファンドの代表事例を生み出すことだ。きちんと事例を提示することで、言葉の誤用の訂正を含め、正しい認知がより広がっていくことも期待できる。サーチファンド・コミュニティが拡大するための最大のきっかけは、成功事例を生むことだと思っている。

二つ目は、アカデミックとの連携だ。アメリカではもともとGSBが、そしてヨーロッパではGSBと提携しているIESEビジネススクールが、データの取りまとめと発表やカンファレンスのホストなどを通じてコミュニティのハブとなり、サーチファンド業界を盛り上げてきた。2011年にIESEでサーチファンドを取り上げるようになってから、北米外のサーチファンドは顕著に増加している**【図4】**。日本でも、ビジネススクールが中立なコミュニティのハブとなることで、情報の蓄積やコミュニティの拡大が期待できる。情報発信を行うハブとなるビジネススクール以外にも、複数のビジネススクールや大学の経営学科などでサーチファンドの授業が増えてくれば、中小企業経営者を志してキャリアを設計する若者も増えてくるはずだ。

三つ目は、海外のサーチファンドコミュニティのなかで存在感を示すことだ。2022年のアジアはサーチファンド黎明期であり、日本以外ではベトナムに一つ、韓国に一つ、オーストラリアに数個のサーチファンドが確認されている程度にとどまる。日本がこのままサーチファンドへの投資を続ければ、アジアのサーチファンドコミュニティの中心的な立場を狙えるはずだ。欧米のサーチファンドコミュニティにも、積極的に情報発信をしていきたい。アカデミック連携も視野に、GSBやIESEでサーチファンドを教えている教授たちとの情報交換をはじめている。

今後日本でサーチファンドの成功例が複数出てくれば、日本

【図4】北米外のサーチファンド活動数推移

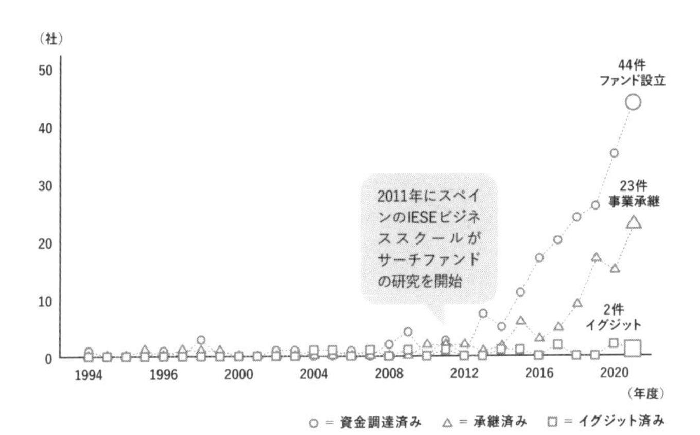

出所：2022 Search Fund Study: Selected Observations by IESE

サーチファンド考案者のグロースベック教授とスタンフォードキャンパスにて

におけるサーチファンドの「型」が見えてくるはずだ。そうなれば、より多様な人材がサーチャーにチャレンジし、より小規模や特殊な業態の事業承継も可能になっていくであろう。一般的なサーチファンドの成功確率が上がり、サーチファンドの数も増えて投資が分散することにより、投資家はリスクを取りやすくなるからだ。サーチファンド、ターゲットファンド、個人M&A、スモールPE（プライベート・エクイティ・ファンド）などが連続的につながる社会になるかもしれない。

日本人の気質に合ったアントレプレナーシップの手法としてサーチファンドが日本に根づき、結果として中小企業の後継者不在問題や都市部への人口集中が解消し、経営人材が増え、中小企業の生産性向上を起爆剤にGDPが拡大し、キャリアを加速させながら好きな場所で暮らせる社会が実現するように、サーチファンド・コミュニティを育てていきたい。

※1／Jim Ellis と Kevin Taweel はスタンフォードでサーチファンドを学び、1995年にサーチファンドを通じて Mr. Rescue というロードサイド・レスキューの会社を 8M USD で承継した。その後2人は、携帯電話の補償やアフターサービスに事業を拡大し、社名を Asurion に変更し、10年強で売上を600万ドルから15億ドル（250倍）、従業員を60名から6000名（100倍）へと導いた。サーチファンドの最も成功した事例として知られている。https://www.sfgate.com/magazine/article/Jim-Ellis-on-finding-funds-for-non-glamorous-2500334.php

※2／Dean Arjay Miller は1969年から1979年に Stanford GSB で Dean を務めた人物で、Stanford GSB を世界一のビジネススクールへと変革した人物として知られている（https://www.gsb.stanford.edu/experience/news-history/history/deans/dean-arjay-miller）。GSB の学生が毎週集まるカジュアルパーティーは FOAM と呼ばれているのだが、これは Friend Of Arjay Miller の略であるし、成績上位10% の優秀者には卒業時に Arjay Miller Scholor に選ばれるなど、Arjay の存在はいまだに学生の間に息づいている。

※3／1996年に設立された研究センターで、アントレプレナーシップやイノベーション、ベンチャーファイナンス等の研究拠点となっている。北米のサーチファンド研究の中心であり、定期的にレポートを発行するとともに、サーチャーやサーチファンド投資家等を集めたカンファレンスを主催している。

※4／サーチファンドの投資家は、サーチャーが会社を探すサーチ期間の費用として投資家1人あたり数百万円、その後に買収企業が決まれば企業規模に応じて数千万円から1億円程度支払うことが多い。

▶ メディアの進化とクリエイターエコノミー——世界を変える「個」の力

#16

鹿島幸裕

KASHIMA *Yukihiro*

note株式会社取締役CFO。東京大学法学部卒業後、外務省を経て、スタンフォード大学ビジネススクールへ留学(Class of 2010)。MBA取得後、外資系戦略コンサルティング会社を経て、株式会社カカクコムの食べログ本部において新規事業責任者として事業立ち上げの後、全社の経営企画部長として予算策定やスタートアップ投資業務に従事。その後全国で100以上の店舗を展開する美容室チェーンのCFO兼CAOを経験し、2018年にnoteへ入社。noteでは、CFOとして戦略・財務を中心にコーポレート系全般を統括し、数度の未上場ラウンドでの資金調達、事業と組織の拡大を牽引、2022年に東京証券取引所グロース市場への上場を実現。

インターネットの登場後、情報流通のあり方が大きく変わった。2000年代後半以降のSNSやスマートフォンの普及にともなって、それまで世の中に声を届ける手段をもたなかった個人が気軽に発信できるようになり、情報発信の民主化が進んだ。現在では個人が情報発信のみならず、十分なマネタイズ手段を得るようになったことで自らの発信や創作物から生計を立てることが可能になり、クリエイターエコノミーと呼ばれる経済圏が注目を集めている。

私は、これらの現在まで続く情報流通の変化のトレンドの萌芽が見られた2000年代後半にスタンフォード大学ビジネススクールで学び、テクノロジーやスタートアップが世界を変えていく空気を肌で感じる機会に恵まれた。とりわけ、私が留学した前後に登場したスマートフォンや、GAFAM（Google、Apple、Facebook、Amazon、Microsoft）をはじめとするテクノロジー企業が提供する巨大なプラットフォームは、既存のメディアのビジネスに影響を与え、その後の世界の情報流通のあり方を方向づけた。その時代は10年以上続いたが、現在、クリエイターという「個人」を軸にした変化の兆しが見られる。

私は現在、メディアプラットフォーム「note」を運営する企業でCFO（Chief Financial Officer、最高財務責任者）として働いている。本稿では、スタンフォードでの経験が私および私のキャリアに与えた影響と、今の仕事で取り組んでいるメディアと情報流通の進化、そして現在勃興するクリエイターエコノミーについて述べていきたい。

スタンフォードに留学した経緯

スタンフォード大学といえば起業やイノベーションの聖地、多くの革新的な若者が世界中から集まるスタートアップの中心地というイメージがあるかもしれない。しかし、スタンフォード大学ビジネススクールへの留学前の私は、そのようなイメージとは異なる、どちらかといえば保守的な性格の人間だった。

私のバックグラウンドを簡単に紹介すると、日本の大学で法学部を卒業した後に国家公務員、いわゆる官僚として外務省に入省。日本で数年勤務した後にスタンフォード大学のビジネススクールに留学して、いくつかの仕事を経験したのち、現在は日本のスタートアップ企業でCFOとして働いている。

スタンフォード留学前は海外に住んだ経験はなく、いわゆる「純ドメ」で小学校から大学まで日本の教育を受けて育ってきた。ファーストキャリアとして官僚を志したのは、仕事を通じて世の中に良いインパクトを与えたいという思いから。今いるスタートアップ業界については、大学卒業当時就職するという発想はなかったし、そもそもスタートアップという言葉も知らなかった。自分のまわりでも、官庁や大企業、弁護士や外資企業など、いわゆるエスタブリッシュメントな業界に就職する友人がほとんどで、自分もそのなかの一人だった。

一方で、社会人となり視野が広がるなかで、もっと多様な価値観に触れてみたい、できれば自分のこれまでの志向性と180度違う世界に行ってみたいと思うようになった。それが、アメリカのなかでも西海岸、シリコンバレーの中心に位置するスタンフォードを志した理由である。

実際に留学してみて

実際に留学してみて、まさにそれまでの自分を取り巻く環境が一変した。そもそも海外に住むのがはじめて、ビジネスを学ぶのもはじめてだったということもあるが、むしろ生活になじんでアメリカのことを知れば知るほど、スタンフォードやシリコンバレーがアメリカのなかでも特異な存在であることがわかってきた。

今でこそテクノロジーや起業などの分野が多くのビジネススクールでも人気となっているが、スタンフォードでは当時からその分野が一番人気という雰囲気だった。授業には起業家やベンチャーキャピタリスト、大手テック企業の幹部などが来て自らの経験（失敗から学ぶという意味で失敗経験であることも多い）を披露してくれるし、キャンパスの外に足を向けても、街のカフェでスタートアップ用語が飛び交っている光景が日常的だった。

実際に、スタンフォード大学ビジネススクールが公表しているデータによると、直近2022年の卒業生の19％が卒業後すぐに起業、あるいは起業を計画しているとのこと。

加えて、自らの起業ではなく既存のスタートアップに就職する人も当然多く存在するし、スタートアップエコシステムで重要な役割を担うVC（ベンチャーキャピタル）も人気の職種だ。また、これは卒業後すぐの数字で、とりあえず学費ローンを返すためにコンサルや金融などの報酬の高い仕事を経てから起業する人も多いので、起業やスタートアップに関心のある人は半分以上、少しでも興味のある人を含めると肌感覚ではほとんどの人が起業やスタートアップに関心があるのではないかという印象を受ける。

いかにスタートアップ大国のアメリカといえどこのスタンフォード環境は特異で、それまでの自分の価値観と異なる世界に身を置きたいという私の希望は十二分にかなえられた。

留学時の社会経済情勢

私が留学したのは2008年の夏からで、学校がはじまったばかりのその年の9月に、アメリカの大手投資銀行リーマンブラザーズの破綻、いわゆるリーマンショックが起こった。それまで世の中を席巻していた金融資本主義が後退し、代わりに台頭したのがGAFAMに代表されるテック大手企業、いわゆるビッグテック（Big Tech）と呼ばれる企業たちだった。

これらのビッグテックは、2000年代中ごろから、いわゆる「Web2.0」の潮流に乗りその後の世界を席巻するサービスを生み出していた。Web2.0は、その言葉を日本で広めた梅田望夫さんの著書『ウェブ進化論』（筑摩書房・2006年）において、“ネット上の不特定多数の人々（や企業）を、受動的なサービス享受者ではなく能動的な表現者と認めて積極的に巻き込んでいくための技術やサービス開発姿勢”と表現されている。具体的には、一般ユーザーが自ら表現者としてウェブで発信できるブログやSNSなどのサービスやそれを支えるインフラ・技術が当てはまる。

私がスタンフォード大学に合格してまずやったことは、当時まだ日本に上陸していなかったFacebookのアカウントを作ることだった。ビジネススクールの同級生のFacebookグループの招待がやってきて、どんなサービスかよくわからず登録した。Facebookは当時アメリカで流行っていたが、その後日本や世界中を席巻することになるのは周知のとおり。Facebookの日本オフィスは当時まだなかったが、在学中、スタンフォードビジネススクール生向けの学内ジョブボード（求人ページ）に、Facebookの日本向けの仕事に関するインターンシップの求人が出ていたのを覚えている。同じくWeb2.0系のサービスであるLinkedIn

（その後Microsoftにより買収）やTwitterも、留学前や在学中にアカウントを開設した。

また、留学生活には当然携帯電話が必要となる。2008年に渡米してすぐ、現地の販売店でiPhoneを契約した。日本でiPhoneがはじめて発売されたのは同時期の2008年夏なので、iPhoneも初期の段階から触れることができた。また、留学中の2010年春には初代iPadが日本に先駆けて発売されて、こちらも現地でいち早く触れることができた。春からはじまったスタンフォードの起業プロジェクトの授業で、リリースされたばかりのiPadを使ったニュースアプリのビジネスアイデアを掲げて実際に起業した学生もいたくらいだ。

私がスタンフォードに留学したのは、前述のとおり自身と真逆の価値観に触れたいという思いからだった。実際にはそれにとどまらず、図らずも現地で勃興するグローバルなWeb2.0系のサービスやそれらに欠かせないユーザーインターフェイスであるスマホやタブレットにいち早く触れることができた。アメリカで一般に市販されているものなので私が世界で唯一の体験をしたというわけではないが、もともとテクノロジーにすごく明るいわけでもなく、アーリーアダプターでもなかった私が自然と最新の技術やデバイスになじむことができたのは、人間の人生や価値観の形成において身を置く環境の重要性を物語っている。

その後の私のキャリアで、日本におけるWeb2.0の代表的サービスである「食べログ」を運営するカカクコム社や、より汎用的に、だれもが気軽に情報発信できるメディアプラットフォームである「note」で働いているのは、こうしたスタンフォードでの経験が影響しているのかもしれない。

インターネットの登場とメディアの変容

スタンフォードで衝撃を受けたのは、小さなスタートアップ企業や新興のテクノロジー企業が世界をどんどん変えている姿を目の当たりにしたこと、特に、Web2.0的な「だれもが情報の発信者となる」インターネットの潮流と、それを促進するスマホやタブレットというデバイスの進化である。Web2.0の潮流とスマホの出現によって、情報流通とメディアのあり方が大きく変わった。その変容を説明するため、基礎的な内容も多く含まれ恐縮だが、メディアとインターネットの歴史についてまず簡単に触れておきたい。

そもそもメディアとはなんだろうか。そのまま日本語にもなっているが、英語の意味としてはなにかを「媒介」するもの、多くの場合は情報を媒介するもの、と定義できる。マスメディアはそれをマス、つまり「大衆」向けに情報を媒介・伝達するものということになる。

インターネット以前は、古来使われている「紙」を用いた出版や新聞、20世紀以降は「電波」により情報を伝達するラジオやテレビが加わった。これらのマスメディアが多くの人々に情報を届ける手段として隆盛し、生活に必要不可欠なものとしてメディア＝マスメディアという認知を獲得していった。マスメディアは多くのコストをかけて取材を行ったりコンテンツを作ったりして、発信する情報の質を担保し、情報の受け手の信頼を獲得していった。その信頼性の裏返しとして、だれもが自由に自分の意見や考えを紙や電波にのせられるわけではなく、マスメディアで発信できる個人は、すでにリアルな世界で権威を獲得している、あるいは情報の信頼性が担保されている有名人や知識人、専門家に限られていた。

一方で、インターネットの登場により、これらのメディアのあり方が大きく変化した。インターネットは情報発信を民主化する装置であり、実際にホームページをはじめとして技術的にはだれもが情報を発信できる素地が整った。一方で、インターネット以前のメディアと同様あくまでその情報のやり取りは一方通行であり、かつマスメディアと異なり個人が運営するホームページは趣味的なものにとどまり、信頼ある情報を提供する媒体とは見なされなかった。

これに対し、2000年代半ばに登場したWeb2.0の潮流によって、メディアのあり方が大きく変わった。ブログ等の出現により情報発信のハードルが大きく下がり、情報の発信者、表現者の数が飛躍的に増えた。また、Facebookに代表されるSNSは、コミュニケーションのハードルを下げ、情報の双方向性を促進した。さらには、これらの発信・コミュニケーションがスマホの出現によって飛躍的に促進され、その発信・コミュニケーションを仲介するサービスやデバイス、インフラを提供する、GAFAMを代表とするプラットフォーム企業が大きく飛躍することになった。

一方で、これらのプラットフォーム企業の躍進によって、既存のメディアの影響力は低下した。実際に、既存メディアの利用率はこの10年間でインターネットに比べて下がっている(テレビの利用率は下がってはいるものの引きつづき高い水準を保っているが、年代別の内訳を見ると60代が9割以上あるのに対し10代・20代ではそれぞれ5割台の利用率となっており、年齢による利用率のギャップも見られる)**【図1、2】**。

メディアとインターネットの新しい潮流

私が留学した2000年代後半から2010年代にかけては、まさ

【図1】2012-2021年 主要メディアの利用率推移（平日・全年代）

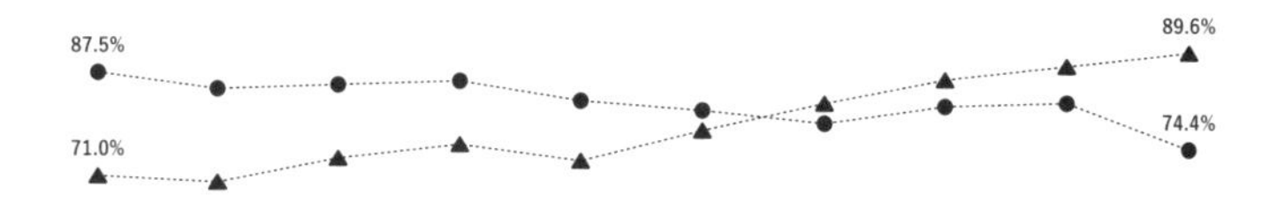

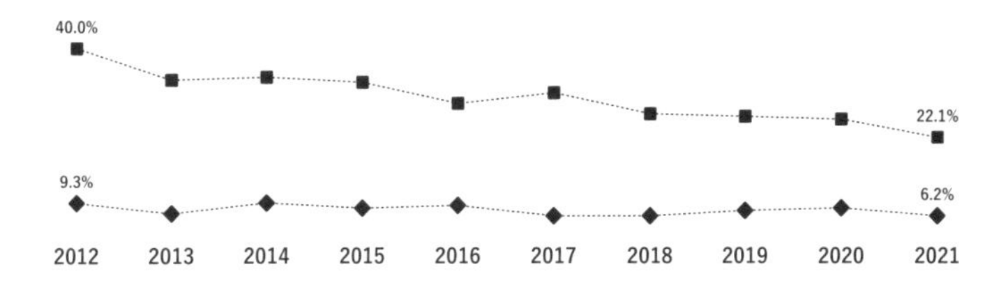

【図2】2021年 主要メディアの利用率（平日・年代別）

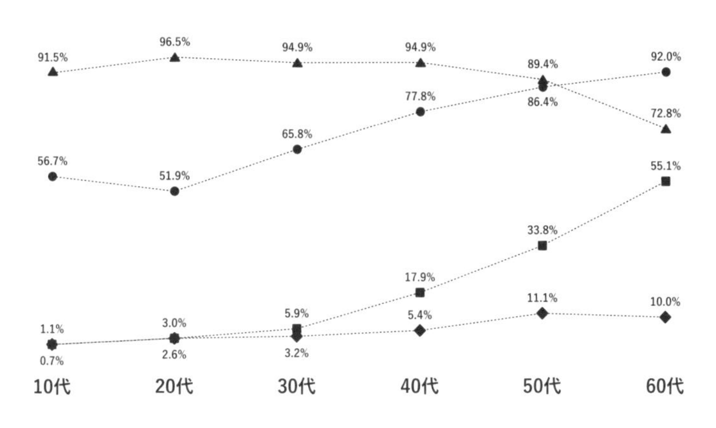

出所：総務省（2022）「令和３年度 情報通信メディアの利用時間と情報行動に関する調査」より筆者作成

にGAFAMのようなビッグテックが良くも悪くもインターネットの世界を支配した時代だったといえる。一方で、近年、このビッグテックによるインターネットの情報流通の寡占化に対して、それにチャレンジするような新しいインターネットの潮流が生まれている。いわゆる「web3」といわれるトレンドだ。web3についてはメディアというよりはインターネット全体の潮流のためここでは詳しく扱わないが、簡単にいうと、ブロックチェーン技術を基盤とした分散型のインターネットの概念で、インターネット上の情報の流れをウェブの参加者や構成員、個人で分散して管理しようという考え方である。インターネット上の情報の流れと権力がビッグテックのような中央集権的な企業に集まりすぎてしまったことに対するアンチテーゼ、カウンターカルチャー的なムーブメントとも理解できる。

ここでは、web3のトレンドとも重なる部分があるが、併行して盛り上がっている概念として「クリエイターエコノミー」という潮流を扱いたい。クリエイターエコノミーは、web3の時代になって新しく登場した概念ではなく、Web2.0の時代から連続的に発展してきたものだが、メディアの変容・進化という意味ではこちらのほうがより大きな意味をもっていると考えている。

クリエイターエコノミーとはなにか？

前述したインターネットの発展、特にWeb2.0以降の情報発信の民主化やそれを支えるプラットフォームの登場によって、個人がインターネットでなにかしらの表現活動を行うことが促進され、それによって新しい経済圏が生まれた。これがクリエイターエコノミーである。ここでは、オンライン／オフラインを問わず、なにかしらの表現活動を行う人をクリエイターと呼び、それによって生まれる経済圏をクリエイターエコノミーと定義する。

クリエイターエコノミーより先行して認知されている概念として、ギグエコノミーという言葉がある。どちらも個人の活動によって生まれる経済圏という意味では同じだが、決定的な違いは、サービス提供者の匿名性だと考えている。ギグエコノミーの代表的なサービスとしてUber Eatsが挙げられる。Uber Eatsは、働く側から見ると自分の空いた時間に飲食店の料理を配達することで報酬を得ることができるサービスだが、サービスを利用する側から見ると、料理をだれが運んでくるかは重要ではない。つまり、個人によって提供される価値に、だれが提供しても同じという意味での匿名性がある。一方、クリエイターエコノミーによって提供されるサービスやコンテンツは、「だれが」それを提供するかが重要となる。クリエイターエコノミーの文脈では、「クリエイター」が主役となるのだ。ここでのクリエイターは、アーティストや作家などのいわゆるクリエイティブな創作活動を行う人々だけに限られない。むしろ、会社員や主婦／主夫のような一般の人々も、なにかしらの表現活動をすればクリエイターとなり得ると考えている。

インターネット以前にももちろんクリエイターは存在し、表現活動を行ってきた。一方で、インターネットによって表現のハードルが下がり、Web2.0のトレンドに後押しされてだれもが自分の表現を簡単に発信できるようになり、なかにはその活動で影響力をもちインフルエンサーと呼ばれるようになった人々も現れた。代表的な例がブロガーやインスタグラマー、YouTuberである。それまでは伝統的なメディアを通さないと自分の考えや表現を世の中の多くの人々に伝えることは困難だったが、個人による発信であっても、その内容次第で、インターネットを通じて多くの人々に自分の想いを届けることが可能になった。

マネタイズ手段の多様化：広告と課金

このクリエイターエコノミーの潮流が近年さらに注目を集めるようになった一つの要因として、クリエイターのマネタイズ手段の多様化が挙げられる。これまでビッグテックが提供するプラットフォームは広告によるマネタイズが中心であり、ブロガーやYouTuberなどのクリエイターも自身のコンテンツの閲覧数などに応じてその広告収入の一部が還元されている構造があった。

これは有名でない個人が簡単に売上を上げる仕組みとしてすぐれているが、一方で、クリエイター側の収益性が低いという問題があった。仮にブログに広告を貼った場合、コンテンツの内容によって異なるが1ページビューあたり1円以下という場合がほとんどである。仮にインターネットの記事が1万ページビュー閲覧されたとして（これはインターネットのコンテンツのなかで多く閲覧されている水準といえる）、広告によって得られる収益は、せいぜい数千円〜数万円ということになる。ちょっとしたお小遣いや副業収入としては成り立つ金額だが、単体で生計を立てるのには到底足りない。YouTubeは広告収益の55%をクリエイターに還元しているため多くのミリオネアが誕生しているが、十分な収益を稼ぐことができるのは全体の一部であり、数多くの視聴者の注目を集めるコンテンツを作ってYouTube内の熾烈な再生競争に打ち勝つ必要がある。

これに対し、現在のクリエイターエコノミーの盛り上がりは、マネタイズ手段の多様化によって後押しされている。手前味噌だが、私が働いているnoteは、クリエイターが自分の作ったコンテンツ（コンテンツの内容はテキスト、イラスト・漫画、写真や画像、音声、動画、電子ファイルなど、なんでも良い）に自ら値づけをして、それを販売することができる。つまり、広告ではなく、自分のコンテンツに興味をもった消費者が支払ったお金を、クリエイターがコンテンツの対価として受け取ることができる。広告ではなく、「課金」という形でマネタイズができるのである。

課金によるマネタイズは、物販のEコマースでは一般的だが、インターネットのコンテンツの世界では従前は一般的ではなく、マネタイズ手法の大部分は広告に依存していた。広告ではその性質上どうしても広く浅くマネタイズすることになり、多くの人々に閲覧されるコンテンツである必要がある。一方で、課金によるマネタイズは、ごく一部の人しか興味がない内容であっても、その内容に価値があれば、高いお金を出して購入されることがあり得る。現実世界のニッチな趣味や仕事の世界で、一般の人は興味がなくても専門家の間で評価されるものが高値で取引されるのと同じである。

クリエイターエコノミーの分野で有名なアメリカのベンチャーキャピタリスト、リ・ジン（彼女自身もクリエイター化している）は、自身のニュースレターのなかで“100 True Fans”という記事を書いている。このなかで彼女は、年間1000ドルを支払ってくれるファンが100人いれば、クリエイターの年間の収入が10万ドルになるため、自分の創作物で生計が立てられるようになると唱えている。一人あたり年間1000ドルというと日本円にして10万円以上の水準となり、ハードルが高いように感じるかもしれない。しかし、だれでも自分の好きなアイドルや趣味のもの、あるいはキャリアアップや成長のための勉強などに、それくらいの金額を投じたことがあるのではないか。その消費者にとって本当に価値のあるコンテンツを提供できれば、10万円以上の対価を払う支援者を100人見つけることは、決して不可能な話ではない。

これは、広告モデルと課金モデル、どちらがすぐれているという話ではない。広く浅くマネタイズするか、狭く深くマネタイズするかというだけの違いである。しかし、これまでインターネットの歴史のなかでコンテンツのマネタイズの手段はほぼ広告一辺倒だったため、課金によって狭く深くマネタイズするという新しい選択肢が登場したことにより、それまで万人にウケるコンテンツをもたなかった多くのクリエイターが世に出ていくきっかけとなった。これが、クリエイターエコノミーが現在盛り上がっている背景である。

先に少しだけ触れたweb3のトレンドも、クリエイターエコノミーにとって追い風となり得る。web3の下では、NFT（Non-Fungible Token、非代替性トークン）などのトークンを用いてクリエイターの創作物の所有権移転や管理がなされ、創作物の価値がより正確にクリエイターや個人に帰属させやすくなる。これをマネタイズ手段のさらなる多様化という文脈でとらえると、クリエイターエコノミーを促進させるインターネットのトレンドの一つととらえることができる。

インターネット以前との対比

インターネットにおけるコンテンツのマネタイズ手段が長らく広告であったため、消費者にとってインターネットのコンテンツは無料であるというのが常識になっていた。現在、スマホでウェブメディアの記事やニュースを見ている人も、その多くが無料でコンテンツを消費している。

一方で、インターネット以前の状況を考えてみてほしい。たとえば電車のなかでなにかしらのコンテンツを消費する場合に、昔は本や新聞を読んでいる人が多かったではないか。本にせよ新聞にせよ、お金を出して購入したコンテンツである。たまに広告によってマネタイズしている（消費者にとっては無料の）フリーペーパーを読んでいる人もいたが、あくまで乗車時間を潰すための暇つぶしという色合いが強かった。割合としては課金コンテンツがマジョリティで、広告コンテンツは一部だった。

一方、現在電車に乗っている人を見ると、多くの人がスマホを見ており、その大半は無料の広告によって成り立っているコンテンツである。つまり、課金と広告の割合がインターネット以前と現在で逆転している。前述のとおりインターネットにおける広告は収益性が低いため、無料で消費されるインターネットにはクリエイターが時間と手間ひまをかけた、質の高いコンテンツは構造上乗りにくいということになってしまう。インターネットで広告費を稼ごうとすると、手っ取り早くページビューを稼ぐために、過激なタイトルで煽ったりともすれば意図的に炎上させることが近道になってしまう。経済学におけるレモン市場のように、消費者にとっては、インターネット上のコンテンツの質が下がると、なおさら自らがお金を払って消費する対象ではなくなる**【図3】**。

インターネット以前のメディアは、出版にせよテレビにせよ新聞にせよ、メディアとしてのすぐれた伝達（Distribution）と、魅力的なマネタイズ（Finance）の仕組みがあった。これらのDistributionとFinanceがうまく噛み合って強力なエコシステムを形成し、高い収益がコンテンツを創作（Creation）した側に還元されることで、継続的にすばらしい作品が数多く生み出され、メディア産業が大きく発展した。

しかしながら、すでに見たようにインターネットにおけるメディアのエコシステムはインターネット以前ほど十分には機能していない。このエコシステムの不完全性、主要なマネタイズの方法が長らく広告に依存してしまっていたことは、インターネットにおける情報流通、コンテンツ流通の弱みであった。それが、広告以外のマネタイズ手段の多様化により、質の高いコンテンツに対

【図3】インターネットにおける創作を取り巻く課題

出版・テレビ・新聞など伝統的なメディアの確立されたエコシステムに対し、インターネットは収益化の手段の大半をネット広告に依存するため、その収益性の低さからいい作品が継続的に生み出されるためのエコシステムが確立していなかった。

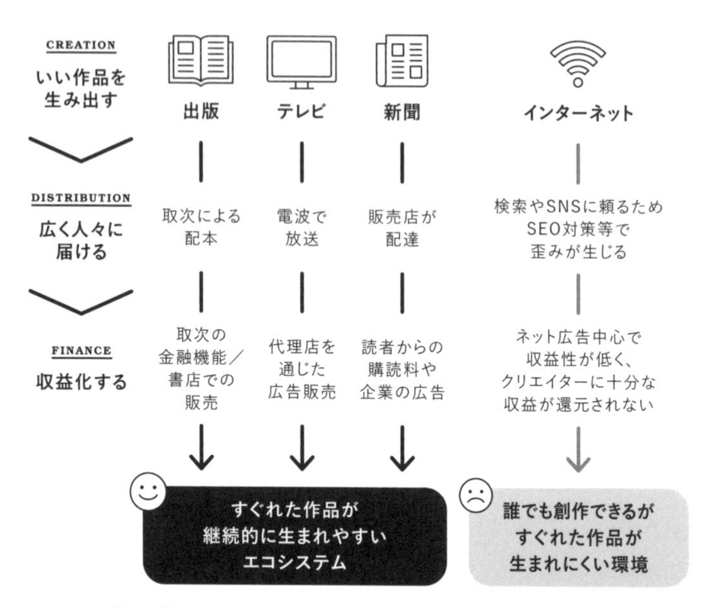

図：メディアのエコシステムとインターネットの課題（note株式会社 会社説明資料より引用）

する正当な対価が支払われるようになったことで、インターネット上でマネタイズできるクリエイターやコンテンツの種類や幅が広がり、クリエイターエコノミーを後押しすることになったのである。

クリエイターエコノミーとメディアの未来

前述した『ウェブ進化論』では、Web2.0の潮流によって引き起こされるインターネットや社会の変化について書かれており、その内容は出版から15年以上経った現在から振り返ってもおおむね的を射ている。一方で、同書ではクリエイターのマネタイズについては懐疑的な見方をしており、「総表現社会で表現者は飯が食えるのか」と題した項で以下のように記載している。

“先進国の表現者が「飯を食う」すべは、相変わらず既存メディアに依存し続けるだろう。そんな状況が相当長く続くのではないかと思う。消費者である私たちは、ネットの世界とリアルの世界の両方で生き、相変わらず、テレビを見て、新聞を読み、雑誌を買い、ハリウッド映画を見て、DVDも買い、人気作家の長い小説を本で読み、人気ミュージシャンのCDを買い続けるのだ。かなり遠い将来までこの構造が崩れず、これまでの世界にとどまるほうが経済合理的だと、「飯を食う」ことを重視する表現者の多くが判断し続けると予想できるからである。”

梅田望夫著『ウェブ進化論　本当の大変化はこれから始まる』(筑摩書房・2006年)より引用

Web2.0は多くのクリエイターを世に羽ばたかせたが、『ウェブ進化論』が記述したようにマネタイズ面で課題があった。しかし今、課金という選択肢が広がり、クリエイターが伝統的なメディアを通さず自分の考えをダイレクトに発信して、マネタイズもできるクリエイターエコノミーの世の中が到来した。SNSの普及で個人のメディア化という言葉がよく使われるが、メディアは情報を届けるだけでなく、エコシステムという観点ではマネタイズするところまでがセットだと考えている。インターネットの外が主軸の伝統的なマスメディアのビジネスは、広告モデルもあれば課金モデルもあるが、リーチや収益性の観点からそれらを選択して強固な収益モデルとエコシステムを作り上げていた。現在、ようやくインターネット上のコンテンツにおける収益源の選択肢が伝統的なメディアの水準に追いついたことで、真に個人がメディア化する環境が整ったといえる。

それでは、個人が自由に発信してマネタイズできる、個人がメディア化する時代において、既存のマスメディアはどうなるのか。メディアのエコシステムのフレームワークに即して考えると、伝統的なメディアは、インターネットにおいてコンテンツを届け（Distribution）、マネタイズ（Finance）するのは、オフラインでのそれと比べ相対的に得意でない。一方で、コンテンツを創る（Creation）ことに関しては、これまで蓄積したノウハウや資金力、ブランドなどの観点から個人と比べ一日の長がある。また、情報伝達の公平性や公益性の観点から、個人の発信とは異なる役割を社会から期待される部分もある。大規模なメディア企業でないと実現できない、お金と手間ひまをかけたクオリティや社会的意義の高いコンテンツを、デジタル時代に合ったチャネルとマネタイズ手段で適切に展開すること。それができれば、個の発信と差別化された優良なコンテンツ企業としてメディアのビジネスモデルを進化させられる可能性はあるのではないか。

そのためには、情報を伝達するための本や新聞、テレビといったフォーマットやデバイスは、デジタル時代に合わせて形を変えていく必要がある。すでに電子書籍やネット配信などの形で新しい流通経路でのコンテンツ配信が見られるが、現在はまだ既存の出版物やテレビ番組をオンラインに載せて配信する形が大部分だ。ネットの番組がちょうど1時間の尺である必要はないし、スマートフォンやタブレットで読むコンテンツのテキスト量が本のように200ページもあるのは多すぎる。固定観念に縛られず、時代に合わせたフォーマットでコンテンツを流通させることが、クリエイターエコノミー時代におけるメディアのあり方として重要だと思われる。

産業としてのクリエイターエコノミー

ここで、産業としてのクリエイターエコノミーの規模を把握するため、定量的なデータを紹介したい。後に紹介する一般社団法人クリエイターエコノミー協会と三菱UFJリサーチ＆コンサルティングが共同で実施した調査によると、日本におけるクリエイターエコノミーの市場規模は約1.36兆円【図4】、国内のクリエイター数の推計は822万人（趣味として活動しているクリエイターを含む）となっている。全国出版協会・出版科学研究所によると、紙の出版市場（書籍・雑誌の合計）が約1.2兆円ほどなので、クリエイターエコノミーの市場規模はすでに紙の出版市場よりも大きくなっていることがわかる。

同調査では、将来的にクリエイターエコノミーの国内市場規模が10兆円に達する試算もなされている。どこまで順調に市場が成長するかはわからないが、世の中の流れとして経済活動における個人の比重が高まるのは間違いないと見ている。ただし、それには政治や行政の制度面の支援や、活動のための社会的インフラが重要となる。

【図4】国内クリエイターエコノミーの市場規模

市場規模合計

1兆3574億円

動画投稿関連広告市場 / モノ／グッズの販売市場 / スキルシェア市場 / その他

それぞれ2000～3000億円程度を占める

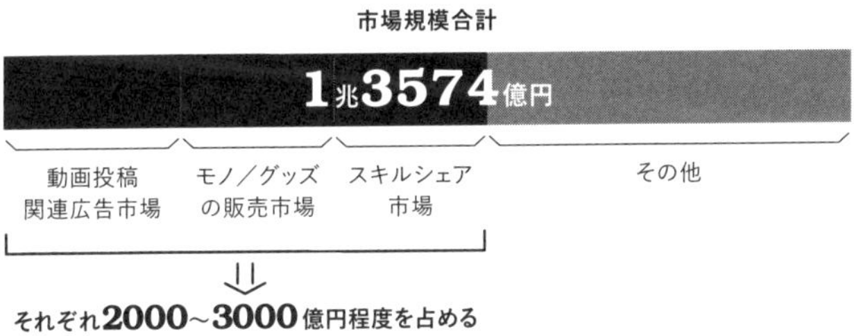

出所：三菱UFJリサーチ＆コンサルティング（2022）「国内クリエイターエコノミーに関する調査結果」

クリエイターエコノミー協会の設立

クリエイターエコノミーの主役は、それを構成するクリエイター、すなわち個人である。これまで情報を発信したりサービス提供したりする主体は会社・法人であり、個人はそのモノやサービスの消費者という構図が一般的だった。一方、クリエイターエコノミーが広がる世の中では、個人は消費者であると同時に、情報の発信者、サービスの提供者にもなる**【図5】**。

伝統的な消費者保護は、企業と消費者である個人の取引において、情報や交渉力などで不利な立場に置かれがちな個人を保護するという目的で制定された法律や制度が多い。クリエイターエコノミーで個人が情報を発信し、サービスを提供する側となる場合に、サービス提供者の概念が伝統的な法制度の想定から外れることになり、クリエイターの活動が阻害される可能性があ

【図5】クリエイターエコノミーとは

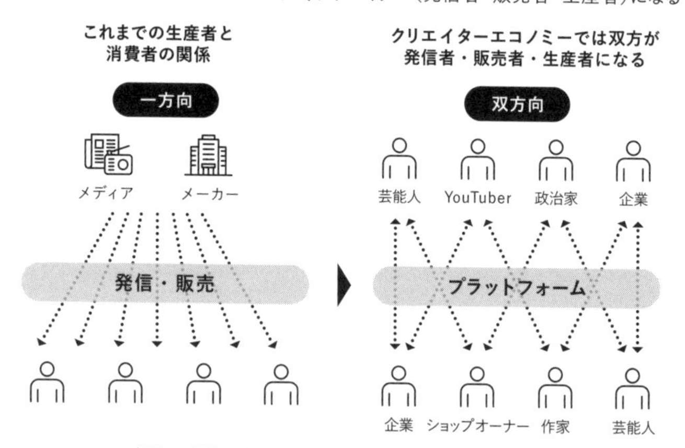

出所：一般社団法人クリエイターエコノミー協会(2021)「クリエイターエコノミーとは」

る。

このような問題意識から、私が所属しているnote社と、YouTuberなどのクリエイターのサポートサービスを手掛けるUUUM社、個人が簡単に自分のネットショップを開設できるサービスを提供するBASE社の3社が代表理事となって、2021年に「一般社団法人クリエイターエコノミー協会」が設立された。

個人が多く全体としてのまとまりや交渉力が弱くなりがちなクリエイターを保護し、クリエイティブ活動の普及・促進やクリエイターの活躍を後押しするための政策提言などを行うことをミッションとした団体である。

政策提言という文脈で、たとえば特定商取引法という、通信販売等において売り手の住所や電話番号などの情報を開示しなければいけないという決まりがあった。しかし、個人が売り手となるクリエイターエコノミーにおいて、住所や電話番号などの個人情報を開示しなければいけないとなると、クリエイター活動を行う上での大きな心理的ハードルとなってしまう。消費者保護というそもそもの法律の目的は当然重要で守られるべきものだが、その方法として現代のインターネット社会、クリエイターエコノミーの時代に即していないという問題が生じるのである。

これに対し、クリエイターエコノミー協会が消費者庁や経済産業省、政治家などと議論を重ねた結果、一定の条件を満たせばクリエイター個人ではなく、プラットフォームの住所や電話番号を記載する運用で問題ないとする見解を消費者庁から受けることができた。

このほかにも、文化庁や国税庁などの省庁に対してパブリックコメントの提出や政策提言をしてきており、それらのクリエイターエコノミー協会による業界の盛り上げもあってか、2022年の政府のいわゆる「骨太の方針」（正式名称は「経済財政運営と改革の基本方針2022」）に「クリエーターの創作活動の支援」という文言が入れられた。

これは、元官僚の私からすると、エポックメイキングな出来事であった。骨太の方針のような政府の重要方針に取り上げられる施策は、少数の人間の利益になることではなく、これからの日本および日本人にとって重要なイシューということである。官僚の時は個人から世の中が変えられるということはとても想像できなかったが、個人やスタートアップから生まれたクリエイターエコノミーのトレンドが、政府を動かし、法制度のアップデートや国の経済成長のための重要方針と位置付けられるまでになったこと、社会が変わっていく様子を目の当たりにしたことが、とても印象深く感じられたのである。

スタンフォードの学び：世界をより良い方向へ変える

インターネットの進歩はとても早く、次々に新しい技術が生まれていくため、クリエイターエコノミーのトレンドが今後どのように発展していくかは容易に想像できない。ただ、組織ではなく個人が自由に発信し、個人としてのビジネスをしていく人が増えていくのは、マクロでは間違いないと考えている。そしてその個人は、アーティストや作家など、なにか特別な才能をもった人たちだけに限らない。普通に会社員として生活している我々だって、自分の考えや仕事上の成果をどんどん発信していくことで、新しいキャリアにつながったり、仕事以外の世界に自分の仲間が広がったりすることもあり得る。

意識していないかもしれないが、人はだれでも日々をクリエイトして生きている。その意味ではだれもがクリエイターであり、自らがクリエイターとして、世の中に新しい価値を生むことは誰だってできるはずだ。個人的には、個人が好きなことや才能を生かして活躍することが当たり前になり、クリエイターエコノミーという言葉が当たり前になって語られなくなるくらいの世の中になるのが、望ましいと考えている。

スタンフォードのビジネススクールには、“Change Lives, Change Organizations, Change the World.”というモットーがある。ファーストキャリアとして官僚を選んだのは、世の中に良いインパクトを与えたいという想いからだった。スタンフォードへの留学を経て私自身の人生が変わり、現在はメディアにかかわるスタートアップ企業で情報流通、クリエイターエコノミーの未来に取り組んでいる。官僚時代とは立場やアプローチは異なるが、世の中に良いインパクトを与えたいという気持ちは変わらない。スタンフォードでの学びや経験を生かして、これからも世の中を前に進めるチャレンジを続けていって、世界をより良い方向に変えていきたい。

〈参考文献　本文中で参照・引用したものを除く〉

- 一般社団法人 クリエイターエコノミー協会（2022）「Off Topic 宮武氏に聞く、クリエイターエコノミーで活躍する個人とプラットフォームとの関係性の進化」DIAMOND SIGNAL https://signal.diamond.jp/articles/-/1244
- Off Topic Podcast（2021）「#90 もし決済機能が初期のWEBにあったら…？インターネットの誕生物語」「#91 Web3とインターネットの進化」

人間力を育み、人生の好循環を生み出すビジネススクール——スタンフォード大学経営大学院の人材育成

#17

牧 兼充

MAKI *Kanetaka*

早稲田大学ビジネススクール准教授。1978年東京都生まれ。2000年慶應義塾大学環境情報学部卒業。2002年同大学大学院政策・メディア研究科修士課程修了。2015年カリフォルニア大学サンディエゴ校にて、博士（経営学）を取得。慶應義塾大学助教・助手、カリフォルニア大学サンディエゴ校講師、スタンフォード大学リサーチアソシエイト、政策研究大学院大学助教授などを経て、2017年より現職。カリフォルニア大学サンディエゴ校ビジネススクール客員准教授を兼務する他、日米の大学において理工・医学分野での人材育成、大学を中心としたエコシステムの創生に携わる。専門は、技術経営、アントレプレナーシップ、イノベーション、科学技術政策など。近著に『イノベーターのためのサイエンスとテクノロジーの経営学』（東洋経済新報社・2022年）、『科学的思考トレーニング 意思決定力が飛躍的にアップする25問』（PHP研究所・2022年）などがある。

スタンフォード大学経営大学院(GSB: Graduate School of Business)は、ハーバード・ビジネス・スクール、ペンシルベニア大学ウォートン・スクール、MITスローン・スクール等と並ぶ、世界トップランクのビジネススクールである。シリコンバレーの中心部に位置し、スタートアップ、ベンチャーキャピタル、ハイテク企業などとの交流が多い。日本からも多数の留学生を受け入れ、起業家、ベンチャーキャピタル、政治家など多方面に人材を輩出している。

GSBのなかでいかにして人材育成を行っているのか。そのことを網羅的に解説した資料は少なく、ブラックボックスのままである。そこで本稿では、GSBの人材育成法について、インタビュー、公開資料、GSBに関連する学術論文等を参考にしながら、多面的な観点からまとめる。

1. GSBの文化:人間力を育むビジネススクール

GSBの特徴というと、スタンフォード大学やシリコンバレーのイメージから、起業家をたくさん輩出している、エリート教育を実践している、などのイメージをもつことが多い。ところが、GSBの最大の特徴は「人間力を育む」ビジネススクールであることだという。

GSBは、コミュニティの規範となる文化やコミュニティ・ノームの構築に成功している。GSBの在学生・卒業生が共通してよく使うキャッチフレーズに、「Change Lives, Change Organizations. Change the World.」というものがある。日常会話でも頻繁にこのキャッチフレーズが使われ、マントラ(呪文)のようにコミュニティ全体に浸透している。実際筆者がインタビューした卒業生は、全員がこのキャッチフレーズについて触れていた。

GSBの生活を通じて、頻繁にこの表現を聞くという。教員も学生に、「GSBに来たからには、この3つのchangeをやってほしい」と呼びかける。GSBのキャンパス内には多様なアートワークが存在するが、それらのアートワークもこのコンセプトに基づいたものが少なくない※1。**【図1】**は、GSBのキャンパスでもっとも有名なものの一つで、「flip digits」と呼ばれている。このモニュメントは、2048枚の多色のパーツが反転する掲示板である。日々この掲示板のパーツの色が反転することで、GSBコミュニティが常に「change」を促す場であることを表現している。

GSBが「change」を促す前提には「スキルではなく、人間力を育む」という考え方がある。ビジネススクールにおいてスキルを学んだとしても、そのスキルは短期間で陳腐化する。一方で人間力を育むことができれば、人間力をベースとしながらその後の人生の好循環をまわすことができるようになる。GSBでよく使われるフレーズの一つに、「It is not about your career goal. It is about your life goal.（あなたのキャリアのゴールではなく、あなたの人生のゴールが大切）」というものがある。根底には、「ビジネスで成功するためには、その前に人間として成功しないといけない」という考え方があるからだ。GSBコミュニティでは、「あなたは自分の人生でなにを成し遂げたいのか？　あなたのパッションはどこにあるのか？」と、常に問われ続けられる。

【図1】"flip digits" – changeを伝えるモニュメント

GSBには「人間力」を上げるにあたって必要なソフトスキルを身につける場が、多様な形で存在する。GSBでソフトスキルを磨くときのキーワードの一つとして、「vulnerability（脆弱さ）」という言葉がある。これは、自分の弱い部分を曝け出すことで、人的なつながりを広げるという考え方だ。たがいに自分のバックグラウンドをシェアしあうことで、相互の信頼度を高める方法を身につけていく。そして、その過程を通して周囲から信頼される人間が育成されていく。

この「人間力」を育てる仕組みのなかで大切なのが、入学時のエッセイである※2。GSBでは、入学の時点で提出しなければいけない応募書類が多数ある。そのなかでもっとも重要であるといわれているものがエッセイである。このエッセイの課題は何十年も変わっていない。それは、「1: What matters most to you, and why?（あなたにとってもっとも大切なものはなんで、それはなぜか?）」「2: Why Stanford?（なぜ、スタンフォード大学で学びたいのか?）」の2問である。これらの問いに答えようとすると、自分自身のキャリアのことだけではなく、自分はこれからどのように生きていきたいのか、どんな形で社会に貢献していきたいのか、といったことを考えざるを得ない。このエッセイ作成のプロセスを通じて、受験生を育成し、またGSBの文化にふさわしい人材を選択している。

GSBにはTALKと呼ばれる学生主催のイベントがある※3。これは、毎週決まった夜に学生が集まり、TED Talkのような形で、おたがいの人生のストーリーを語る場である。TALKは入学時のエッセイの問いをさらに深めていく場となっている。これらの機会を通じて、自分の人生の意義を考え深めていく仕組みが、GSBにはいたるところに用意されている。

他のビジネススクールにおけるリーダーシップ育成が「実績やスキル」に基づいているとすれば、GSBにおけるリーダーシップ育成は「弱いところを曝（さら）け出す」ことに基づいている。GSBでの

「成功」の定義は、他のビジネススクールとは異なる。他のビジネススクールでは、たとえばキャリアの成功や卒業後の年収を評価指標に置くことが少なくない。一方、GSBでは「人生としての成功」が大切な指標である。

一般的に、ビジネススクールの同窓会は、キャリアで成功している人のみが集まるようになる。GSBの同窓会では、「お金をどのくらい稼いでいるか」で相互を評価することはないが、「個人として今やりたいことがやれているか」は評価対象となる。この評価指標は、入試のエッセイで聞かれる「あなたにとって一番大切なものはなにか」という質問を置き換えたものである。そしてこの問いの答えを具現化するために必須なものが「人間力」なのである。これらの価値観がGSBの根底を貫く文化となっている。

この文化がコミュニティに浸透することで生まれる好循環も大切である。同級生のなかで、起業を含めて新しいことに挑戦する人が増えることにより、ピア・エフェクト（同級生から受ける影響）が発生し、コミュニティ全体での好循環が加速する。さらにGSBはシリコンバレーに立地していることで、シリコンバレーで生まれる新しい技術・サービスに常に接する環境があり、この環境がこの好循環をさらに加速させる。

GSBでは、常に「自分の人生で大切なものはなにか」を突きつけられることで、「どんな風に生きていきたいか」を考え続ける。このことが、「ファイナンス」「マーケティング」「アカウンティング」というようなハードスキルではなく、「人間力」ともいうべきソフトスキルがGSBでもっとも身につくといわれているゆえんである。そしてGSBの最大の強みは、このような文化や雰囲気の作り方のノウハウなのである。

2. 多様性を生み出すGSBのプログラム構成

GSBは、三つの学位取得のためのフルタイム・プログラム（MBAプログラム、MSxプログラム、PhDプログラム）により構成されている[※4][※5]。

MBAプログラムは、20代後半を中心とした、学部を卒業して数年しか経っていない、比較的若い世代を対象としたプログラムである。修了時には、Master of Business Administration（経営学修士）が授与される。このプログラムは、各種MBAランキングで1位にランクされており、全米でもっとも入学困難なプログラムとして知られる。1学年の定員は400人程度であり、期間は2年間である。

MBAプログラムのなかで特徴的なのは、通常の単独のMBAに加えて、ジョイント・ディグリー・プログラム／デュアル・ディグリー・プログラムが存在することである[※6]。これらは、所定の期間に所定の単位を収めれば、二つの学位を同時に取得できるという仕組みである。具体的には、法科大学院、工学大学院、教育大学院、地球・エネルギー・環境大学院、公共政策プログラム、医学大学院等と連携したプログラムを提供している。この仕組みはMBAプログラム内の多様性を生み出す。元来MBAを目指す人材は、ビジネス・プロフェッショナルのなかでも限られた一部のセグメントである。それがたとえば教育大学院のジョイント・ディグリーを提供することで、教育セクターを専門にしたい人材（たとえば将来学校経営のプロフェッショナルを目指す人）が入学するようになる。このような人材は、単独のMBAプログラムでは自身のキャリアとフィットしないため、そもそもMBAプログラムに興味をもたない。他分野と連携する仕組みを提供することで、GSBの学生の興味・関心・バックグラウンドの多様性が飛躍的に上がる。授業内のディスカッションにおいても、工学、医学、教育、環境など、多様な視点からの議論が可能となる。さらに、ビジネススクールで学んだことを生かす分野が広がり、GSBコミュニティ全体のキャリアの多様化を促すことができる。この他学部との連携や参加者の多様性はGSBの特筆すべき特徴である。

MSxプログラムは、ミッドキャリア（30代後半）を対象としたプログラムである。1学年80人で、期間は1年間である。MSxで授与されるのはMaster of Science in Managementと呼ばれる学位で日本語にすると修士（経営学）となるが、いわゆるMBAとは区別された学位である。エグゼクティブMBAなどのプログラムはパートタイム（働きながら週末や夜間に通学）が大半であるが、このMSxはフルタイムであり、キャリアを一度中断した学びの場であるところが大きな特徴である。

MSxはもともとスローン・プログラムと呼ばれていた。これは、ゼネラルモーターズ社のCEOであったアルフレッド・スローンが、ミッドキャリアの育成のためにMITで開始したプログラムが起源である。その後、MITだけではなく、ロンドン・ビジネス・スクールやGSBなどにも展開された。もともとは社費派遣中心のプログラムで、ゼネラル・エレクトリック社、コカ・コーラ社などの米国企業に加えて、多数の日本の大企業も学生を派遣していた。2013年ごろに当時のプログラム・ディレクターがより特徴を表す名前にすることを目指して、MSxプログラムと名称変更を行った。このxは、transformation（変形・変容）を示している。

PhDプログラムは、GSBを基盤とした博士課程の人材育成プログラムである。GSBの教員の指導のもと、研究や教育の手法を学んでいく。GSBの博士課程が提供する研究領域は、「Accounting（会計）」「Economic Analysis & Policy（経済分析・政策）」

「Finance（ファイナンス）」「Marketing（マーケティング）」「Operations, Information & Technology（オペレーションとIT）」「Organizational Behavior（組織行動）」「Political Economics（政治経済学）」の七つである。これらの領域はMBAやMSxでのコア科目と異なる。PhDプログラムは、ビジネススクールでの教育や研究者を養成するプログラムであり、GSBの教員がどのような研究領域に分布しているかを知る指標となる。

GSBはその他、学位取得を前提とした三つのフルタイムのプログラムに加えて、学位を前提としないエグゼクティブ教育プログラムが存在する※7。これは、経営幹部（40代以上がメインターゲット）を対象とした短期間・パートタイムの多数の個別プログラムにより構成されている。個人向け、組織向け、カスタム・プログラム、オンライン・プログラムなどさまざまなコンテンツが用意されている。

3. GSBのカリキュラムの特徴

ビジネススクールを構成する科目は「ハードスキル」と「ソフトスキル」に分かれる。ハードスキルは、特定の専門性の高い知識等であり、研修などで習得しやすく、評価もしやすい。ソフトスキルは、リーダーシップ、コミュニケーション能力など、評価のしにくい個人の特性に関連するものである。各ビジネススクールのカリキュラムでは、このハードスキルとソフトスキルのバランスが異なる。たとえば、シカゴ大学ブース校は比較的ハードスキル重視である。GSBでは、他大学と同様にアカウンティングやファイナンスなどのハードスキルを1年次で学ぶ一方、2年次の選択科目では、ソフトスキルに関する科目が多い。この傾向は、

2010年以降さらに顕著になったという。2008年の金融危機以降、ビジネススクールの既存のフレームワークでは解けないような社会的課題が増えたため、大きくカリキュラム改変を行った。その結果、GSBはソフトスキルをより重視する方向になった。一般的に、米国のビジネススクールへ留学した人は、事前の期待通りという感想が多いなかで、GSBは良い意味で期待が裏切られることが多いビジネススクールではないかと、卒業生は指摘している。

ビジネススクールにおける教授法でもっとも特徴的なのは、ハーバード・ビジネス・スクールを中心としたケース・メソッドである。ケース・メソッドとは、事前に配布された企業経営における意思決定に関する資料を予習し、授業は講義ではなく、ディスカッション主体で行う形式である。ビジネススクールにおいて、このケース・メソッドをどの程度実施するかも、各大学により異なる。ハーバード・ビジネス・スクールはケースメソッド主流であるのに対して、シカゴ大学ブース校はあまりケース・メソッドを使わない。GSBは、全体の50%くらいがケース・メソッドであり、その中間である。言い換えると、ハーバード・ビジネス・スクールは実践重視、シカゴ大学ブース校は理論重視、GSBはその中間に位置する。ただし、それぞれのビジネススクールでの教育手法は、入り口が違うだけでどこも実践と理論をつなげる視点を強くもつことは変わらない。

一般的にMBAプログラムは、コア科目、選択コア科目、選択科目の三つのカテゴリーから構成される。コア科目とは全員履修必須な科目、選択コア科目とは多少の選択の自由度のある必修の科目、選択科目とは履修者が自由に選択できる科目、である。

GSBのコア科目と選択コア科目を**【表1】**にまとめた。GSBのMBAプログラムにおけるコア科目は、「Data Analysis and

Decision-Making（データ分析と意思決定）」「Leading with Values（価値提供によるリーダーシップ）」「Finance I（ファイナンスI）」「Financial Accounting（財務会計）」「Leadership Laboratory（リーダーシップ・ラボ）」「Managerial Skills（マネジメント・スキル）」「Managing Groups and Teams（グループ・チームのマネジメント）」「Microeconomics（ミクロ経済学）」「Optimization and Simulation Modeling（最適化とシミュレーション・モデル）」「Organizational Behavior（組織行動論）」の10科目である。一般的なビジネススクールと比較すると、数学的知識が必要なハードスキルの科目ばかりではなく、人材・組織系の科目の比率が高いことが特徴的だ。選択コア科目は、「FinanceII（ファイナンスII）」「Human Resource Management（人的資源管理）」「Information Management（情報管理）」「Macroeconomics（マクロ経済学）」「Managerial Accounting（管理会計）」「Marketing（マーケティング）」「Operations（オペレーション）」「Strategy（戦略）」「Strategy Beyond Markets（市場を超えた戦略）」の9科目である。理系知識が必要となる科目が多く含まれているが、学生の関心に応じて選択することができるような配慮がなされている。なお、現在のGSBはSTEM MBA（理系的知識を前提としたMBAプログラム）としての認証を受けており、理系の知識が必要なMBAと位置づけられている[※8]。

GSBのカリキュラム全体の特徴としては、STEM MBAとして必要となる科目を減らすことはないようにしながらも、GSBの強みである組織行動論の科目を充実させている。理系科目が苦手な人は苦労をするカリキュラムでもある。人間力を重視しながらも、学力に妥協することを意味するわけではない。成績が基準に満たない学生には、ピンクシートと呼ばれる警告メッセージが届く。

【表1】GSBのコア科目・選択コア科目一覧

コア科目(10科目)

- 「Data Analysis and Decision-Making (データ分析と意思決定)」
- 「Leading with Values (価値提供によるリーダーシップ)」
- 「Finance I (ファイナンスI)」
- 「Financial Accounting (財務会計)」
- 「Leadership Laboratory (リーダーシップ・ラボ)」
- 「Managerial Skills (マネジメント・スキル)」
- 「Managing Groups and Teams (グループ・チームのマネジメント)」
- 「Microeconomics (ミクロ経済学)」
- 「Optimization and Simulation Modeling (最適化とシミュレーション・モデル)」
- 「Organizational Behavior (組織行動論)」

選択コア科目(9科目)

- 「Finance II (ファイナンスII)」
- 「Human Resource Management(人的資源管理)」
- 「Information Management (情報管理)」
- 「Macroeconomics (マクロ経済学)」
- 「Managerial Accounting (管理会計)」
- 「Marketing (マーケティング)」
- 「Operations (オペレーション)」
- 「Strategy (戦略)」
- 「Strategy Beyond Markets (市場を超えた戦略)」

MBAプログラムは2年間で、1年次にコア科目・選択コア科目を履修し、2年次は選択科目を履修する。MSxプログラムは、MBAプログラムと同様にコア科目が存在するが相対的には少ない。MBAプログラムとMSxプログラムのコア科目の授業はそれぞれ独立している。一方で、選択科目は相互乗り入れとなっている。

選択科目は100以上あり、学生は多様な分野から選択することが可能である。ただし、授業ごとに履修者の上限が決まっており、希望者数が上限を超えた場合には、抽選を行う。人気科目の倍率は高くなるが、人気科目も多数あるので、学生は全体的に満足度の高い履修選択が可能となる。特徴的な仕組みとしては、履修申告にあたってのポイント・システムがある。どうしても取りたい科目の履修を選択する際には、ポイントを高くつけることにより、その科目の当選確率が上がる仕組みになっている。この仕組みがあることにより、学生はさらに満足度の高い履修の選択が可能となる。授業は4学期制（クオーター制）である。それぞれの科目の授業時間は科目の特性によって設定され、週に1回3時間の科目もあれば、1時間の科目を3回実施する授業など、多様である。

スタンフォード大学全体の特徴の一つは、学部間の垣根が低く、学際的な学びを推奨していることである。GSBの学生も、他学部の授業を履修することができる。GSBに比べて他学部は授業に定員があるところが少なく、多様な履修を行うことが可能である。一部の例外は、デザイン思考にかかわる授業を扱うd.schoolやゼミ形式の少人数クラス、ディスカッション形式の授業を行う学部である。スタンフォード大学では、他学部の授業を履修することを「across the street」（道の向こう側へいく）という表現を使い、きわめて一般的である。

GSBに限らず一般的にMBAプログラムは、1年目に必修授業が多く、勉強が忙しい。一方で、2年目は時間に余裕ができて、自分自身の未来への投資のために時間を使うことが可能となる。ここはGSBも例外ではない。MSxプログラムは1年、MBAプログラムは2年であることとの決定的な違いは、2年目の時間の使い方にある。MBAの2年目は、サバティカル(大学教員が取る研究休暇)のような位置づけでもある。もし、GSBのキャッチフレーズである「change」を最大限実現したいと思えば、2年目の時間を有効活用することが大切である。起業の準備をする学生もいれば、他学部の学生とチームを作って新しいプロジェクトをスタートする学生もいる。自分の過去を振り返って、今後のキャリアのリフレクションのための時間にあてる学生もいる。GSBの学費は他のビジネススクールに比べても高く、自費で来ている学生も多い。したがって、授業には真剣に取り組むが、それと同時に自分が本当に好きなことに時間を投資するのがMBAプログラムの2年目である。

GSBの授業スタイルは、典型的なビジネススクールの授業スタイルをベースにしながらも、いくつかの点でユニークである。典型的なビジネススクールでは、ハーバードビジネススクールなどが作成したケース教材を用いてディスカッションを行う。その意味では、どのビジネススクールでも扱うトピックや教材は大きく変わらない。一方でGSBの場合は、GSBが独自に作成したケース教材を積極的に活用する。加えて、シリコンバレーにあるという地の利を活用して、ゲスト・スピーカーが頻繁に招聘される。GSB独自に作成したケース教材は、シリコンバレーの起業家の創業に関するものも含まれており、ゲストスピーカーとして起業家本人が登場することが少なくない。90分の授業であれば、ケース・ディスカッションを30分程度に短縮し、起業家本人がゲストとして登場してQ&Aを行うことに60分程度あてる。このようなケース教材の主人公が登場する授業が多数あることで、よりリアリティの高い、起業のプロセスの擬似トレーニングを体験することができる。その他、2年次の選択授業では、フィールドワーク型の授業が多数存在する。企業から課題が持ち込まれ、その課題を学生が解決するというプロジェクトスタイルの授業である。このようなリアルな題材を使ったプロジェクト型の学習も、シリコンバレーの環境を十二分に生かした授業設計である。

4. GSBにおける成績のつけ方とその意味

GSBの成績は相対評価でつけられる。成績の採点基準は授業によって異なるが、ビジネススクールの授業らしく授業への参加点・貢献点の割合が高い。一方で、他のビジネススクールでよく見られるような成績優秀者リスト（Dean's Listと呼ばれる）などの公開は行われない。成績で表彰されるのは、卒業式で発表

【図2】主なビジネススクールの成績非開示の方針

大学名	成績非開示の方針	成績の付け方	概要
ハーバード・ビジネス・スクール	存在しない	1/2/3	2008年に大学により非開示から開示に変更
ウォートン	存在する	A/B/C/D/F +/-	1994年から学生により運用
スタンフォードGSB	存在する	H/HP/P/LP	学生により非公式に運用
MITスローン	存在しない	A/B/C/D/F	条件付き非開示
ケロッグ	存在しない	A/B/C/D/F	学生は自身の選択により開示可能
シカゴ大学（ブース）	存在する	A/B/C/D/F +/-	2000年から学生により運用

（出典：“Grade Non-Disclosure in the GSB”を筆者により翻訳）

される、上位10%へのアージェイ・ミラー・スカラーズ（Arjay Miller Scholars）のみである[※9]。

GSBの成績に関する特徴できわめてユニークなのは、学生間の合意による成績非開示ルールである。これは、「GSB在学中の成績は、就職活動を含めて外部に公開しない」という学生間で合意されたルールを指す[※10]。この背景には、「ビジネススクールでは、得意な科目よりも苦手な科目、自分の人生を広げることができそうな科目を履修すべきであり、成績を重視することで、学生の多様な学びを妨げてはならない」という考え方がある。この合意は、大学が公式に定めたものではなく、学生が主体的に発案したものである、ということは特筆すべき点である。GSBの学生の主体的なカルチャーを象徴している。もっとも、今では学生側・大学側両方が尊重するルールとなり、大学の公式なオリエンテーションなどでもこのルールについて当たり前のように触れられる。このルールには罰則規定はないが、就職活動の面接官がGSBの卒業生であることも多々あるので、自然な形で抑止力が働いている。米国のトップスクールでは同様の仕組みをもっているところが少なくない。ペンシルベニア大学ウォートン校、シカゴ大学ブース校などが挙げられる。

なお、学術的な研究においては、このような仕組みを導入することは、トップのビジネススクールでしか合理性がなく、学生の学びの量を下げる可能性があるとの指摘もある[※11]。Jain（2005）は、学生へのアンケートの結果、このような制度の導入によって、学びに割く時間が劇的に減少することを示した。Daniel Gottlieb & Kent Smetters（2011）は、ビジネススクールにおける成績の非開示ルールが、トップのビジネススクールだけに存在し、なぜ他のプログラムに広がらないかを数理モデルにより示した。

この成績非開示のルールがGSBコミュニティ全体に及ぼす影響は大きい。必修科目は、学生間で競争するのではなく、協調を促進する。その結果、良い成績を取ることよりも、いかに多くの人と会って、ネットワークを広げるかに注力することができるようになる。また、個々人が得意分野で助け合うことができるようになり、グループワークにおいて、チームの質が向上する。このようなメカニズムを通じて、GSBコミュニティ全体でも相互に助け合う文化が創生される。

成績非開示ルールは、学生個々人にもさらなる影響がある。学生にとって、今までやってこなかったことに挑戦するハードルが飛躍的に下がる。未経験のことへの挑戦コストが下がるので、新しいことに積極的にかかわるようになる。GSBにはチャレンジ精神旺盛な学生が集まっているので、もともと同級生で新たなチャレンジをしている人がたくさんいる。たとえば、他学部と連携して起業する人材もいれば、世界の社会課題に挑戦しはじめる学生もいる。こういった積極的な学生が集まる環境に、成績非開示ルールが加わることで、さらに自分自身も新しいことにチャレンジしたいと思うようになる。

5. もっとも人気の授業「Touchy Feely」

「人間力を育てる」ということで有名な授業に「Interpersonal Dynamics（人間関係の構築）」というものがある[※12, ※13]。GSBの選択授業のなかでもっとも人気のある科目である。この授業は学生の間で「Touchy Feely（感情むき出し）」とニックネームで呼ばれる。1968年から開始され、デイビッド・ブラッドフォード、キャロル・ロビンらを中心に数十年かけた蓄積により、現在のような地位を築くに至った。1990年代末は全学生の3分の1程度が履修するのみであったが、現在はほぼすべての学生が履修するまでになった。この授業の内容をまとめた著作『スタンフォード式人生を変える人間関係の授業』(CCCメディアハウス・2021年)が日本でも発売されている※14。

Touchy Feelyは、「格別」と呼ばれるような特別な人間関係を構築する方法を学ぶ授業である。これは、「公私にわたって強力かつ実用的な揺るぎない人間関係を構築・維持する方策」である。このような関係をもつことができれば、おたがいに率直に意見を述べることができ、またその率直な意見を学びのチャンスと受け止めることができる。「絆を深める」「信頼を得る」「影響力を手にいれる」といったソフトスキルを習得することによりリーダーシップを養う。ハードスキルに関する授業がIQ(Intelligence Quotient)を高めるための授業であるとすれば、この授業はEQ(Emotion Quotient)を高めるものである。

この授業は、ワークショップ形式でコミュニケーションやフィードバックに関するフレームワーク・スキルを学んでいく。授業の運営としては、クラス全員が参加する全体セッションに加えて、Tグループ(TはトレーニングのT)と呼ばれる12人の小グループにより活動する。そして個々のTグループに教員や卒業生がコーチとしてかかわる。このグループは、自己開示の重要性、フィードバックの出し方や受け取り方、相手とのつながり方、相互の影響力の与え方・受け取り方といった概念を実践する場となる。毎週さまざまな課題が出され、原則はTグループの学生同士が議論するが、サポーターを務める教員との会話やディスカッションからも気づきが得られるような仕組みになっている。

ワークショップでは、「今あなたはどういう気持ちでいるのですか?」という課題についてディスカッションする場もあれば、12人のメンバーが無言で相互にシグナルを送り、影響力の高い順番に並ぶ、というような課題を通じて学ぶ場もある。このような課題を通じて、自分はなぜそのようなフィードバック・行動を行ったかを相互にシェアする。それぞれの課題に答えようとすると、必然的に「自分の能力で足りないと考えていること・苦手なこと」「人にはあまりいっていない家族のバックグラウンド」などプライベートなことを開示するようになる。このような自分の弱さを開示することで、相互に学びを深めていく。

このプロセスを通してTouchy Feelyは、自分と向き合う大切さを学ぶことができる。特に「他人からフィードバックをもらうことで自分を知る」「他人からのフィードバックを受け入れる」といった体験を得ることができる。GSBに在籍しているような「エリート」ともいうべき学生は、このようなコミュニケーションが元来苦手である。日常的に自分の強みをPRしがちであるが、この授業を通じて自分の弱さを開示し、自分がまわりからどう思われているかを学ぶことができる。

この授業の有効性には、多くの日本人の卒業生も同意している。一方で、日本人に対する効果にはいくつかの意見がある。たとえば、このような深い関係を作ってコミュニケーションを取る経験は、そもそも日本人はすでにやっている、という意見がある。日本の中学・高校時代の部活動での先輩・後輩のコミュニケーションなどは、Touchy Feelyで学ぶような深い人間関係の一つの形態であるとも考えられる。もしくは、終身雇用を前提とした日本企業のコミュニティは、必然的に人間関係も深くなり、Touchy Feelyで学ぶようなコミュニケーションを実践している場であるといえる。他方日本人にこそ特に学びが多いという意見もある。日本企業や部活動におけるコミュニティはダイバーシティが低く、ハイコンテクストであり、コミュニティ内のみで通じる暗黙の前提が存在している。一方で、グローバル社会のあらゆる活動は多様なバックグラウンドの人が集まったダイバーシティのある環境が前提となる。フィードバックをするという行為は、各国の文化によっても異なり、日本人は自己開示や本音のフィードバックが苦手であるが、イスラエル人はよりストレートなフィードバックをする傾向がある。多様なバックグラウンドのメンバーと一緒に学ぶことで、「当たり前は存在しない」ということに気づく場でもある。

GSBの特徴は、GSBがシリコンバレーに立地していることによるアントレプレナーシップ領域の強さに加えて、組織行動論（OB: Organization Behavior）の教員が伝統的に強いことである。この辺りの強みがキャロル・ロビンらを中心にしたこの授業を生み出す土壌になった。この授業は学生の高い需要を満たすために、複数の教員が複数のセッションを同時進行で担当している。

このような人間力を高めるためのソフトスキルに関する授業は、Touchy Feely以外にも複数存在している。その一つに演劇を通じて学ぶ「Acting with Power」という授業がある※15。人間のもつダークサイドについて、たとえば歴代の権力者である大統領のスピーチを演じることで学んでいく。このようなトレーニングを通じて、人間のもつ深いところに根ざした本音の理解を深めることができる。こういった授業が多数存在するのは、組織行動論の強いGSBの特徴である。

6. GSBにおけるアントレプレナーシップ教育

GSBには、「Center for Entrepreneurial Studies（CES）」というアントレプレナーシップ関連の授業を統括する組織がある※16。CESが、GSBにおけるアントレプレナーシップに関連する教育・研究・アウトリーチ活動の中核を担う。

GSBは、アントレプレナーシップ関連の授業が多数ある。どこまでをアントレプレナーシップの授業と呼ぶのか、境界もあいまいである。「マーケティング」や「人材・組織」などの授業も、アントレプレナーシップ領域と被る部分が存在している。特にシリコンバレーに位置するGSBでは、どの授業においても頻繁に、シリコンバレーの起業家がゲストスピーカーとして来訪することで、多くの授業がなんらかの形で、アントレプレナーシップとつながるトピックとなる。シリコンバレーのスタートアップは、GSBの学生をリクルートしたいと思うので、ゲストスピーカーとして協力することに積極的だ。GSBではイベントなどを通じて、学生が起業家と直接交流する機会が多く、授業で特段アントレプレナーシップを学ばなかったとしても、起業家を身近に感じる環境にある。教員も「同級生が起業しているのを見ていて、なぜ起業しないのか」と学生に積極的に語りかける。このような環境に身を置くことで、学生間で起業をしたいと感じるようなピア・エフェクトが発生する。

GSBのアントレプレナーシップ教育のカリキュラムの中核に、「Startup Garage（スタートアップ・ガレージ）」と呼ばれる授業がある。この授業は、ハンズオンかつプロジェクト・ベースで、デザイン思考、工学、ファイナンス、ビジネス、組織などのスキルを活用しながら、新しいビジネスアイディアを構築し、その機会を評価する授業である。

現時点でCESが紹介するアントレプレナーシップ関連の授業は100以上にもわたる。このなかには、GSB単独で提供しているもの、GSBが他学部と共同で提供しているもの、他学部が単独で提供しているものなどが含まれている。この100以上のコースは、「体験型コース」「機能別コース（製品開発・製造、マーケティング、ファイナンス、人材管理、法務）」「産業別コース（技術、ヘルスケア、輸送・運輸、エネルギー、教育、サーチファンド・その他）」「スタートアップ基礎コース」に分類されている。

GSBはシリコンバレーに立地していることもあり、またスタンフォード大学の評判により、起業思考の学生が多く集まる。とはいえ、もちろん全員が起業するわけではない。MBAプログラムの卒業生に起業する人が多い一方で、MSxプログラムの卒業生の起業は限定的である。MBAプログラム全体で、1学年のうち30%程度が起業する。卒業時にすぐに起業するのは10%程度だが、起業家予備軍（将来的に起業を考えている学生）が20%くらい存在している。ベンチャーキャピタル（VC）に就職する人も少なくない。

シリコンバレーには、サンドヒル通りと呼ばれる、全米のベンチャー投資の3分の1が集まるベンチャーキャピタルの集積地がある。そのような環境のなかにスタンフォード大学という卓越した研究と優秀な人材が集まる場があり、人と技術と企業をつなげている。シリコンバレー全体が、人と技術と資金を集めるマグネットとなり、さらにその気候は集まる人たちのクオリティ・オブ・ライフを向上させる。GSBは学生にとって、そのエコシステムへアクセスするためのゲートウェイとしての役割を果たす。

アントレプレナーシップを担当する教員は、本人が起業家もしくは投資家であったケースが多い。現役の起業家ではなく、第一線を退いた後に後進の育成のために、教員になるのである。大多数の教員は実務経験をもっており、その体験から自分の成功談・失敗談を授業でシェアする。実務家とアカデミアがチームで教えることも多く、アカデミックなフレームワークと実践のつながりが学べる授業も多い。起業家の実務経験から学べることはたくさんあるが、起業家自身がフレームワークを教えられるわけではないので、その整理をするのがアカデミアの教員の役割となる。非常勤講師を含めると、Ph.D.をもたない実務経験者のほうが多いのもGSBの特徴である。

GSBのアントレプレナーシップ教育のもう一つの特徴は、ビジネススクールに限定されない授業が多数存在していることである。この背景にはMBA生だけでは、その枠組みが狭く、起業で成功まで至る確率が低い、ということがある。起業するためには、他の学部でシーズをもっている人との連携や、技術系人材とチームを組むことが重要となる。スタンフォード大学全体で、「across the street」して、他学部の授業を履修することが可能で、授業もコードシェアの科目が少なくない。たとえば、デザインを扱うd.schoolは顕著で、多様な学部の出身者が一緒に授業を履修する。こういった学際的な環境はイノベーションを促進する。その他、学生主体のイベントが多数あり、気軽に起業家と交流することができる。スタンフォード大学全体の起業促進プログラムとしてStartX というものがあり、このプログラムは、スタンフォード大学全体の学部間のハードルを下げることで、多様な分野が融合したプロジェクトが生まれることを推奨している。

7. ソーシャル・イノベーション：最近のGSBで広がりつつある領域

GSBの学生の関心領域の柱は、伝統的にはアントレプレナーシップと情報通信技術（IT）であった。現在、GSBの学生の関心領域は広がりつつある。そのなかでも、ソーシャル・イノベーションに関心をもつ学生の増加は顕著である。GSBは早い段階から、学内にソーシャル・イノベーション・センターを立ち上げ、授業や教材などを提供してきた。今や世界に広まっているスタンフォード・ソーシャル・イノベーション・レビューも、もともとは

GSBから生まれた雑誌である。そもそもGSBのキャッチフレーズである「change」は、ソーシャル・イノベーションと相性が良い。アントレプレナーシップの応用領域として、ソーシャル・イノベーションは重要で、ビジネスチャンスでもある。

ソーシャル・イノベーションが拡大する背景としては、GSBがシリコンバレーにあることが大きい。シリコンバレーが行き過ぎた資本主義として批判を受けるなかで、GSBでは大きなお金を稼ぐスタートアップと同様に、社会課題の解決に興味をもつ機会が少なくない。社会課題の解決はGSBにおいても重要なトピックである。

ソーシャル・イノベーション領域は授業以外のところでも学べる。学生主催のイベントのゲスト・スピーカーとして、ソーシャル・イノベーションの専門家が来ることも少なくない。さらに学生のクラブ活動も活発である[※17]。GSBの学生の先端的な関心領域は、授業のみならず、学生主体のクラブ活動を通じて開拓されている。学生主体のクラブ活動で特徴的なものの一つは、「GSB インパクト投資ファンド」である[※18]。インパクトファンドとは、財務的リターンのみではなく、社会的なインパクトを評価指標に入れたファンドである。これはGSBの卒業生が資金を出し合って作ったファンドであり、選抜された現役学生が、このファンドの投資・運用を実際に担う。このように、GSBの強い領域、発展しつつある領域が融合する形で、学生主体の課外活動も広がっていく。

8. GSBを分析した学術論文

GSBの特徴の一つに、ビジネススクールにおける教育と、教員による研究活動に好循環が生まれていることがある。GSBの卒業生を対象としたアンケートを実施し、GSBの教育プログラムの評価を行い、その結果を学術論文としてまとめる、という形だ。GSBの教員の関心の分布の影響もありアントレプレナーシップ教育に関する研究の割合が高い。ここではその論文のなかで代表的なものを3本紹介する。

1本目は、アントレプレナーに必要なスキル習得に関する研究論文である※19。起業のプロセスではさまざまなスキルを活用する必要がある。そのため、起業家は特定のスキルがずば抜けて高い必要はなく、一方である程度の水準のスキルを幅広くもつ必要がある。その前提から考えれば、成功する起業家は、多数のスキルをもつジェネラリストであると考えられる。その仮説を検証するために、GSB卒業生へのアンケートの分析を行った。その結果、卒業後に起業家になる学生は、そうでない学生に比べて、在学中により幅の広い分野の科目を履修していることが明らかとなった。

2本目は、GSBにおけるアントレプレナー教育プログラムの効果検証を行った研究論文である※20。もともと大学のアントレプレナー教育プログラムへの参加と、実際に起業家になる確率は相関関係が高い。しかしこれは相関関係であり、因果関係ではない。なぜならば、アントレプレナー教育プログラムによって学生の起業思考が強くなったのか、もともと起業思考が高いからアントレプレナー教育プログラムに参加したかを区別することができないからである。この論文では、アントレプレナー教育プログラムが学部レベルにより設置されている事実を活用し、それぞれの学部のプログラム開始時期の差を活用することで、アントレプレナー教育プログラムの効果検証を行った。

その結果、ビジネススクールにおけるアントレプレナー教育プログラム(the Stanford Center for Entrepreneurial Studies at the Business School)は、卒業後の起業率への影響はゼロもしくはマイナスであることがわかった。工学部におけるアントレプレナー教育プログラム（Stanford Technology Ventures Program at the Engineering School）への参加は、卒業後の起業率への直接的な影響はなかった。さらに深く分析してみると、ビジネススクールのアントレプレナー教育プログラムは、スタートアップの廃業率を減らし、平均の売り上げを向上させることがわかった。つまり、ビジネススクールのアントレプレナー教育プログラムは、学生の起業機会の発見の効率を高めることで、起業の失敗率を減少させ、その結果、起業自体の質を向上させているのである。

3本目は、ビジネススクールにおけるリーダーシップ教育の評価を行ったものである※21。ビジネスにおいてリーダーシップは重要なスキルである。そのニーズを満たすために、ビジネススクールではリーダーシップ教育のプログラムを多面的に提供している。一方で、そのリーダーシップ教育がどのような効果を出しているかは十分に検証されていない。この研究論文では、ビジネススクールにおけるリーダーシップ教育の有効性を検証した。キャリアのなかでリーダーとしてのポジションを得るためには、他者に比べて多面的な役割やタスクを多くこなし、継続的に成功を収めなくてはならない。そのため、リーダーは多面的なスキルが必要なので、よりジェネラリストの傾向があり、またより多くの意思決定を経験している確率が高いはずである。この仮説を検証するために、GSB卒業生へのアンケート調査を分析した結果、リーダーとなる人（具体的にはキャリアのなかでCxOを経験した人）は、在学中からより幅の広い科目を履修していることが明らかになった。さらに詳細な分析を行った結果、ファイナンス系の科目をより多く履修している卒業生はより年収が高くなり、経済学系の授業をより多く履修している卒業生はよりリーダーとなる確率が高いことが明らかになった。

9. ビジネススクールの未来とGSB

MBAの優位性は今後どの程度持続するのか。その点についてはさまざまな意見がある。一昔前であれば、MBAで学ぶ知識自体が、個々人のキャリア形成における差別化となった。しかしながら、今はインターネットで情報を得ることもできるし、オンライン授業などで学ぶことができる。1990年代に有効であったコンサルティング業務に必要とされるような知識は、インターネットを介してどこでも得られるようになり、相対的にMBAの優位性は弱くなっている。そのようななかで、MBAでソフトスキルを学ぶ重要性が高まり、GSBはその領域を拡大することにより、他のビジネススクールへの差別化の源泉となりはじめている。従来求められていたMBAの役割やそのコンテンツは変化しつつある。1990年代のGSBと、ITバブルや金融危機を経た今のGSBでは、ビジネススクールの役割が違う。それにともなって、GSBの学生がチャレンジする領域も拡大しつつあり、扱うトピックが多様になっている。

2020年からの新型コロナウイルスの対応は、ビジネススクールの本来的な意義を問い直した。コロナ対応については、GSBにおいても即断即決ではなかった。学生からもいろいろな意見が提案され、GSB内においてさまざまな議論が行われた。オンライン授業にはメリットとデメリットがある。メリットとしては、教室のキャパシティを気にしなくていい、授業時にチャット機能などITツールを活用することでよりインタラクティブな授業展開が可能となる、といったことがある。一方でデメリットとしては、ソフトスキルを身につけるためのコミュニケーションや人的交流などは、オンラインでは限界があることである。コロナの減少にともない、現在は完全に対面授業に戻っている。

コロナ禍でオンライン対応のノウハウが進んだ後も、GSBが対面を重視していることは興味深い。この点は、ビジネススクールの役割が、ハードスキル重視からソフトスキル重視のカリキュラムに移行しつつあることと無関係ではない。2009年の金融危機以降、世界のビジネススクールはそのカリキュラムを大きく見直してきた。そのなかでGSBは、ソフトスキルの教育手法に関する知見を蓄積してきた。そして今も新しい時代に必要な人間力やリーダーシップのあり方を多様な形で模索している。カリキュラムがハードスキル重視であれば、オンラインでも対応可能な部分がある。しかし、ソフトスキルを重視するカリキュラムにおいては、相対的に対面の重要性が高まる。

GSB自体が常に変化している組織であり、時代とともに社会のニーズに適応してきた。GSBの変化を一つのモデルとして、これからの時代の人材育成法について学ぶべきことがたくさんある。

謝辞

本稿執筆にあたっては、GSBの卒業生である伊佐山元氏、瀧俊雄氏、溝田裕樹氏、市川瑛子氏にインタビューのご協力をいただいた。御礼申し上げる。

[参考文献]
- Gottlieb, D., & Smetters, K.（2011）. Grade non-disclosure（No. w17465）. National Bureau of Economic Research.
- Eesley, C. E., & Lee, Y. S.（2021）. Do university entrepreneurship programs promote entrepreneurship?. Strategic Management Journal, 42（4）, 833-861.
- Lazear, E. P.（2004）. Balanced skills and entrepreneurship. American Economic Review, 94（2）, 208-211.
- Lazear, E. P.（2012）. Leadership: A personnel economics approach. Labour Economics, 19（1）, 92-101.
- デイビッド・ブラッドフォード、キャロル・ロビン著『スタンフォード式 人生を変える人間関係の授業』（CCC メディアハウス・2021 年）
- ヘンリー・ミンツバーグ著『MBA が会社を滅ぼす マネジャーの正しい育て方』（日経 BP・2006 年）

※1／https://www.gsb.stanford.edu/experience/life/campus/stanford-gsb-artwork
※2／https://note.com/eikoichikawa/n/n754b6ecb00e1
※3／https://forbesjapan.com/articles/detail/53072
※4／https://www.gsb.stanford.edu/programs
※5／Wikipedia: https://ja.wikipedia.org/wiki/スタンフォード大学経営大学院
※6／https://www.gsb.stanford.edu/programs/mba/academic-experience/joint-dual-degrees
※7／https://www.gsb.stanford.edu/exec-ed
※8／https://www.mba.com/explore-programs/choose-and-compare-programs/whats-a-stem-mba-and-why-is-it-so-popular
※9／https://www.gsb.stanford.edu/experience/news-history/commencement/certificate-award-recipients
※10／https://boruiatstanford.wordpress.com/2013/10/28/grade-non-disclosure-in-the-gsb/
※11／https://www.nber.org/papers/w17465
※12／https://www.gsb.stanford.edu/experience/learning/leadership/interpersonal-dynamics
※13／https://www.edbatista.com/interpersonal-dynamics.html
※14／デイビッド・ブラッドフォード、キャロル・ロビン著『スタンフォード式 人生

を変える人間関係の授業』(CCC メディアハウス・2021 年)
※15/http://sutebuu.blogspot.com/2011/06/mba.html
※16/https://www.gsb.stanford.edu/experience/about/centers-institutes/ces
※17/https://www.gsb.stanford.edu/programs/mba/life-community/clubs-activities
※18/https://gsbimpactfund.stanford.edu/
※19/https://www.aeaweb.org/articles?id=10.1257/0002828041301425
※20/https://onlinelibrary.wiley.com/doi/epdf/10.1002/smj.3246
※21/https://www.sciencedirect.com/science/article/abs/pii/S0927537111000996

おわりに

今こそスタンフォードに学ぶべき
多様な思考フレームと「できるよ感」。世界との人材循環が日本の次世代を創る

櫛田健児

KUSHIDA *Kenji*

カーネギー国際平和財団シニアフェロー。シリコンバレーと日本を結ぶJapan – Silicon Valley Innovation Initiative@Carnegieプロジェクトリーダー。キヤノングローバル戦略研究所インターナショナルリサーチフェロー。東京財団政策研究所主席研究員。スタンフォード大学非常勤講師(2022年春学期、2023年冬学期)。1978年生まれ、日本育ち。スタンフォード大学で経済学、東アジア研究それぞれの学士号、東アジア研究の修士号修了。カリフォルニア大学バークレー校政治学博士号修了。スタンフォード大学アジア太平洋研究所でポスドク修了、リサーチアソシエイト、リサーチスカラーを務めた。2022年1月から現職。主な研究と活動のテーマは、①Global Japan, Innovative Japan、②シリコンバレーのエコシステムとイノベーション、③日本企業のシリコンバレー活用、グローバル活躍、DX、④日本の政治経済システムの変貌やスタートアップエコシスムの発展、⑤アメリカの政治社会的分断の日本への紹介など。学術論文、一般向け書籍やメディア記事、書籍を多数出版。

本書の著者たちは、幅広い分野で大活躍をしていて、まわりを先導しながら、今後の日本に大きな影響を与える方たちである。多様な分野や業種においてさまざまなキャリアを歩む著者たちの経験における共通点があるとすれば、スタンフォード経験が大きな転換点になり、新しいことに取り組むきっかけとなったことである。

専門分野を学ぶためにスタンフォードに来たら、社会実装へのフォーカスが強い環境に影響され、自らの専門分野を社会実装につなげる新しい取り組みを進める方。入学した当時は起業を考えていたわけでもなかったのに、さまざまな出会いや体験を通し、結局起業して成功した方。保守的な大企業からは考えられないような新しい新規事業を、逆風のなかでも突き進んで作っていく強烈な使命感を得た方。機会に恵まれたら迷わず現職を辞してスタートアップやベンチャーキャピタルに飛び込んだ方。研究実験をするために来たら、環境に刺激されて日本との医療イノベーションのつながりを生み出してエコシステムを作り出した方。苦しいときに人生の次のステップを考えるタイミングでスタンフォードに来て、ここでの経験と出会いが転換点となって自らの行動様式や思想が大きく変わってそれから飛躍した方。

やはり転換点というテーマが浮かび上がる。何人もの方がビジネススクールのミッションである“Change Lives, Change Organizations, Change the World.”を挙げているように、根本的にモチベーションが変化した人が多い。

では本書の読者に、著者たちの経験からなにを学び取ってほしいのか。本章の著者なりにいくつか伝えたいテーマがあるので、それをいくつか紹介してから、本書第二部のテーマであるイノベーションやスタートアップエコシステムについて言及したい。

今の日本に必要な外の刺激を得る機会

著者が読者に伝えたい一番のメッセージは、パンデミックでしばらく鎖国状態となってしまった日本に対して、「外の刺激を得る機会」を求めることの大切さである。本書の経験談を読んで、一人でも行動に移す人が増えればよいと思っている。これから日本が抱える数多くの課題に向き合い、新しい価値を作り出すには、本書の著者たちのように「アウェー環境」で猛烈に刺激を受け、新しいことや、今とはまるで異なる世界観や人脈を作って次につなげていくことが必要だと考えている。

スタンフォードはトップ大学としての世界の人材の良いところ取りの好循環と、シリコンバレーの中枢としてエコシステムと補完する関係の好循環という二つの好循環に恵まれていて、特に刺激的で転換点になりやすい。他のところがスタンフォードの仕組みや取り組みだけをまねしても、エコシステムの中心にいなければ、本書で述べられているようなエリック・シュミットから直接話を聞いて刺激される体験や、ピーター・ティール本人との会話で背中を押されるような経験はなかなかできないし、ここまで刺激的なクラスメイトや同僚に会えるとは限らない。同時に、エコシステムの中心にいる恩恵があるからこそ、もしかしたらスタンフォードが大学として抱える問題が見えなくなったり、もしかしたら制度や取り組みが世界一でなくても、人材と資金の流れがあるから結果として大成功したりしている側面もあるかもしれない。

スタンフォードは、企業派遣の客員研究員の制度なども含めると、なんらかの形で携わることのハードルは、多くの人が考えているほど高くない。デザイン思考の企業向けブートキャンプや、さまざまな企業研修に取り入れられる要素もあれば、個別の教授や研究者を招いて話を聞いたり、研修を受けたりすることも可能である。

しかも本書でのメッセージである「外に身を置いて大きな刺激を受ける」というものは、あえていうと、スタンフォードではなくてもよいということも伝えたい。もちろん、スタンフォードは大学とシリコンバレー・エコシステムの両方の循環があるので刺激も転換点になるポテンシャルも高いが、今の日本でいろいろなところで感じる閉塞感を見ると、スタンフォードではなくても、一刻も早くもっと多くの人に外の世界を感じてほしいと切実に思う。

オンラインの世界における物理的プレゼンスの重要性

現在も著者が非常勤講師として授業を一本教えさせてもらっているスタンフォードが2022年1月から対面の授業を再開して改めてわかったことだが、コロナでもっとも機会損失となっていたのは多様な人々とのディープな触れ合いだった。オンラインミーティング越しにはなかなか伝わらない熱量がある。多くの人が入り乱れて会話できる場から生まれる発見や印象的な一言が驚くほど大きなモチベーションとなることもある。本書にもそういった経験が結構見受けられる。コロナ禍でフルリモートになった状態でも少人数のセミナーを教えたが、その2年間でさまざまなZoom越しのディスカッションを促すノウハウなども教員として身についた。しかし、学生同士の横の会話も限られ、議題以外の会話はなかなか生まれる余地がなかった。しかし、対面に戻ると授業がはじまる前の教室内では東京オリンピックに参加した学部生と日本の外交官、韓国の外交官と米国陸軍のエリート・レンジャーの会話などが自然に起こり、それぞれの異なる世界観が交わる会話が発生した。オンライン越しでいろいろ工夫しても起こらない化学反応が見受けられたのだ。時代はなんでもフルリモートに向かっているのではなく、スタンフォードや各トップ大学が行ったようにいち早く対面の接触を可能にし（最初は学生には週2回のコロナ検査などが義務づけられた）、オンラインで行えることの長所を引き出しながらも、対面を大切にするからこそ伝わるものをフルに活用する方向となっている。

日本人のほとんどが日本にしかいられなかったコロナ禍の2年間で、いつしか考え方が単一的になり、同調性が求められるマスクとソーシャルディスタンスの生活で失われたもの、それはまったく異なる思考フレームを持ち寄っていろいろな物事を深く考える機会だったのではないだろうか。実際に今、シリコンバレーにふたたび訪問を始めた日本の大企業や研究者たちは情報の感度が決して低いわけではないのにもかかわらず、ここ数年で、さらに進化を遂げたシリコンバレーのエコシステムや驚くほど普及しているEV（電気自動車）と充電インフラの現状を経験して世界観が大きく変わっている。日本国内で得られる情報と現状のギャップにショックを受けている方々を数多くいるところを著者は目の当たりにしている。

やはり物理的に異なるところに身を置き、さまざまな新しい世界観や思考フレームに浸かることで、新しい突破口やパラダイムシフトが生まれ、モチベーションが湧く。いったん過去の話に戻って、著者が学部生として得たスタンフォード経験を例に出すとさらにわかりやすい。

スタンフォード学部生経験で新しい思考フレームの発見、日本への理解も深まる

日本育ちの著者はまず学部生としてスタンフォード大学に進学した。インターナショナルスクールに通っていたため、高校までのカリキュラムはそもそもアメリカの大学入学向けに構成されていたので、第一志望だったスタンフォードに受かったのはうれしい限りだった。青空が広がり、都会とかけ離れた感覚のキャンパスは一年中大好きなスポーツもできるので、前年にはじめて見たときから惚れ込んでいた。学部生として経済学、東アジア研究、国際関係を専攻したが、1990年代の後半はドットコム・バブルのまっ最中だった。寮から起業する学生や、夏のインターンシップに参加したら車をもらったという話など、学生たちの間で

も「これはバブルだね」という感覚はあった。

同時に、シリコンバレーとはあまり関係ない学生がほとんどだったという印象を受けた。実際、最近はコンピューターサイエンスを専攻している学部生は2010年から2020年の間に2.5倍以上になっていると学生新聞のStanford Dailyの調査結果がある。社会科学の分野ではちょうど2000年ごろにシリコンバレーのエコシステムについての研究が相次いで出版されはじめたが、ほとんどの学生は無縁だった。人文系はなおさらである。工学部の学生は就職先としてシリコンバレー企業に入る人もいたが、Googleはまだパロアルトの小さなオフィスにあり、Appleもスティーブ・ジョブズが戻ってきたばかりであまりイケている感じはしていなかった。その後、卒業生たちの行方をたどると、飛躍したシリコンバレーのエコシステムで大活躍した人が多いが、在学中は大学全体がシリコンバレー熱に燃えているという感じではなかった。ただ、世界選抜のものすごい人たちがさまざまな人生経験からの視座をもとに積極的に授業でのディスカッションに参加したり、学部生はほぼ全寮制の生活で、夜更けまでさまざまな世界や人生についての議論を重ねたりしていく刺激は計り知れない。

ここで本書の大きなテーマである、「多様なバックグラウンドの人たちのなかに身を置くことで得られる刺激と思考の広がり」ということに触れたい。多様性というのは、「意図して含めないと阻害される人たち」を組織や社会のいろいろな場所で活躍できるようにする側面と同時に、「多様な人生経験をしてきた人々を集めて、さまざまな異なる思考フレームに触れることで新しいイノベーティブなことができる」という側面がある。経営の場合、多様性が高いほうが既存の思考フレームの枠にとらわれずに新しいことを試みたり、ディスラプションを避けられたりするという役割がある。多様性は目的だけではなく、多様性による結果が良い方向に向かうということである。

スタンフォードの学部生にはいろいろな富裕層の人はもちろんいたが（郵便箱の仕組みや洗濯機の使い方を知らない富裕層の人も）、中流家庭や低収入の家庭出身で奨学金をもらって通う人も大勢いた。たとえばカリフォルニア州の内陸出身のクラスメイトは、5人兄弟が全員、1ベッドルームの狭いアパートで生活し、ダイニングテーブルを囲んで宿題をこなし、夜はダイニングテーブルの真横のリビングのスペースで「州」の字になって寝るという生活だった。布団に潜って懐中電灯を使って勉強していたクラスメイトは医者を目指し、結局地方医療の医者になった。同じ寮に住んでいたクラスメイトは南アフリカの卓球チャンピオンで、白人の母子家庭で育ち、治安が急激に悪化する故郷に置いてきた母親と妹をなんとしてでもアメリカに連れてきて良い生活をさせてあげるため、強い使命感をもって勉強していた。タイの王家が出している奨学金で来ている人や、シンガポールで兵役を済ませてから来たため、ちょっと年上のクラスメイトもいた。アメリカの軍からの奨学金で大学の学費と生活費を出してもらっていた生徒は、週末になると軍のトレーニングに参加するために大学を離れ、卒業後は数年間、軍への進路が決まっていた。

ブータン王家のお姫様や、元オリンピック選手で医者を目指していた生徒もいた。お約束だが、天才級の頭脳の持ち主は、非常に切れ者の著者の友だちが1週間かけて解いた物理の問題を数分で解いてしまったが、親元を離れて寮生活になると驚くほど生活力がなかった。別のクラスメイトは、祖父がシリコンバレー創設メンバーの1人だったのに、反発した息子（私のクラスメイトの父親）がアイダホ州の山奥で彫刻家になって、山男のような環境で育ったが結局祖父に影響されてスタンフォードに来た。私のルームメイトとなった彼は山でマウンテンバイクに乗ったりしていたアイダホの田舎の公立高校出身だったが、いざスタンフォードの工学部の授業を受けはじめたら、他の生徒が難しいと困りはてていた問題集を難なくこなし、週末はロッククライミングやキャンピングに出かけていった。アメリカの良いところは国立公園と大自然であり、都会や中流家庭の生活にまったく興味がないという優秀なタイプのアメリカ人だった。そしてもちろん、大学にはなぜいるのかがよくわからない人もいた。著者はそれまで自分が日米の文化圏の狭間で育ち、日本とアメリカを外からもなかからもわかるのでそれなりに視野が広いと自負していたが、本当に狭い世界で育っていたということを痛感した。

こういうバックグラウンドの人たちに囲まれて行う議論は、まったく想像を超えた思考フレームの発見が幾度となくあり、なにが「当たり前」で、なにが「できない」ことなのか、それまでの思考の枠が一気に外れた。さらに、海外にいると、自分は日本を背負っているという自負がまったくなくても、日本出身であることがわかると、非常に優秀な人たちが日本について鋭い質問をしてくる。これは海外に出た日本人の多くが経験する現象だろう。しかも会話をはじめると、どんどん深いところまで追及してくる。たとえば、なぜ日本は中国の漢字を使っているのにまったく異なる言語なのか。なぜひらがなとカタカナという音だけの「アルファベット」が二つもあるのか。少し説明をはじめると、じゃあ「訓読み」というものは誰がつけたのか？　中国大陸のさまざまな文明の要素は韓国を経由して日本に伝わったと聞くが、なぜ韓国の伝統的な床下暖房、「オンドル」は歴史的に日本にはなかったのか。日本でもっとも人気が高いスポーツがなぜ野球なのか。そうなると、日本出身なのに日本のことを知らないというのはおもしろくない。国内のみにいては見えない日本の良いところも見えてくる。

著者は学部生のころ、日本について歴史、文学、言語学、政治、経済など、いろいろな分野の授業を片っ端から受けた。そのころ、経済関連の授業で取り上げられたり、大学にゲストを招いて行われた講演で取り上げられたりする日本は「なぜ失敗したか」とか「こういうことをやってはいけないという模範例」という論調がほとんどだった。これは残念であり、悔しかったので、日本経済の明るい話を探すようになった。また、学部3年目には日本語力を高めようと、「短期逆輸入留学」と自ら命名した取り組みで、スタンフォードが当時展開していた京都のスタンフォード・日本センターで一学期学んだ。故・今井賢一先生が日本のスタートアップなどについてプロジェクトを進めていたころであった。シリコンバレーではインターネットの到来で新しいスタートアップのエコシステムが急発展していて、日本では1990年代を通してなかなか変化できない大企業や旧来の大勢の特効薬として「ベンチャー」が取り上げられていた。なかなか日本ではうまくいかない理由がたくさん挙げられていて、後の自分のテーマにつながった。そして外資系金融機関の東京支店での夏のインターンシップで新しい雇用のロジック（突然クビになる、数年ごとに職場を変えないと「できない」人に見られてしまう、など）を目の当たりにした。学士号のための卒業論文（任意）を経済学の分野から、故・青木昌彦教授のもとで書いた。

日本経済の明るい話を追い求めた
携帯産業がシリコンバレーにディスラプト

当時の日本の明るい経済ネタは携帯電話だった。1990年代半ばから終盤には日本の携帯電話やPHSがどんどん小型化し、高機能化し、iモードや他社の似たようなプラットフォーム・サービスによって劇的に進化していた。当たり前のように学生も若者もみんな日本では携帯電話をもっていた。しかし、私が1997年にスタンフォードに入学したときには誰ももっていなかった。しかもアメリカの携帯電話はドリフのコントのような靴サイズのものが普通だったのだ（ちょっと大げさだが、そのくらいの違いに感じた）。日本が世界を10年リードしているなら、絶対この分野では「世界を取れる」と思った。しかし、もちろん結果的にはまったくそうならず、その10年後にはシリコンバレー発のスマートフォンにディスラプト（駆逐）されてしまった（もちろん、コンポーネントメーカーとして世界的に活躍している日本勢はいるが、業界全体を取ったほうがリターンははるかに多い）。

その後、私は研究者の道を歩むことを決め、スタンフォードの東アジア研究部からの奨学金を得て修士を取り、政治経済でもっとも研究のアプローチと日本研究が魅力的なUCバークレー（カリフォルニア大学バークレー校）で政治学の博士課程に進んだ。その後、政治経済の専門家としてスタンフォードのアジア太平洋研究所（APARC）のポスドク（博士研究員）という形でスタンフォードに戻ってきた。それからリサーチ・アソシエイト、リサーチ・スカラーという研究職の立場で10年ほどAPARCに在籍し、たまに授業でも教えた。

日本の情報通信産業や政治経済の分析を英語の学術誌に投稿すると同時に、日本向けにはシリコンバレーについての発信を行うようになった。特にスマートフォンが登場してからシリコンバレーでは世界のいろいろな業界をディスラプトしていく巨大プラットフォームの企業が急成長し、シリコンバレーについてのエコシステムをきちんと分析しないと活用はできないというスタンスで複数のプロジェクトをはじめた。

そこで、それまでずっと気になっていた、シリコンバレーを活用できない日本企業が多くいることに対して溜まったフラストレーションが強烈な危機感へと変わり、シリコンバレーと日本を直接結ぶプロジェクトを立ち上げた。APARCではじめた「Silicon Valley - New Japan Project」というもので、当時のジャパンプログラムのディレクターを務めていた星岳雄先生のサポートを受け、スタンフォードの米国・アジア技術経営研究センターのリチャード・ダッシャー所長の応援のもと、学術アウトプットを超えたさまざまな活動を行った。本書でもテーマとなった社会科学研究の社会実装であり、産学連携のプロジェクトだった。日本企業はもっと効果的にシリコンバレーを活用することができ、シリコンバレーでの日本のプレゼンスを高めれば双方ともメリットが多いはずだという確信からだった。パンデミックになるまでこのプロジェクトは毎月の公開フォーラムや、イシンというスタートアップのメディアを扱う会社と組んで大規模なイベント、「Silicon Valley – New Japan Summit」などを行った。多くの協賛企業にサポートされた取り組みはどんどん拡大していき、「シリコンバレーの日本企業が陥るワーストプラクティス」集など、シリコンバレーのエコシステムを理解した上での提言や、シリコンバレー向けに日本企業の興味深い取り組みの紹介もできた。

カーネギー国際平和財団で日本の新しいストーリーを作る

2022年にアメリカ最古のシンクタンクで、政治的には完全に独立しているカーネギー国際平和財団（Carnegie Endowment for International Peace）にシニアフェローとして移籍した。同財団はスタンフォードとのつながりが強いスタンフォードの元理事長で、現在も大学のいろいろな機関の理事を勤めている人物が理事を勤めているほか、同財団の理事にも数名のスタンフォードの卒業生がいる（鉄鋼王、アンドリュー・カーネギーはカーネギーメロン大学やカーネギーホール、スタンフォード大学内でもバイオ系の研究を行っているカーネギー・インスティチュートなど、さまざまなところに寄付して名前を残しているが、カーネギー国際平和財団の運営は大学やその他のカーネギー系組織からも独立している）。しかも2021年からカーネギーのプレジデントを務めるマリアーノ＝フロレンティーノ・クエヤールはメキシコ生まれでスタンフォードのロースクール教授になり、私が所属していたAPARCが傘下にある組織、Freeman Spogli Institute for International Studiesの所長も務めた人である。そのクエヤール氏は、ワシントンDCに本社があるカーネギーに、新しいシリコンバレーの拠点を作る構想をもっていた。シリコンバレー在住の同氏はシリコンバレーとカリフォルニア、ワシントンDCの連携を大幅に強化する必要性を感じていた。カーネギーは世界中に作った拠点（デリー、ブリュッセル、ベイルート、北京、そして2022年にプーチン政権に閉じられるまで存在したモスクワベルリンで再構築など）で、それぞれ独立性をもちながら各国の政府や財界、オピニオンリーダーにインプットを提供して国際的なプロジェクトを進めるのが特色であるシリコンバレーの重要性は増す一方だという構想を掲げていた。同じアメリカ国内でも首都のワシントンDCからは物理的な距離だけではなく、文化、社会、政治力学などが遠いカリフォルニアは、なによりもシリコンバレー・エコシステムが生み出す新しい技術や経済のダイナミズムがアメリカにも大きな影響を与えている。それがゆえに、グローバルなシンクタンクとしてワシントンとは別の視点をもつシリコンバレーの拠点が必要であるというビジョンである。

カーネギーのアジア担当のディレクターは、スタンフォードで政治学博士を習得してからアメリカ国務省や元アメリカ財務長官のヘンリ・ポールソンのシンクタンク・財団を立ち上げた人物で、従来のワシントンのシンクタンクがフォーカスしていた国防や国際政治、外交から舵を切って、テクノロジーを中心にチームを強化する方針をとっていた。彼から著者へのオファーは、イノベーションや技術を中心に新しく日本プログラムを作り変えるというもので、シリコンバレーから率いて他のだれにも作れないユニークで価値があるものを作るチャンスだった。しかも、まだ40代半ばに差し掛かる前の自分にとってシニアフェローというきわめて自由度が高いポジションは魅力的だった（髪が黒いうちの「シニア」である）。ダメ押しは、カーネギーのシリコンバレー拠点はスタートアップに近い形であり、数百人の組織全体のプレジデントであるクエヤール氏と私がカーネギーのシリコンバレーオフィスの初期メンバーであり、新しい組織作りにゼロベースから立ち合うことができた。今までの日本とシリコンバレーをつなげる活動と学術的アウトプットに加え、アメリカの政権の中核であるワシントンDCとシリコンバレーをつなぎ、日本とワシントンもシリコンバレー独自の切り口で関係を強化し、カーネギーが展開する他のグローバル拠点にも日本やシリコンバレーを結ぶ。自分の給料を含めた資金集めをしなくてはいけないポジションだが、絶対にやるべきだと思ってスタンフォードの研究職を後にした。

同じアメリカでも、フラットな組織とあまり縦社会ではないシリコンバレーの文化は、東海岸とも大きく異なる。シリコンバレーに比べて、文化的にも物理的にも縦社会のワシントンDCのカーネギー本社では、それを象徴するようにプレジデントのオフィスは8階建ての立派な建物で、最上階の天守閣のようなスペースにある。しかし、スタートアップ気分でまだメンバーが著者一人のパロアルトのオフィスでは他の財団のオフィスを一部間借りして、プレジデントの机の隣で私が仕事をするというコントラストが実にシリコンバレーらしい（もちろんクエヤール氏はワシントンや世界中を飛びまわっていてあまりオフィスには来ないが）。

カーネギーの新生日本プログラムは、日本はその経済規模に対して国際的にプレゼンスが低すぎるという問題意識をもっている。その大きな理由は、国外からも国内からも、日本に対する思考フレームやストーリーが魅力に欠けていることにあると考えている。「失われたウン十年」「少子高齢化と過疎化の課題先進国」「ジャパン・アズ・ナンバーワンになれなかった日本」「変われない大企業」などのフレーミングでは日本のポテンシャルを過小評価してしまいやすい。日本の経済はまだカナダの倍以上あり、ドイツの1.3倍、イギリスの1.8倍ほどあるが、その規模にともなう振る舞いができていない。日米関係においては、実は日本企業は非常に刺激的なシリコンバレーとのコラボレーションをいくつも進めている。社会の分断がアメリカに比べたら劇的に低い日本は、震災の復興税などもサクッと通してしまうぐらい連帯意識が強い。新しい技術や業界の競争のロジックを作り出したり、斬新なイノベーションを作り出したりするのは得意技ではないが、部分最適化においては非常に強い。また、内からも外からも過小評価されているスタートアップエコシステムはもっと世界にアピールしながら、シリコンバレーからの視座で日本政府に提言を行っていく余地はある。

日本は世界の多くの人からも、日本国内の多くの人からも過小評価されている側面があると思っている。日本の大企業は想像以上にグローバルで、外資系企業の飛躍によって想像以上に国内もオープンになってきている。革新的なイノベーションよりも、着実に先端技術をブラッシュアップして世界で実装するタイプのイノベーションもいろいろなところで着々と行われている。そして少子高齢化と過疎化に見舞われるけれども分断が浅い社会は、これから10年でさまざまな技術や仕組みの導入によって他国のモデルにもなりうる要素を秘めている。そういうテーマを私はカーネギーで今後もどんどん掘り下げていくが、これはスタンフォードとシリコンバレーの物の見方をするから見えるポジティブな側面とストーリーである。

また、スタンフォードで行っていたシリコンバレーと日本をつなぐプロジェクトをカーネギーで引き継ぎ、「Japan - Silicon Valley Innovation Initiative (JSV) @Carnegie」という新しい企業協賛プロジェクトを作り、毎月のクローズドな勉強会や日本向けの公開イベントをはじめた。

グローバル向けには日本の新しいストーリーにつながる発信をしながら、日本向けには日本語でどんどん改善点や外から見た新しいビジョン、そしてシリコンバレーからの示唆を伝えていく。そしてシンクタンクの役割の一つである、「表立って目立たなくても、要人、オピニオンリーダーや財界のリーダーなどと信頼関係を構築していろいろな人につなぐなど、良いインプットをしていく」活動も行っていく。

日本のスタートアップエコシステムへの期待

新しいことにチャレンジし、新しい価値を作り出していけるという意味でスタートアップエコシステムはおおいに重要である。スタンフォードはアメリカ経済を牽引しただけではなく、世界のさまざまな産業に大きな影響を与えたシリコンバレーのエコシステムの中枢にある。著者はスタンフォードにいたころから日本のスタートアップエコシステムを研究しているが、シリコンバレーの理解をもとに日本の状況を分析すると、これからの発展は非常に期待できると考えている。しかし、もちろんシリコンバレーを全部まねすればよいというわけではない。

まず、スタートアップエコシステムにはそもそも複数のコンポーネントが存在し、それぞれ相互依存している。①ベンチャーキャピタル（VC）、②人材循環、③産学連携と政府の役割、④大企業とスタートアップの補完関係、そして⑤スタートアップ育成のサポートエコシステム、などが主なコンポーネントである。

相互依存というのは、たとえばVC業界は数多くのスタートアップに投資して、そのほとんどが失敗しても、1社か2社の「場外ホームラン」となるような大成功を収めるスタートアップが生まれれば成功となり、VCに資金が集まり、次の投資につながる。大量のスタートアップが生まれるには、非常に流動性が高い人材の循環が必要である。したがって、たとえばVC業界に政府から大量の資金を注ぎ込んでも、人材の循環があまりないとスタートアップは生まれず、拡大させるのも難しく、大成功を収めるスタートアップの数も必然的に限られてくる。VCの人材循環が補完関係となっているからである。

同じように、産学連携とVCの関係は、スタンフォードのように大量にスタートアップを作り出す研究者や学生やアラムナイ（卒業生）がいるからこそ、物理的にもお隣のサンドヒルロードやパロアルトのトップVCたちとの交流が深い。投資を受けるだけではなく、人を送り込んだり、さまざまなインフォーマルなノウハウも循環したりするような密度の濃い産学連携が行われる。そして古くからシリコンバレーの中枢にいたVCのジョン・ドーアがビリオネアとなり、スタンフォードに16億ドルもの寄付金で新たなSustainability Schoolを作ったのは産学連携のメカニズムの一部だととらえるべきである。そしてここから生まれるさまざまな研究ラボからスピンアウトされ、輩出する人材から新たなスタートアップが生まれ、VC業界にも恩恵をもたらす。こういう相互依存関係である**【図1】**。

シリコンバレーは1960年代から1980年代までにこれらのパーツがそれぞれ好循環スパイラルになるような発展を遂げ、1990

【図1】主要なスタートアップエコシステムの要素、相互依存、前向きなフィードバックの循環

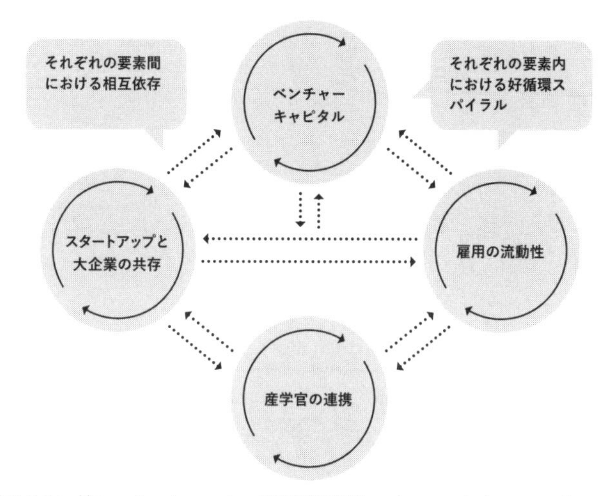

出所：https://carnegieendowment.org/2022/08/10/how-japan-s-startup-ecosystem-grew-alongside-its-large-firms-pub-87636

年代以降、一気に世界的なディスラプター（破壊するプレイヤー）を作り出し、アメリカ経済の復活を牽引した。もちろん、地域としては地価や物価の急激な高騰など、負の面もあるが、所得の分配や住居の問題はローカルな政治力学が影響しているので、日本が学ぶところはエコシステムの価値を作り出すコンポーネントである。そこで手短に日本のスタートアップシステムを見ていこう。

日本のスタートアップエコシステムはここ20年ほどで劇的な

進化を遂げてきた。いってみれば「仕込みの期間」が終わってこれから成長の時代がはじまることが期待できる。2022年に入ってロシアの戦争や世界経済におけるアメリカとEUの利上げにともなってVC市場に流れ込むグローバルマネーが減り、株式市場の低迷によってスタートアップの大型IPOなどから望めるリターンが減ったことで世界全体のVC市場とさまざまなスタートアップエコシステムは数年前に比べたらスローダウンしている。日本もその影響を受けているが、日本のスタートアップエコシステムの基盤はだいぶできあがっていて、それぞれのコンポーネントは好循環スパイラルが生まれはじめている。

そもそも現在の日本経済モデルは日本の高度経済成長期にできあがった。「戦後日本の政治経済モデル」とその成功は、シリコンバレー的なスタートアップエコシステムとは真逆だった。日本の高度経済成長モデルは製造業などにおける強みによって、1970年代のオイルショック後から1980年代にかけて、日本企業が世界のディスラプターとなり、シリコンバレーの半導体産業にも大きな脅威となった。しかし、その後、シリコンバレー企業による価値の作り方がソフトウエアやプラットフォーム、及び外注委託生産などに大きく変わったことにより日本企業は競争優位を失った。終身雇用制度などにより大胆な方向の転換ができない日本企業はバブル崩壊にも見舞われて新しい大規模な投資もなかなか行えず、アジャストに時間がかかった。

日本のスタートアップエコシステムは、ゆっくりとしか変われない大企業中心の日本経済に必要なダイナミズムやフレキシビリティーを注入するポテンシャルがあり、大企業を置き換えなくても大企業の方向性を変えるという重要な役割も担う。

ここ10年で、日本におけるスタートアップエコシステムのパーツは著しく発展し、それぞれのコンポーネントで好循環スパイラルができあがりつつある。VC業界の発展が進み、日本におけるVCの投資額は、2011年の824億円から2021年には7801億円と、過去10年間で約10倍に増加していて※1、独立系投資家の台頭により成熟してきた。また、日本のスタートアップエコシステムは一流大学、大企業、政府、などからのエリート人材を活用している。大企業も、単独では容易に達成できないことを行うために、オープンイノベーションの取り組みでスタートアップと提携する例が増えている。大学発のスタートアップも急増しており、ディープテック（deep tech）からバイオなどの領域まで有望な企業が生まれ、どんどん上場している。上場の規模はまだ小さいが、上場経験者が増え、事業を上場させた人たちが次の世代に投資をしてメンタリングする循環も生まれている。政府、経済団体連合会、東京大学総長、行政の経済戦略計画などがそろってスタートアップエコシステムの成長を明確に後押ししていて、過去半世紀のどの時点に比べても、スタートアップエコシステムの社会的正当性（legitimacy）は高くなっている。

さらに、エコシステムのそれぞれのコンポーネントに目を向けると、好循環スパイラルが見られる。VC業界は独立系VCが主役となり、1990年代の後半に東証マザーズなどの小資本市場が整備されたことで、新興企業の早期IPOが可能になった。VCが投資リターンを実現し、リターンが増えるにつれ、より多くの資金と経験者がVC業界に集まり、スタートアップの資金調達の機会を増やし、VCのさらなるリターンを実現する機会が増えた。労働市場では、スタートアップエコシステムにおける労働市場は流動的でダイナミックなものとなり、エリート卒業生が大企業やエリート省庁の職を離れてスタートアップに行けば行くほど、かつての同僚や学友などの人脈や社会的正当性などから、次の人材の波がスタートアップエコシステムに引き寄せられやすくなり、人材の流動性がさらに高まった。また、日本の情報技術（IT）分野の発展や外資系企業の金融分野への進出が加速したことで、労働市場の流動性が高まり、スタートアップエコシステムを後押しした。

大学発スタートアップも、先輩たちがスタートアップを興せば興すほど、次の世代はスタートアップを興すことが通常の選択肢に含まれるようになり、ラボを率いる大学教授のコミュニティーにも大学にもノウハウがたまる。ノウハウがあればあるほど、次の大学発スタートアップを考える人たちのハードルが下がり、さらなるスタートアップが生まれやすくなる。

スタートアップエコシステムの各コンポーネントはそれぞれ他のコンポーネントと補完関係があるので、全体が発展するには時間がかかった。たとえば人材の流動性が低いとスタートアップに行く人材が限られ、そうするとVC投資をしても成功する確率が低くなり、リターンが少なければ資金が集まらず、成功するスタートアップが少ないと上場経験者が増えず、エンジェル投資家が増えなくなり、業界に資金が集まらない、という事態になっていた。しかし、好循環スパイラルがいくつもできて、それぞれのコンポーネントが伸びてきたので、エコシステム全体が成熟してきていて、将来が期待できる。

次のフェーズは世界との人材循環

日本のスタートアップエコシステムの次のフェーズでは世界との人材循環が大事になってくる。これまで述べてきたように、自らとは異なるフレームをもつ人たちとの深い交流で新しいアイデアを見つけたり、日本にいるだけではできないと思われたりしていることが実はできるという感覚である。逆に、自分が限られた環境でどんなにすばらしいと思っていても、世界のあらゆるところから来た人たちはその上を行くアイデアや、議論を通してのフィードバックで思わぬ方向に構想を高めたり、小さめのスケールで考えたりしていたことを本当にグローバルなスケールで考えるなど、得られる価値は大きい。スタンフォードへの留学、進学などは、もっとも刺激も人脈にもめぐり会える機会かもしれない。しかし、強いていえばスタンフォードでなくてもよい。

海外経験は出張よりも長いほうがよいが、コロナ鎖国が長引いた日本では、たとえ短期出張でも新しい感覚にめぐり会いやすい。たとえば2022年にはすでにロンドンのタクシーの3分の1

が電気自動車になっているとわかれば東京にEVが走った場合の綺麗な空気が想像できるようになる。スタンフォード近郊のパロアルトやメンローパークのアッパーミドルクラスの住宅地で、場所によっては3割以上の家にテスラが停まっているのを見ると、世界は本当にEVにシフトするのかどうかという疑心を抱く日本国内の議論は、もし日本がEVに舵を切らなくても、世界は間違いなくその方向に動くであろうということがわかる。スマートフォンに比べて自動車は複雑で、充電インフラも必要だが、同じようにディスラプトされる危険性や、EV化がもたらすさまざまな生活様式の変化をチャンスととらえられる。テスラではすでに車内で車載カメラと大画面を使ってZoom会議ができる。寒い日や暑い日にアイドリングをせずに空調をかけて仕事ができる「個室」の姿を見たら、さまざまなビジネスチャンスを見出すことができるだろう。日本の高齢化・過疎化する地域での「移動も待機もできる個室」という概念に新しい町づくりを見出せるかもしれない。

海外経験を劇的に増やそうと思ったら国の予算を充てるという発想もあるが、「頭脳流出」を懸念する声は必ず出る。しかし、頭脳流出は頭脳「循環」の第一歩であり、さまざまな人脈を作り、外の感覚を身につけたほうが日本のためにもなる。実際に本書の著者たちはスタンフォードの経験に刺激され、もう日本には戻らずに日本人をもやめてしまうという発想ではなかった。

「もっと海外へ」という構想を持ち出すと、機会の平等を重んじる日本の議論で頻繁に出る反論は「経済事情で海外に行けない人もいるので、そんな議論は格差を広めるだけだ」というものである。しかし、社会全体をより良い方向に向けて触媒となる人々（VC、医療、アントレプレナー、大企業内の変革者、教育改革者など）と、触媒になりうるポテンシャルがある人たちのモチベーション、影響力、そしてネットワークが、国内の格差を埋める第一歩であるという思考フレームもある。留学をサポートする奨学金も増えている。

次の世代のチェンジメーカーへ

本書の各章で掲載したスタンフォード経験者はチェンジメーカー（先駆者）でもあり、触媒でもある。スタンフォードは教育に本気であり、高校生から社会人まで幅広く教育を行っている。本書の著者たちは次のチェンジメーカーを育てることにも熱心であり、ライフワークにしている方もいる。スタンフォードで得た経験は著者たち自らを伸ばし、まわりも伸ばし、次はより広く社会に良いインパクトを本気で、そして具体的な解像度で与えようというモチベーションになった。しかもそれを実現させられるような「できるよ感」を与えてくれた。本書で紹介されたさまざまな例と、本書を締めくくる本章が少しでも読者にとって具体的な次のアクションを取るきっかけになれば本望この上ない。

※1／https://initial.inc/enterprise/resources/japanstartupfinance2021

イノベーション&社会変革の新実装
未来を創造するスタンフォードのマインドセット

2023年4月30日　第1刷発行

編著者　ホーン川嶋瑤子

装丁　宮崎絵美子（製作所）
デザイン　小島 唯（製作所）

発行者　宇都宮健太朗
発行所　朝日新聞出版
〒104-8011 東京都中央区築地5-3-2
電話　03-5541-8832（編集）／03-5540-7793（販売）
印刷所　大日本印刷株式会社

Published in Japan by Asahi Shimbun Publications Inc.
ISBN 978-4-02-251905-4